W9-AFP-592

LA VIDA ESPAÑOLA
EN EL SIGLO XVIII

EL MUNDO Y LOS HOMBRES
BIBLIOTECA ESPAÑOLA DE CULTURA GENERAL
Dirigida por M. FERRER DE FRANGANILLO

4

LA VIDA ESPAÑOLA EN EL SIGLO XVIII

POR

FERNANDO DIAZ-PLAJA
Doctor en Historia

A LA REAL ACADEMIA DE LA HISTORIA

BARCELONA
EDITORIAL ALBERTO MARTIN
Consejo de Ciento, 140

Talleres Gráficos AGUSTÍN NÚÑEZ. - *París, 208. - Teléfono 70600. - Barcelona*

PRÓLOGO

Si existe en la historia española un siglo olvidado es, sin disputa, el décimo octavo. Los escritores que trabajan sobre las esencias tradicionales del país le han despreciado porque con él llegó a nuestra patria la influencia extranjera en usos y costumbres. Por otro lado, los que gustan de sentirse en primer lugar amigos del hecho cultural sin distinción de matices ni patrias, no pudieron tampoco aficionarse a una centuria en la que el factor científico y literario bajó de manera vertiginosa en comparación con el glorioso siglo de oro que acabábamos de abandonar y sin llegar todavía al caótico, desorganizado pero brillante siglo XIX. Por ambas partes, el siglo dieciocho sufrió el despego y el olvido.

Despego y olvido a todas luces injusto. No es lícito estudiar este tiempo sólo como un conjunto de circunstancias propicio a la decadencia del espíritu español dentro y fuera del país y a la llegada del fenómeno francés a inficionar todo lo nuestro. El problema debe plantearse desde bases distintas; el siglo XVIII heredó de fines del XVII una España en derrota que sólo en el nombre de la dinastía se identificaba con la gloria del XVI y sobre ese tapiz ya dado, a partir de este error inicial, hizo lo posible con una tenacidad increíble y un gran sentido patriótico para situarse al nivel de las otras naciones y aún superarlas en el trabajo y el esfuerzo.

Lo del afrancesamiento que se le achaca como un estigma, tiene también su explicación. Objetivamente pode-

mos estudiar la España del XVI y principios del XVII como una potencia magna. Todas las naciones del mundo, Europa es poca, la respetan o la temen. La ley se hace en Madrid y el español tiene su lugar de honor en todas partes donde esté; nace su típico orgullo.

A mediados del XVII, concretamente, a partir de Rocroy, el panorama ha cambiado sensiblemente. Hemos sido derrotados en tierra y mar; las potencias se alían victoriosamente contra nosotros, Portugal se separa de quien ya no puede retenerla por la fuerza a su lado. Crece el contrario de ayer, es decir, Francia. De la misma forma que España antes, va imponiendo su autoridad, su lengua, sus modas. Si hubo un tiempo que en Londres, en París, en Viena era moda vestir a la española y hablar esta lengua, poco a poco nace la de esperar modas y consignas de Francia.

¿Qué le ocurre a esta España del XVII e incluso de principios del XVIII? Que no se entera, que no se quiere enterar mejor dicho, de que ha habido una decadencia, en la marina, en el ejército, en la hacienda. El español que ha oído a sus padres y abuelos comentar la maravilla de los Tercios marchando a paso de carga contra enemigos suspensos de terror, no puede hacerse a la idea de que el francés sin ánimos de antes, vencido en Pavía, en el Garellano, en las islas Terceras, haya podido ser nuestro vencedor en las Dunas. Cuando un pueblo tiene un convencimiento profundo desfigura la realidad para servirlo. Y así nace la explicación fácil: la de la traición de los generales, la de los favoritos que engañan y enmarañan al buen rey, la de los genoveses que se llevan el oro que se necesita para nuestros soldados. Y rechazan con toda su alma la teoría mucho más sencilla de que los generales por buenos y valerosos que sean no pueden maniobrar con hombres agotados a quienes se les deben las pagas de un año, que los favoritos actúan a su guisa porque tienen más energía que los abúlicos Felipes o Carlos y que los banqueros extranjeros no hacen más que recuperar el dinero

que prestaron años antes para sostener mil guerras distintas. Porque el mundo fatalmente tiene un favorito distinto cada vez y Francia sube mientras España baja como sucedió antes al revés.

Ahora bien; cuando una situación adversa se plantea, quedan dos soluciones. Luchar suicidamente contra ella o aprovecharla en favor de la misma forma que el hábil marino orza para sacar partido de vientos contrarios. La España del Dieciocho, en su primera mitad, se empeñó en lo primero. No quiso comprender que habían cambiado las tornas, que otro país quedaba dueño del mundo y que era necesario aprender las lecciones recibidas. Dicho de otra forma, que era preciso utilizar las armas del enemigo. Pero le cuesta mucho hacerse a esta idea. Mientras puede, sigue pensando que es la reina del mundo y considerando como enemigos a quienes quieran imponerle otros usos que las que ella está acostumbrada a seguir y con las que triunfó antaño. Todo esto sucede a pesar de los reyes de la casa de Borbón que llegan a la península en una jugada del destino que dejó sin heredero a Carlos II para subrayar mejor el dominio francés sobre el mundo. Porque sucede una cosa curiosa. Los reyes al principio se españolizan, se sienten herederos de la Casa de Austria y se niegan a introducir cambios que serían fructíferos en la vida española. Así se suceden los desastres en el exterior.

Hasta que llega Carlos III. Desde niño ha estudiado las causas de nuestras derrotas desde su reino de Nápoles. Al subir al trono de España, empieza su gran labor de reforma y organización. Lo anticuado es arrojado por la borda y sustituído por nuevas fórmulas. Y pocos reyes ha habido tan patriotas como Carlos III. ¿Es que se puede pretender que el empedrar las calles de Madrid es un rasgo de extranjerismo que ofende al caracter nacional? ¿Es que organizar sus tropas a la prusiana, que era la nación que en su tiempo mandaba en el terreno militar, fué acaso una apostasía? Si la alabarda había perdido su eficacia guerrera frente al fusil, ¿era una ofensa a la historia tradicional substituirla para que los soldados de España pudiesen estar en condiciones de igualdad con los extranjeros?

Así lo creyeron muchos defensores encarnizados de lo que ellos creían patrimonio nacional, enturbiado por extraños a nuestro modo de ser. Pero resultaba que el virus gálico estaba muy adentro porque no era una moda que derrotara a otra, sino una savia que ocupaba lugar en un tronco reseco. Y su influencia era tal que incluso a los escritores, casticistas y debeladores de todo lo extranjero se les nota fuertes influencias francesas reflejadas en su lenguaje plagado de galicismos, ejemplos, el padre Feijóo, José Cadalso.

El siglo XVIII se caracteriza, pues, por la lucha entre dos tendencias, en lo espiritual y en lo material. La primera cree necesario poner a la España al paso de las potencias europeas aprovechando sus lecciones y abandonando todo lo que pueda representar lastre para efectuarlo. La segunda tiene el mismo abnegado propósito de elevar a la patria de nuevo al rango de gran nación, pero se empeña en hacerlo con las mismas armas que utilizó hace dos siglos. Las clases que este siglo llamará "ilustradas" ocupan la primera, la masa del pueblo siente la segunda. El choque material de ambas tendencias se llama, a propósito de una anécdota, bien representativa no obstante, el motín de Esquilache.

El triunfo de esta lucha se inclina por la clase ilustrada y ello podría extrañarnos si recordamos el espíritu orgulloso e independiente del español y su entonces tradicional odio al francés, de quien proceden las nuevas doctrinas, si no recordásemos que esta victoria fué posible gracias al apoyo que le dieron algunos reyes. En este sentido, como hemos anticipado, sólo los primeros monarcas de la Casa de Borbón fueron herederos del modo de sentir de los Austria. Si los comuneros, las ciudades y los burgueses, vencidos en Villalar, no pudieron detener, como era su intención, los progresos del extranjerismo — idea imperial contra idea nacional —, igualmente perdieron la baza en la España del Dieciocho, porque el enemigo más fuerte lo tenían en la propia Corte influída de ideas nuevas. El rey era el primero en seguir doctrinas ultramodernas y de todos, el que más propiamente puede llevar el título de "europeo" fué el que más personalidad tuvo en esta centuria, Carlos III. Y como las formas gubernamentales habían aumentado su poder coactivo, también por influencia extranjera (la del Rey Sol), resultó que una minoría con poder se atrevió a imponer a una inmensa mayoría sin él una forma de vestir, de hablar y de actuar totalmente al margen de las esencias tradicionales tenidas hasta entonces como artículos de fe.

Ahora bien, nos engañaremos si consideramos definitiva esta victoria del extranjerismo. La división existió siempre y los ejemplos menudean en las páginas que siguen. Baste recordar la afirmación de Cadalso en sus Cartas Marruecas: "Por cada petimetre que se ve mudar de modas siempre que se lo mande su peluquero o su sastre, habrá cien mil españoles que no han reformado un ápice su traje antiguo. Por cada español que oigas algo tibio en la fe habrá un millón que sacarán la espada si oyen hablar de tales materias. Por cada uno que se emplee en un arte mecánico, habrá un sin número que están prontos a cerrar sus tiendas por ir a las Asturias o a sus montañas en busca de una ejecutoria."

Esta lucha la encontraremos a cada paso, y el traje no es más que una pieza del juego:

"La dualidad de la España del XVIII se refleja vivamente en la indumentaria —dice el marqués de Lozoya (1)—. En tanto que las clases elevadas esperan con impaciencia el figurín de Francia, el pueblo se apega cada vez más a sus trajes castizos. Es el siglo de oro de los atavíos populares y regionales y muchos de los que aún se usan en las provincias españolas adquieren en este tiempo su forma definitiva. En algunos países el traje señoril aban-

(1) Marqués de Lozoya. Prólogo al Tomo V de *Historia de la Moda,* de M.von Boehn.

donado por las clases para adoptar las modas francesas, queda relegado a las clases rurales (ejemplo, Mallorca).”

“En los últimos años se advierte un interés creciente por los trajes y las costumbres populares. Se les reproduce en vajillas de porcelana del Retiro y de loza de Alcora, Talavera o Manises.”

EL ORGULLO DEL SIGLO. — *“No ha habido — añade el marqués de Lozoya — otra época tan satisfecha de sí misma”. Curiosa y absoluta verdad. La “razón” ha sido descubierta y su hallazgo ha producido tal sensación de asombro y alegría a las mentes ilustradas, que imaginan que hasta entonces no hubo en el mundo más que ignorancia y oscuridad. La petulancia con que el Renacimiento trató a la Edad Media no es nada comparada con la seguridad en sí mismos que tienen los hombres del Dieciocho. Porque aquélla, al fin y al cabo, fué a buscar sus fuentes en la historia clásica; los griegos y romanos fueron sus maestros y casi sus dioses, mientras que los ilustrados de esa centuria ponen en tela de juicio a los mismos que sus abuelos elogiaran. Se aplica a lo remoto y a lo inmediato una crítica pedante y sarcástica. Los genios del siglo anterior, como Calderón y antes Lope, son considerados poco menos que como unos necios sólo propios para divertir al vulgo. Sólo ellos están en posesión de la verdad, y esto explica el cuidado con que se atiende a la educación de los pequeños, que serán afortunados, al poder alcanzar sin esfuerzo lo que a sus padres les costó infinito, ya que tuvieron que luchar con la ignorancia y la superstición que les rodeaba.*

Pero recordemos que éste es un estado intelectual de minorías que no está al alcance del pueblo y que se extiende por Europa entre las clases culturalmente elevadas. “En todas partes — dice el marqués de Lozoya en la obra citada — el siglo XVIII hace menos infranqueables las fronteras y va ensanchando la idea de Patria”. Y cita las palabras de Azorín: “Un nuevo sentido de la patria nace cuando el otro sentido no está sistematizado todavía. Como el aristócrata de una nación está ya más cerca del aristócrata de otra nación que del labriego de la suya, llegará un tiempo — tras la Revolución Francesa — en que el propio fenómeno se dará respecto al obrero. Patrias ideales van a formarse que no se contraerán a los accidentes geográficos". En toda Europa esta aristocracia tiene una sola fuente espiritual en que abrevar: París. Siendo única la fuente, no es raro que los resultados sean siempre los mismos, más o menos matizados por el espíritu nacional de cada país. Pero el hombre culto de Viena puede entenderse perfectamente con el de Madrid, de Londres o de Roma. Todos usan la misma moda francesa, idéntica casaca y corbatín, llevan en la maleta parejos libros de Rousseau o de Buffon y se expresan con el mismo entusiasmo sobre la libertad. Muchos mantienen correspondencia con Voltaire y d'Alembert. De ello resulta el siglo XVIII la centuria de los viajeros célebres, entre los que, naturalmente, menudean los farsantes de la cultura y los aventureros internacionales. Es la época de Cagliostro, de Ripperdá, de Casanova.

Quizá donde la influencia francesa tuvo más dificultades para triunfar fué precisamente en España. Mientras en Berlín el rey Federico y su corte se expresaban corrientemente en francés, mientras en Moscú la aristocracia no hablaba otro idioma y Voltaire, Bayle y Montesquieu eran apreciadísimos, el influjo ultrapirenaico en nuestro país tropezó con dos obstáculos importantísimos. Uno la Iglesia, que, fiel servidora del Papado, estaba acostumbrada desde los tiempos jansenistas a ver en cada francés un católico tibio cuando menos. Segundo, el orgullo nacional basado en la historia patria llena de victorias sobre todo contra el galo, y que se resistía a abandonar lenguaje y costumbres que le habían proporcionado tantos éxitos e imitaciones en la vida. De forma que el trágico dilema del hombre de ciencias y letras del siglo XVIII en España estriba, por un lado, en la comprensión de los defectos an-

tiguos y deplorables existentes en nuestras letras, en nuestra educación, en nuestra administración, sanidad, ejército, organización social, y la ventaja francesa a este respecto. Por el otro, la identificación pasional con nuestras faltas sólo por ser nuestras, el apego patriótico a una España que se defiende como se defiende a una madre, con razón o sin ella.

Mientras estas diferencias no fueron más que verbales no hubo choque estridente. Pero cuando llegaron al terreno de lo político se planteó duramente la necesidad de escoger campo. Ocurrió en primer lugar en la campaña del 93 contra la Revolución Francesa. Pocas veces ha habido en España una guerra tan popular. Amigos de la tradición y de la imitación rivalizaron en entusiasmo patriótico, y Jovellanos, cuyo amor a la cultura francesa es bien conocido, avivó el aire de la contienda con sus cantos enfebrecidos contra la hidra revolucionaria.

La segunda prueba del fuego la dió la guerra de la Independencia. El trance fué más duro. No se trataba ya de enemistarse con una potencia extranjera por tener distinto concepto de la soberanía del Estado y de "los reyes ungidos por el Señor para salvaguarda de un pueblo". Esta era ya la defensa del propio hogar ante un invasor, la protección de unos hijos y de unas madres y, especialmente, la salvaguardia de la religión contra sus enemigos. Y, sin embargo, el afrancesado existió en mucha mayor escala que en la guerra anterior y en diversas gradaciones o matices. Desde el que entregó al rey José su ayuda incondicional (el conde de Cabarrús, Moratín) hasta los que, militando en el campo contrario, influyeron para que la constitución tuviese la influencia de nuevas ideas de procedencia francesa por las que, desde luego, no habían luchado los guerrilleros, que ni las conocían ni sentían interés por conocerlas. Para explicar el porqué tras una guerra como la del 93, ideológica y casi santa, el afrancesamiento había crecido en nuestro país, tendremos que recordar tres circunstancias: 1.ª La estrella de Napoleón, que obligaba a ser ad-

mirado en Madrid como en Moscú, incluso por el clero, que aceptó la errónea doctrina de que el corso era el debelador de la revolución y no su propagador en Europa. 2.ª La enemiga de Inglaterra, que seguía haciéndonos guerra declarada en las colonias e interceptando nuestros convoyes. 3.ª El prestigio político e intelectual de la Francia renacida, después de los desastres.

Pero mientras lleguen los momentos en que se imponen las decisiones absolutas, la España del siglo XVIII vive en la constante lucha que el lector ha de percibir tantas veces a través de las páginas que siguen. Por un lado lo extranjero llegando, por el otro lo nacional resistiendo. La Inquisición, salvaguarda de las conciencias, mantiene privilegios en el reinado de Felipe V y Fernando VI, cede terreno en el de Carlos III y casi se retira del todo con Carlos IV y Godoy. Pero el rey Carlos III, tan "europeo" en su expulsión de los jesuítas y coartando la autoridad del Santo Oficio, no admite incrédulos en su vecindad y obliga a los nuevos doctores y escribanos a jurar defender el dogma de la Inmaculada Concepción. La dictadura estatal sucede a la del confesor; como dice Azorín ("El alma castellana"), todo se reglamenta, inspecciona, prohibe. Se prohibe juntar a discípulos varones y discípulos hembras en casa de los maestros de danzas; se prohibe bailar de noche en el paseo o en las eras del campo; se prohibe hablar de política en fondas y cafés.

Claro está que también podríamos hallar aquí la disyuntiva entre lo nacional y lo importado. Porque la ordenanza se promulgaba según costumbre francesa de Luis XIV, primer monarca auténticamente absoluto, según el férreo hábito de Federico el Grande de Prusia. Y el público la acataba y no complía según la vieja fórmula tan del gusto del sentimiento nacional en todos los siglos de su existencia. Buena prueba de ello es la reiteración con que en la "Novísima Recopilación" aparecen las disposiciones sobre el lujo, vestido, transporte, con preámbulos en que los reyes, escandalizados, hacen notar que sus padres y ante-

cesores ya habían dictado la misma ley sin que hasta el momento se les hubiera hecho caso alguno.

Y terminamos este prólogo con el deseo de que se reivindique un siglo que, si tuvo muchos defectos, los heredó en gran parte e hizo de la necesidad virtud. Rematemos su panegírico con la fría veracidad de las estadísticas citadas por Desdevisses du Dèzert. "En 1700 — dice — había en España veinte mil hombres en el Ejército, veinte galeras en la mar. Seis millones de habitantes buscaban su sustento en un país sin caminos, agricultura ni hacienda."

"En 1800 hay cien mil hombres en el Ejército y trescientos barcos. La hacienda cuenta con seiscientos cincuenta millones de reales y crédito. La población ha subido a once millones. Han progresado la agricultura, la industria y el comercio.".

Un siglo que cuenta con tal haber no merece el desprecio con que habitualmente se le trata. Y justifica, según creemos, que dediquemos un tiempo a enterarnos de cómo vivían nuestros antepasados en su seno.

CLAVE DE LA BIBLIOGRAFÍA

La preparación de este libro daba motivo a alguna reflexión. ¿Qué fuentes han de ser consideradas las principales para retratar la vida del pueblo, la del burgués y la del aristócrata, en una época determinada? A primera vista parece que deben ser preferidos los escritores de primera fila, los genios de la época, pero, si hemos de ser precisos, comprenderemos que una inteligencia privilegiada acostumbra a no tratar de la realidad más que a través de sus sueños o a idealizarla totalmente, con lo cual sus afirmaciones tienen más belleza que garantía. Es necesario utilizar, además de ellos y para contrastarlos, dos elementos de juicio. Uno el de los extranjeros que visitan España, que, cuando más sorprendidos, mejor nos sirven. Otro, y más importante, el periódico de la época.

Efectivamente, como es sabido, en el siglo XVIII empieza a florecer la prensa en España. Al principio se presenta como un libro que apareciese con carácter semanal o mensual. Pero lo que nos convierte al periodismo en materia utilizable es que el autor, el "diarista", no se dirige a un público selecto y letrado, sino a una clase media de cultura. Y así les habla en el idioma que han de entender, dándonos a comprender cuál era aquél; ofrece en sus páginas anuncios por los cuales nos enteramos de sus gustos y, por fin, satiriza sus defectos más importantes, que llegan de esta manera a nuestro conocimiento.

Por eso se ha utilizado la prensa con absoluta libertad,

entresacando las noticias que puedan favorecer el propósito de dar una impresión general de cómo se vivía en el siglo XVIII. Los periódicos que nos han suministrado datos han sido reseñados en la segunda parte de la Bibliografía general.

* * *

La bibliografía particular al final de capítulo tiene la misión de indicar al lector las fuentes que han servido a la elaboración de cada uno de ellos. Muchas veces la cita es sucinta, ya que en la bibliografía general se dan detalles complementarios para la más eficaz búsqueda del libro. También concreta la aportación de un autor consultado largamente. Por ejemplo, las distintas obras de R. de la Cruz, etc.

Para este trabajo han sido consultados los fondos de las bibliotecas siguientes. En Madrid: Biblioteca Nacional, Biblioteca del Ateneo, Biblioteca de la Real Academia de la Historia, Biblioteca del Consejo Superior de Investigaciones Científicas, Biblioteca del Museo Naval, Biblioteca Municipal, Hemeroteca Municipal, y en Barcelona, Biblioteca Central, Biblioteca Universitaria, Biblioteca del Seminario de Historia de la Universidad, Biblioteca del Ateneo, Archivo Histórico de la Ciudad, Biblioteca del Instituto del Teatro.

Para la selección de grabados han sido visitados el Museo del Prado, la Sala de Estampas de la Biblioteca Nacional, el Museo de Arte Moderno, la Real Academia de San Fernando y el Museo Municipal en Madrid; en Barcelona, el Museo de Arte Moderno, la Casa Padellás, la colección Rocamora y la sección de grabados de la Biblioteca Central. Para los directores y funcionarios de los centros citados que han colaborado con su ayuda a mi labor va aquí la expresión de mi agradecimiento.

En la Bibliografía general, y con el fin de facilitar la labor a quien interesare profundizar en estos trabajos, se inserta tras la cita el anagrama del lugar donde se encontró, naturalmente cuando se trata de textos poco conocidos. Por ejemplo, B. A. M. (Biblioteca Ateneo Madrid), B. A. B. (Biblioteca Ateneo Barcelona). Esto no significa necesariamente que el libro no se halle en otro sitio, sino que ha sido consultado en la biblioteca mencionada.

CAPÍTULO I

EL REY

«En nuestro bajo pueblo no hay opinión más arraigada que ésta: el rey es el señor absoluto de las vidas, de los bienes y del honor de todos. Poner esta verdad en duda es tenido por una especie de sacrilegio.» De esa forma tajante explica Campomanes en su «Carta» número IV de la serie «Político-económicas» el sentido monárquico de la nación. A quien no grabe bien esta seguridad en su mente le costará entender el ambiente del XVIII español. Porque, en general, al hablar del siglo de la razón y de las luces, nos hacemos a la idea de que todo ha sido puesto ya en tela de juicio y que aquellas instituciones monárquicas de derecho divino tan gratas a la mentalidad de los años anteriores, van siendo substituídas por la ironía y la propugnación de ideas de tipo constitucional. Contribuye en gran manera a hacernos opinar de esta suerte la presencia en esta centuria del fenómeno conocido con el nombre de Revolución Francesa, de tan alta importancia que nos parece imposible que no obedeciera a un sentir europeo general de anhelo de reformas y no a la particularidad gala. Parece que en España, unida indisolublemente con el país vecino por lazos de sangre borbónica y pactos políticos constantemente renovados, tendría que haberse dado también una distensión en los antiguos lazos de fidelidad absoluta que ligaban a los Austrias con sus súbditos. Y, sin embargo, no fué así. Los Borbones tuvieron que sufrir en nuestro país innumerables agobios de tipo económico y político, luchas de familia, presiones extranjeras, pero jamás echaron en falta el cariño de sus súbditos. Ni en la guerra civil sostenida por Felipe V para hacer valer sus derechos ni en el motín popular que hizo valer la tradición ante Esquilache, dejó de haber para el rey una respetuosa adhesión. Cualquier viajero atestigua en sus relaciones este estado de perpetua fidelidad de los españoles para con sus soberanos. La casa real es como el compendio de todas las casas del país. La gente se alegra con sus gozos y llora con sus tristezas. Cuando el nuevo monarca es proclamado la gente se precipita a las calles a celebrarlo sin fingir una alegría que brota sincera y si las campanas doblan a muerto parece que cada uno haya perdido el mejor de los padres. Si hay faltas en el gobierno son siempre debidas a los ministros, que engañan la natural bondad del soberano, nunca a malevolencia de éste. El ¡viva el rey! antepuesto al ¡muera el mal gobierno! ha sido siempre salvoconducto de lealtad de los motines en los pueblos monárquicos.

«Los castellanos — dice Bourgoing — han sido siempre muy fieles a su soberano. Los madrileños vieron con pesar que Felipe V formaba una guardia de Corps. El conde de Aguilar se tomó la libertad de hablar de ello al rey. «Si Vuestra Majestad — le dijo — hubiera resuelto dormir en la Plaza Mayor de Madrid, estaría en ella en la mayor seguridad; el mercado no empezaría hasta las nueve y todos los castellanos os servirían de guardias durante la noche.»

De la misma forma que en lo íntimo el cambio de dinastía entre los Austrias y los Borbones no logró disminuir el entusiasmo monárquico, la apariencia externa siguió siendo la misma que en el siglo anterior. Los recién llegados al trono se impusieron el someterse a la costumbre española e incluso Felipe V procuró vestir la incómoda golilla representativa del XVII. La proclamación del primer monarca de la Casa de Borbón se hizo también de acuerdo con el tradicional procedimiento español. Tal es según la relación del cronista presencial Ubilla y Medina:

«Miércoles veinte y cuatro de noviembre a las doce del

La familia de Felipe V. La majestuosa serenidad de la escena familiar del primer Borbón se adorna con los ricos trajes y muebles. Obsérvese a la izquierda la camarera con la chocolatera, típica en toda la vida española del siglo XVIII.

Fernando VI y Bárbara de Braganza. "Murieron sin hijos pero con una gran prole de virtudes". En su tiempo la música y el canto privaban en Palacio.

día, se juntó Madrid en su Ayuntamiento siendo su Corregidor segunda vez, D. Francisco Ronquillo Briceño, caballero del Orden de Calatrava del Consejo de Su Majestad en el Real de Hacienda, hoy Maestro de Campo general, coronel del Regimiento Real de Asturias, uno de los de la Reina nuestra Señora y de la Guardia del Rey; a la misma hora concurrieron muchos Grandes, títulos y caballeros de la Casa de don Francisco Grillo de Mari, marqués de Francavila, Duque de Monterchend y de Juliano, Mayordomo de S. M., de su Consejo de Guerra, Alférez Mayor de Madrid en propiedad por cuyo honroso empleo tiene asiento, voz y voto en el Ayuntamiento y la preeminencia de llevar el pendón real en semejantes funciones; pusiéronse todos en bien enjaezados caballos y el marqués vestido a la española de color bordado de oro con mucho número de lacayos con libreas de terciopelo verde con galones y franjas de oro y plumas.»

Parece verse la lucida cabalgata por las calles madrileñas. Ni un solo habitante de la capital de España dejó de acercarse al solemne cortejo. Sigue describiendo el cronista:

«En esta forma pasó con el acompañamiento desde la calle de Alcalá a la Mayor y a la Villa siguiendo una carroza rica del marqués y otras tres con su familia; al apearse el marqués en las casas del Ayuntamiento le recibieron cuatro regidores y le condujeron hasta donde estaba sentada la Villa *(esto es, el Consejo de ella)* que se levantó luego y tomando el Corregidor el pendón se le dió al Marqués, pidiendo a los secretarios del Ayuntamiento testimonio de que se le entregaba, para que en nombre de Madrid le levantase en proclamación del rey Nuestro Señor don Felipe V; y poniéndose a caballo el marqués, el corregidor y regidores continuó el acompañamiento que trajo el marqués yendo delante los Clarines, Timbales y Ministriles de la Villa y las Guardias del Rey, española y alemana con sus tenientes; seguía luego Madrid *(eufemismo por el Concejo)* y el Marqués con el pendón a la mano derecha del Corregidor; iba entre la Villa los cuatro reyes de armas con sus cotas y llegando a la Plaza Mayor se apearon el marqués, el Corregidor y D. Rafael Sanquineto, Caballero del Orden de Santiago, caballerizo de S. M. y Regidor Decano y los dos Secretarios del Ayuntamiento y subieron al tablado que estaba ostentosamente prevenido, quedando a sus gradas los maceros de la villa con sus ropas de damasco guarnecidas de galones de oro y con las mazas de plata y en los cuatro ángulos del tablado los Reyes de Armas y poniéndose enmedio de él el Alférez Mayor entre el Corregidor y el Decano, dijo en alta voz D. José Guerra y Villegas, cronista de Su Majestad y rey de armas más antiguo: ¡Silencio, silencio, silencio! ¡oíd, oíd, oíd!»

La petición de atención se extiende por toda la plaza como una inmensa sombra de siglos. De la misma forma se había procedido para dar nombres que tenían ya sitio en la historia de España, los Enriques, los Fernandos, las Isabeles, los Felipes...

«...y el Alférez Mayor enarbolando el pendón dijo por tres veces: ¡Castilla, por el Rey Católico Felipe V de este nombre, nuestro señor que Dios guarde! ; a que el grande concurso que gozosamente asistió a experimentar este consuelo, correspondió con voz y acción ¡viva, viva! y los Secretarios del Ayuntamiento tomaron por fe todo lo ocurrido. En la propia conformidad se continuó este célebre acto en Palacio, Plazuela de las Descalzas y la de Villa concurriendo aquí en el tablado todos los regidores. Acabada esta función el Alférez Mayor volvió el Pendón al Corregidor y pidió testimonio de ello a los Secretarios del Ayuntamiento de todo lo que se había ejecutado y esperando el acompañamiento, subió el Corregidor con los Regidores y fijó el pendón debajo del dosel en cuya ocasión se repitieron las aclamaciones del pueblo, y el marqués volvió a caballo a su casa con grande número de hachas y con los que le habían asistido y en palacio y en todas las calles se pusieron luminarias y se repitieron las dos noches siguientes y por este día y por orden del gobierno se quitaron los lutos y todos se pusieron joyas.»

Obsérvese la expresión del cronista: «el grande concurso que gozosamente asistió a experimentar este consuelo», y aun eliminando lo que tiene de enfático el lenguaje se verá reflejado el espíritu del tiempo. Porque consuelo había sido y muy grande ver cancelada la situación acéfala de España tras la muerte sin sucesión directa de Carlos II. Como niños a quienes les faltase de repente el apoyo se encontraron los españoles hasta que el pendón de la ciudad ondeó tres veces sobre sus cabezas como una bendición del cielo que de nuevo nombraba quien cuidara de ellos. Y felices y contentos los asistentes se retiraron a sus domicilios a ser una voz más del inmenso eco de Madrid aquel día. España tenía rey de nuevo.

El rey pone casa. — Un monarca no es un ciudadano particular; cuando pone casa, sus gastos son grandes porque grande es su categoría y ha de demostrar con su boato que es digno de su pueblo. La nación puede lamentarse de los impuestos, pero no gustaría de ver a su jefe natural mal ataviado o con servidumbre deficiente. La casa del rey en cierto modo es la de todos los españoles.

Y es una casa grande. Sus gastos generales ascienden a 65 millones de reales según el cómputo de 1791. Estos gastos se dividen en los que absorben la *Capilla,* la *Casa del Rey, la Cámara del Rey, Caballerizas* y *Ballesteros, Casa de la Reina* y *Casa de los Infantes.*

La *Capilla real* está dirigida por el Limosnero Mayor, obispo «in partibus» y Patriarca de las Indias, título meramente honorífico. Además es el vicario general del ejército de tierra y mar.

A sus órdenes están los tres *sumilleres de cortina,* llamados así por ser los que tiran de ella para que el rey pueda ver el altar donde el Limosnero Mayor dice la misa todas las mañanas. Hay además cuarenta y seis capellanes de honor, once capellanes de altar, diez predicadores y un coro compuesto de cincuenta y un músicos y cantores. Este pequeño ejército está a las órdenes inmediatas del susodicho Limosnero, que tiene incluso poder judicial para castigar las faltas cometidas por alguno de ellos.

Más importante que el Limosnero Mayor es el *Mayordomo Mayor* que rige la *Casa del Rey.* Tiene de subsidio la respetable cantidad de ciento veinte mil reales anuales y entre sus cometidos figuran los honores de introducir los embajadores y ser el jefe de ceremonial. En sus manos prestan juramento todos los funcionarios del Palacio, incluso el limosnero mayor. A su cargo está el cuidado de la casa y la tesorería y tiene a sus órdenes a un secretario, nueve mayordomos de semana, doce gentilhombres de boca y diez gentilhombres de la casa del rey. Sin su permiso no se puede dar una medicina al Rey.

Anexas y dependientes de la casa del Rey están las Guardias Reales. La de los *Alabarderos* ha sido creada en 1707 con las antiguas compañías de los Austria, la «Amarilla», la «Vieja» y la «Lancilla». Están mandados por un capitán, un primer teniente, un segundo teniente y un ayudante. Llevaban pantalón, traje y capa azul; cuello, chaleco y vueltas de rojo escarlata, galón de plata en el cuello; los adornos bordados son para oficiales. Su misión es vigilar las puertas de los departamentos reales y en general cuidar del servicio interior del palacio.

Existe también la *Guardia de Corps,* cuyo anuncio ya hemos visto que provocó la digna reacción y ofrecimiento leal de los españoles. Es el primer cuerpo de caballería del reino y la escolta ordinaria del rey. Son cuatro compañías que se distinguen por el color de un pequeño cuadrilátero: rojo para la española, violeta para la americana, verde para la italiana y amarillo para la flamenca. Su uniforme es igual que el de los alabarderos.

Los Guardias de Corps son todos voluntarios y proceden de las filas de la nobleza. Su Majestad les honra siendo su coronel y un simple guardia está equiparado a teniente en cualquier otra sección del ejército. Los capitanes

El Buen Retiro. Adornado por el Conde Duque de Olivares; en el siglo XVIII, todavía era un lugar de placer para los monarcas borbónicos y su corte.

Biblioteca Nacional

Perspectiva del Alcázar a principios del siglo XVIII. De líneas severas y nobles tenía una pésima distribución interior. Destruído por el incendio de 1734 fué substituído por el actual Palacio de Oriente.

son grandes de España y cuando viajan tiene derecho de alojamiento incluso en casa de sacerdotes exentos de este servicio. Su carácter altivo les hace chocar a veces con las restantes tropas del rey, que ven con malos ojos los privilegios de estas milicias escogidas.

Los *Guardias Valonas* han sido creados en 1704, como los de Corps. Proceden de Flandes y durante mucho tiempo no admitirán españoles en sus filas. Tienen seis batallones. De ellos, uno está siempre en servicio cerca del rey. Sus prerrogativas son muchas. Su Coronel era grande de España y dependía directamente del rey, quien, con los demás miembros de la familia, era el único que podía revisitarles. El grado de capitán en sus filas corresponde al de coronel de infantería ligera. Visten de uniforme azul, vueltas encarnadas, ojales blancos y botones de plata. Su paso por las calles de la ciudad causa sensación y sus piques con los Guardias de Corps por la preferencia en el desfile son constantes.

En la corte está además el *Sumiller de Corps.* Tiene una asignación de ochenta mil reales anuales. Cuida y encauza la labor de ocho gentilhombres, doce ayudas de cámara, médicos, cirujanos, peluqueros, barberos, músicos, relojeros, lavanderos. Sirve al rey en la mesa y es quien le da la ropa al levantarse.

Los gentilhombres, naturalmente nobles todos, se dividen en dos clases. Los considerados «en ejercicio» sirven al rey en sus apetencias y llevan una llave dorada asomando por el bolsillo derecho de la casaca. Los gentilhombres llamados «de entrada» tienen un mero carácter honorífico y su llave es inservible. Cuando el gentilhombre en ejercicio pierde la llave tiene que hacer cambiar a sus expensas todas las cerraduras del palacio. Con el Mayordomo Mayor y el Presidente del Consejo de Castilla eran los únicos que podían usar de taburete en la antecámara real.

En una corte que tiene a gala salir a cazar todos los días y gusta de la equitación y buenos trenes no es rara la importancia dada al *Caballerizo Mayor.* Su labor era múltiple. Además de cuidar de los establos, caballos de silla, caza, vigilaba las armas y organizaba los viajes de la corte en que se desplazaban cientos de personas. Por su especial cometido estaba con el rey de tres a cinco horas diarias durante la caza y su influencia era grande. Podría llevar — gran honor, como veremos después — hasta cinco mulas en la carroza.

CASA DE LA REINA. — La reina también tiene su casa organizada y en pequeño es un remedo de todas las dependencias de la del Rey. Tiene un Mayordomo Mayor, tres mayordomos de semana y un Caballerizo Mayor. El principal cargo, sin embargo, es el de Camarera Mayor, que es el que ocupó la princesa de Ursinos.

Esta dama acostumbra a ser viuda, de edad madura y, naturalmente, Grande. Teniendo en cuenta que la mayoría de reinas llegan por vez primera a España cuando vienen a reinar, el cargo de Camarera Mayor era muy importante, porque además de servirla la orientaba en los vericuetos de la etiqueta española. Aparte de esta labor política, tenía la administrativa de cuidar de la comida de la reina y de su guardarropa. La ayudaban en estos menesteres las Damas de Palacio y las Damas de Honor de nobleza de primera clase y las Camaristas de segunda. La primera de las Camaristas era la llamada Azafata y mandaba a la legión de criadas y lavanderas de la reina.

Cada infante tenía su casa puesta en un plan más sencillo.

FIESTAS EN PALACIO. — Los Borbones españoles del siglo XVIII no son amantes de las fiestas y bullicio. Felipe V es melancólico, Carlos III severo y más amante de galopar tras la caza que de recibir en los salones. Sólo Fernando VI gusta de las representaciones teatrales.

Pero hay ocasiones en que es necesario manifestar alegría ante acontecimientos importantes y presentarse fastuosamente. Los onomásticos y fiestas religiosas, por ejemplo la recepción de un embajador a quien se debe acoger bien por dos razones: por honrar a quien le mandó y por mostrar riqueza y poderío ante el extranjero. Saint-Simon, enviado extraordinario del monarca francés para la doble boda real (1), nos cuenta su primera entrevista con Felipe V:

«Cuando estuve a punto de ser introducido en la sala de audiencia el Sr. de la Roche vino y me dijo reservadadamente que el rey de España le había ordenado advertirme de su parte de un uso que él acostumbraba, que era no quitar su sombrero a la segunda reverencia, sino únicamente a la primera y a la última, para que yo no me sorprendiera y que, por el contrario, estuviese persuadido de que quería dar a los embajadores de V. M. (se dirige a su señor el Regente de Francia) todo lo que la Regla podía permitir.»

La rígida etiqueta española muestra aquí sus fueros a pesar del cariño con que se acoge al enviado del país hermano. Saint-Simon ofrece su discurso y es contestado por el Rey. Luego le presentan los oficiales de las tropas que le habían acompañado. Inmediatamente pasa a saludar a la reina en sus habitaciones, donde es introducido por el mayordomo de semana y después a las habitaciones del príncipe de Asturias y a las de la Infanta cuya mano viene a pedir. En el salón de los Grandes se firma la boda, asistiendo el Presidente de Castilla, los dos secretarios de Estado, Grandes y cinco testigos franceses, además de SS. MM., el príncipe de Asturias, Infanta e Infantes.

«Por la noche — sigue Saint-Simon — estuvo la plaza del Palacio magníficamente iluminada y se quemó un gran fuego de artificio. El nombre de V. M. y el de la infanta estaban en letras de fuego en lo alto de la pirámide y este fuego, que duró más que ninguno, ofuscó a todos los demás.»

«Tras la cena hubo un baile magnífico en la misma sala de los Grandes soberbiamente iluminada; los trajes de las damas eran muy galanes y tan magníficos como el rigor de la interrupción del comercio con Francia lo ha podido permitir.»

«M. de Maulevrier y yo recibimos un honor que no habíamos pedido y que va contra la costumbre; se pusieron para nosotros dos sillas de tijera un poco más atrás de SS. MM., pero sin que hubiera celosía ni otra barrera ante nosotros. El uso aquí es que en los espectáculos o en el baile no se siente nadie más que las damas ante el rey y la reina de España, exceptuando los tres o cuatro grandes cargos que se sientan tras ellos y el Mayordomo Mayor que se coloca a su lado.»

«El baile estuvo mezclado con varias contradanzas y duró hasta las dos de la madrugada. SS. MM. CC. parecían tener mucho gusto en verlo. Me sorprendió que el Rey de España haya olvidado tan poco la antigua danza de nuestros bailes y ver a la reina con tanta gracia, aptitud y majestad...»

Saint-Simon nos cuenta también cómo se recibía en la corte de España a una princesa extranjera llegada a desposarse con el príncipe heredero. La importancia de una boda real, de la que dependía muchas veces la suerte de las naciones, obligaba a un minucioso detalle en la ceremonia que hoy nos parece excesivo y casi desvergonzado. La infanta Luisa Isabel de Orléans llega y...

«Recibida por los Reyes y el Príncipe al fin del patio fué acompañada al departamento ya prevenido. Estuvieron cerca de una hora los cuatro juntos y poco después de separarse, el rey le mandó un hermoso collar de pedrería, hebillas y pendientes de gran precio, diez relojes de oro, estuches de oro con diamantes y otras joyas.»

«Tras algunos momentos de reposo el príncipe y la princesa fueron casados en presencia del Rey, de la Reina y de todo el mundo por el cardenal de Borgia. Luego devolvieron a la princesa a su habitación y estuvieron juntos los cuatro más de dos horas. El Rey y la Reina cenaron juntos como siempre y el Príncipe y la Princesa cada uno por separado; a las nueve hubo un gran baile. Un poco después de medianoche se fueron al departamento de la princesa, que fué desnudada y puesta en la cama en presencia de la Reina y las damas. El príncipe se desnudó en la pieza vecina en presencia del rey y toda la corte. Cuando la princesa estuvo en la cama se llamó al Príncipe y cuando él estuvo con ella, los Reyes hicieron entrar a todos y quisieron que se acercasen al lecho cuyos cortinajes estaban absolutamente corridos; tras un rato considerable el Rey y la Reina dijeron que era necesario retirarse y salieron los primeros deseando mil bendiciones a los augustos casados.»

«Ayer 21 los ritos ordinarios del matrimonio han sido coronados según costumbre de este país con una ceremonia que se llama «Velación» y que se hace antes y durante la misa. Había organizado para la misma noche baile y diversiones.»

Y la puntillosa etiqueta no queda desbordada por la admiración. Con orgullo el duque de Saint-Simon comunica al Regente:

«He tenido cuidado, sire, y según las órdenes de V. M., de conservar el primer lugar en todas las funciones; en ello no he encontrado la menor dificultad.»

Gala y Besamanos. — No era corriente el festejo reseñado porque no siempre se recibía a una infanta que un día iba a ser reina de España. Cuando la fiesta era por un onomástico o una señalada fiesta religiosa se reducía a la gala y besamanos. Los embajadores y grandes besaban la mano de los reyes y de todos los infantes, incluso los que estaban todavía a pechos de la nodriza. Luego se cantaba un «Te Deum», había fuegos de artificio y serenata nocturna.

El juramento del príncipe heredero. — La monarquía debe dar siempre una sensación de continuidad. Los hombres perecen, pero la idea pervive. El rey ha muerto, sí, pero ¡viva el rey! Cuando se tiene un varón puede descansarse en la tumba. El hijo reinará como reinó su padre. Para ello se le rindió el pleito homenaje y fué jurado por todos como príncipe heredero.

Veamos cómo se realiza la ceremonia. Estamos en 1790, en mayo; la iglesia de San Jerónimo el Real, a extramuros de la capital del reino está magníficamente adornada. Los grandes han ocupado lugar preferente; están además las representaciones de las ciudades y el alto clero; todo lo que en la España del siglo XVIII tiene algún poder hace ostentación de su presencia y fidelidad. El primero en jurar es el infante don Antonio Pascual, el mismo que más tarde, con motivo de la invasión francesa, ha de mostrar sus cortas luces y menguado ánimo. Veamos cómo describe la escena el *Memorial Literario, Instructivo y Curioso de la Corte de Madrid:*

«S. A. se levantó de su silla y después de hacer reverencia al altar y a SS. MM. se puso de rodillas en una almohada con las manos sobre el misal y un crucifico que estaba delante del cardenal arzobispo de Toledo, quien dijo: Vuestra Alteza, como infante de Castilla, ¿jura de guardar y cumplir todo lo contenido en la Escritura de juramento que aquí ha sido leída? respondió S. A.: sí juro. Y el Sr. Cardenal repitió: Así Dios le ayude y los Santos Evangelios; y respondió S. A. Amén. Al punto se levantó S. A., hizo reverencia al altar y a SS. MM. e hincándose de rodillas ante el rey, teniendo sus manos entre las de Su Majestad le preguntó (ésta): ¿Vos hacéis pleito homenaje una, dos y tres veces y prometéis y dáis vuestra fe y palabra que cumpliréis todo lo que contiene esta escritura de juramento que aquí se ha leído? respondió S. A.: Así lo prometo. Después besó la mano a S. M., quien puesto en pie le abrazó, y luego pasó Su Alteza a besar la mano a la reina y al príncipe.»

Después de don Antonio juraron el Mayordomo Mayor, Cardenal Patriarca y los trece prelados asistentes. Inmediatamente después, grandes de España de dos en dos y títulos. Siguieron los procuradores de las ciudades (Burgos y Toledo renovaron sus viejos antagonismos por ver quien juraba primero). Luego, el secretario de la Cámara de Castilla preguntó al rey si aceptaba el juramento prestado, si quería que los escribanos de la Corte lo testimoniasen y si mandaba que a los prelados y grandes títulos no concurrentes al acto se les pidiese también el juramento. Contestó el Rey que así lo aceptaba, quería y mandaba. Acto continuo el Cardenal Patriarca entonó el Te-Deum.

Y por todo Madrid circuló la noticia que había sido jurado el Príncipe heredero y un eslabón seguía a otro eslabón en la cadena de los reyes españoles.

Residencias reales. — El esplendor de la realeza tiene que mantenerse sobre edificios de esplendor. La España del siglo XVIII vió cómo desaparecía un gran palacio y se levantaba otro mayor. El primero era el famoso Alcázar construído por Carlos V. Dos grandes patios ornados de arcos, una sala de guardia, una sala de embajadores, una sala de fiestas, estatuas, cuadros valiosísimos, balcones con barrotes dorados mirando a Madrid. Fué destruído por un incendio en 1734 y en él perecieron gran número de joyas artísticas.

Felipe V ordenó la construcción de otro nuevo. El proyecto del arquitecto de Turín, Jubara cambiaba el lugar del emplazamiento y lo fijaba en la montaña del Príncipe Pío, que había de quedar convertida en jardines. Pero el rey se sintió responsable de una tradición incluso topográfica y se decidió por el mismo lugar donde se levantaba el anterior. Se aceptó la idea de Sachetti y dieron principio las obras, que se terminaron en 1764. Había costado 200 millones de reales y todavía constituye una de las más bellas residencias reales del mundo.

El Palacio del Retiro. — Cuando ocurrió el siniestro el Rey se fué a vivir al Palacio del Buen Retiro, cuyas obras había iniciado el Conde Duque de Olivares. Tras él, numerosos arreglos y ampliaciones habían dado a la residencia un tono heterogéneo. Sin embargo, tenía un hermoso parque de una legua de circunferencia, estanques y fuentes. Un embajador marroquí que visitó España en 1691 se maravillaba de su extensión y gracias:

«Es su residencia de verano (del Rey). Está rodeada de un magnífico jardín de gran belleza donde se admiran los riachuelos y arroyos. Por el centro del jardín corre un gran río cuyas dos riberas están cubiertas de bellas construcciones que, durante el verano, sirven de abrigo contra el calor. Hay en él embarcaciones y canoas en las que el Rey sube para pasearse. En la época de los fríos este río se hiela hasta el punto que un hombre puede atravesarlo. Se ve entonces a los cristianos patinar hábilmente en el hielo. Los que se entregan más a esta distracción son los holandeses y los ingleses... Mucha gente en la época del hielo entra en los jardines para ver y recrearse... Cuando llega la estación de verano y mientras el Rey lo habita, sólo los que tienen la costumbre de ser admitidos se permiten entrar en el jardín.»

Y la condesa d'Aulnoy, en su *Voyage pour l'Espagne*, afirma que las habitaciones son espaciosas, magníficas y adornadas con bellas pinturas. «En todas partes — afirma — lucen el oro y los colores vivos.»

El teatro. — Pero el renombre del Palacio del Buen Retiro se debe, en primer lugar, a su teatro cortesano. «La sala donde se representan las comedias — dice la condesa d'Aulnoy — es de una forma muy conveniente, de bastante capacidad y está hermoseada con estatuas y bellas pinturas. Muy desahogadamente pueden estar quince personas en cada uno de los aposentos (lo que hoy llamamos palcos), todos los cuales tienen celosías; en el destinado al Rey son doradas.»

La distribución del teatro, según Asenjo Barbieri y Carmona, era la siguiente: una platea con taburetes, bancos, gradas, bancos de patio y patio. Tres «suelos» o pisos. El primero con cuatro aposentos a cada lado y en el frente

Entrada de Carlos III en Barcelona. Las fuerzas vivas le obsequian con varios festejos entre los cuales no podía faltar esta cabalgata alegórica con motivos mitológicos.

Archivo Histórico Municipal-Barcelona

"Carlos III comiendo ante su corte"—Según sus biógrafos y el pintor Paret.

Museo del Prado

la «cazuela», donde se sentaban las mujeres. Segundo suelo: cuatro aposentos a cada lado y en medio la «luneta» de Sus Majestades. Tercer suelo: cuatro aposentos por banda y al frente la luneta alta para la servidumbre de Palacio.

Además debajo de la cazuela había tres aposentos más o «alojeros».

Los precios variaban según la cercanía del escenario o su comodidad. Lo más caro eran los taburetes del patio a 12 reales de vellón cada uno y los aposentos del suelo primero. De ellos los más cercanos al escenario costaban 240 reales cada uno. Del mismo precio era el alojero del medio.

En este teatro actuó por vez primera la ópera italiana traída por Felipe V a primeros de 1703. En agosto del mismo año pusieron en escena el programa siguiente: «*El pomo de oro para la más hermosa,* en el Real Coliseo del Buen Retiro, en el día de la solemne fiesta de San Luis por festejo de los nombres de Luisa, reina de España, nuestra señora, y del señor rey de Francia, Luis XIV el Grande. Personas que hablan en ella: Júpiter, Palas, Venus, Marte, Mercurio, Ganimedes, Discordia, Fortuna, Valor, Honor, Amor, Paris, Desdén, Eridamo, Sena, Ebro, coro de dioses, Trufaldín, estatuas que se transforman en soldados, Elena.» Como se ve, una numerosa selección de elementos divinos y humanos puestos en juego para la mayor diversión de los reyes de España y su séquito.

El teatro del Buen Retiro fué también el escenario de los éxitos del famoso cantante Carlos Broschi (Farinelli). Traído de Londres por el conde de Montijo, su extraordinaria voz le granjeó una cantidad de honores extraordinaria. Felipe V le concedió una pensión de 135.000 reales de vellón anuales, coche con dos mulas y carruaje para su familia en viaje y alojamiento. Le hizo regalos de retratos, diamantes, brillantes, cajas de oro con incrustaciones. Su auge y el auge de la ópera italiana fueron en crecimiento al subir al trono Fernando VI, que le nombró director de todos los espectáculos teatrales del reino (1746). Sin embargo, no especuló jamás con su influencia política y procuró hacer todo el bien que pudo.

REAL SITIO DE ARANJUEZ. — Había sido empezado por Felipe II, embellecido por Felipe V y Fernando VI. Carlos III hizo edificar dos alas más y levantó enfrente una casa para su séquito. El conde de Sézanne, que lo visitó a principios del siglo, no recata su admiración: «Aranjuez está en la más bella situación del mundo; los jardines están hechos sin gusto, pero con poco esfuerzo se pueden convertir en admirables; el Tajo lo rodea y avenidas largas y bien sombreadas bordean el río; es un lugar encantador para el verano; el parque es muy grande y con los más bellos árboles del mundo; el país es muy bonito para la caza.» Y Twiss en 1761 destaca la belleza de las casitas blancas con postigos verdes y las calles tiradas a cordel.

En Aranjuez se celebraban grandes fiestas. Un cónsul francés citado por Desdevisses du Dézert explica que el 30 de mayo de 1754, último día de la fiesta del rey (Fernando VI), los jardines de Aranjuez fueron iluminados y hubo fuegos artificiales «con varias descargas de artillería de cinco barcos que habían sido construídos en la ribera del Tajo y navegaban hasta las ventanas de Palacio».

EL PARDO. — «A seis millas de la ciudad de Madrid — señala el viajero marroquí antes aludido — está una gran casa dominando la ribera del Manzanares. Es un lugar con numerosa caza, especialmente gamos, jabalíes, conejos e incluso lobos. Nadie puede cazar en la parte reservada al rey.»

Carlos III gustaba del Pardo e iba a cazar allí a menudo. Por la noche se iluminaba la carretera con grandes hachones.

Otras residencias fueron La Granja y Villaviciosa. Felipe V es el gran propulsor de las obras en La Granja. Por huir del triste Escorial gastó más de 300 millones de reales en arreglar aquella residencia cerca de Balsain.

Fernando VI, en cambio, prefería Villaviciosa, tres leguas al este de Madrid.

Todas las residencias reales estaban a cargo de un gobernador e intendente. Su papel era importante porque los reyes Borbones gustaron de salir a menudo de la capital. Carlos III, por ejemplo, dejaba Madrid el 5 de enero y se instalaba en el Pardo hasta el domingo de Ramos en que iba a Madrid. En Pascua la corte iba a Aranjuez hasta el 21 de julio, en que se trasladaba a La Granja hasta el 8 de octubre. Luego al Escorial hasta el 10 de diciembre, en que se volvía a Madrid. De Aranjuez, antes de terminar abril, iba a la caza de gatos monteses en Cuaresma, y desde Madrid, entre la Concepción y Nochebuena, a Aranjuez a la caza de chochas. En El Pardo se refugió también cuando el motín de Esquilache. Pasaba, pues, unos setenta días del año en la capital y el resto en el campo.

Jornada del rey. — El más meticuloso de los Borbones fué Carlos III. Su vida diaria era de absoluta precisión. Según Fernán-Núñez, se despertaba siempre a las seis menos cuarto de la mañana por obra del ayuda de cámara que dormía a su lado. Desvelado, quedaba solo rezando sus oraciones hasta las siete menos diez, en que entraba a saludarle el Sumiller de Corps, duque de Losada. A las siete salía a la cámara, donde había médicos, cirujanos y boticario entre la servidumbre; allí se vestía, lavaba y tomaba el chocolate. Cuando había terminado su taza entraba su repostero napolitano y se la llenaba de nuevo. Iba luego al oratorio y al cuarto de sus hijos. A las ocho, al suyo, donde trabajaba hasta las once. Llegaba el príncipe de Asturias a pasar un rato con él y luego recibía a su confesor. Iba en seguida a la cámara, hablaba con el embajador de Nápoles y el de Francia y tras de un momento hacía una señal al gentilhombre de cámara para que mandase al ujier llamar a los demás cardenales y embajadores; entraban donde él estaba y quedaba con todos un rato. Pasaba a comer en público, bendiciendo la mesa el arzobispo de Toledo y hablaba a unos y a otros durante la comida. Inmediatamente después se hacían las presentaciones de los extranjeros y besaban la mano los del país que tenían motivo de hacerlo por gracia, llegada o despedida. Volvía a entrar en la cámara donde estaban los embajadores, ministros y demás miembros del Cuerpo Diplomático con quienes pasaba a veces media hora de cerco, interviniendo también los grandes, primogénitos y generales.

Después de comer dormía la siesta en verano, pero no en invierno, y salía a cazar hasta la noche. Al volver repartía la caza, despachaba con el ministro de turno y jugaba al revesino hasta las nueve y media. Cenaba, rezaba otro cuarto de hora y se recogía.

MUERTE DEL REY. — La majestuosa ceremonia que anunciaba al buen pueblo de Madrid que ya tenía rey en quien confiar tenía una réplica triste en el fúnebre cortejo de despedida. Cuando el rey exhala el último suspiro, los gentilhombres de cámara le visten y le adornan con los collares de sus Órdenes. Inmediatamente lo depositan en una caja de madera, ésta a su vez envuelta por una rica tela de oro y todo junto en un ataúd de plomo. El Sumiller de Corps lo entrega al Mayordomo Mayor y éste lo hace llevar a la sala de Embajadores, donde es depositado en un catafalco y entregado a los Monteros de Espinosa, que por viejo privilegio han de ser los responsables del cadáver. Se monta la guardia con ellos, los mayordomos de semana y los guardias de Corps. Mientras, el Patriarca de las Indias canta el oficio de la Capilla Real y las puertas se abren para que el pueblo pueda ver por última vez el rostro de su rey.

Al día siguiente el Nuncio reza el oficio de Difuntos. Los Decanos del Toisón de Oro y de las Órdenes militares y de Carlos III se acercan al muerto y respetuosamente le

La pompa seguía a los reyes después de su muerte; he aquí el ampuloso catafalco para las honras fúnebres de Felipe V. en Madrid, de *J. B. Sachetti*.

Jura de Fernando VII como Príncipe de Asturias. El príncipe presta juramento ante el cardenal Lorenzana. A la derecha sus padres Carlos IV y M.ª Luisa rodeados por altos dignatarios. *(Paret).*

Museo del Prado

van despojando de los collares respectivos. A las tres el obispo de Jaén dice tres responsos. Se le quita al muerto el manto de las Órdenes y el sombrero; luego es llevado solemne, lentamente, hasta lo más alto de la escalera de Palacio. Allí el Caballerizo mayor, que tantas veces organizara sus viajes en vida, le ha preparado el último servicio. Con la ayuda del primer caballerizo cubre el ataúd con un rico brocado. Cuatro caballerizos depositan el féretro en la carroza cerrada que empieza a caminar en dirección del Escorial. A ambos lados dos filas de infantería española y valona cubren la carrera y a lo lejos truenan las descargas fúnebres de diez cañones situados en el Retiro. El pueblo de Madrid se agolpa lloroso para ver pasar la comitiva.

Por la larga carretera llegan al Escorial, panteón de Reyes. Los monjes reunidos cantan el Miserere y el Prior dice la solemne misa de difuntos.

Los gentilhombres bajan el cuerpo al pudridero y hacen entrega solemne al Prior, que lo acoge en el seno de la comunidad jerónima. Entonces, en medio de un grave silencio, el capitán de los guardias de Corps que lo ha escoltado se adelanta y rompe su bastón de mando porque ya no existe quien se lo confiara para su defensa.

Luego, al aire libre, las tres compañías de guardias de Corps y las dos de granaderos hacen tres descargas de mosquetería. Las campanas doblan lentamente a muerto... El rey reposa ya entre sus abuelos.

(1) El príncipe de Asturias, Luis, con Luisa Isabel de Orleans, hija del Regente, y Luis XV con la infanta doña María Ana, hija de Felipe V e Isabel de Farnesio. (*N. del A.*)

BIBLIOGRAFÍA

CAMPOMANES: *Cartas político-económicas.* — BOURGOING: *Voyage nouveau en Espagne 1777-1778.* Londres, 1783. — UBILLA Y MEDINA: *Succesión del rey don Felipe, Nuestro Señor, en la corona de España. Diario de sus viajes desde Versalles a Madrid...* Madrid, 1704. — DESDEVISSES DU DÉZERT: *L'Espagne de l'ancien regime: La societé, les institutions, richesse et civilisation.* París, 1897-1904. *Memorial Literario, Instructivo y Curiosa de la Corte de Madrid.* Mayo, 1790. — SAINT-SIMON: *Léttres et depèches sur l'ambassade d'Espagne.* París, 1880. *Voyage en Espagne d'un ambassadeur marocain.* 1690-91. Trad. del árabe por H. Sauvaire. París, 1884. — CONDESA D'AULNOY: *Un viaje por España en 1679.* Madrid, 1943. — LUIS CARMENA Y MILLÁN: *Crónica de la ópera italiana en Madrid.* Prólogo de Asenjo Barbieri. Madrid, 1878. — DESDEVISSES DU DÉZERT: *Un cónsul general de France en Madrid sous Ferdinand VI.* 1748-1756. — FERNÁN NÚÑEZ, conde de: *Vida de Carlos III.* Madrid, 1944.

Capítulo II

LA IGLESIA

Una sola religión. — Para los españoles del xviii, como para los del xvii y xvi, la religión católica no es sólo la oficial, sino la única en la que cabe la salvación del alma. Muchos siglos de lucha contra el musulmán y el luterano han robustecido esta creencia hasta extremos definitivos. Quien se aliste bajo las banderas de la verdadera fe está en lo cierto. Quien no, debe procurar no empañar ni siquiera con su aliento la absoluta serenidad de los que están convencidos.

Esto explica el auge de la Iglesia, única mediadora entre lo divino y lo humano. Rectora de conciencias, los reyes le han concedido siempre su alta protección y su riqueza es extraordinaria. Sus raíces llegan a las más escondidas capas sociales y sus ramas tocan en la cabeza al mismo monarca. Los altos cargos eclesiásticos son ambicionados por los hijos de las más nobles familias y, en cambio, el clero regular sale a menudo de las más humildes filas del pueblo. Por otra parte, todo está impregnado del sentimiento religioso de tal manera que no hay asociación, cofradía ni hermandad que no tenga una dualidad civil y eclesiástica, con lo que la extensión de su poder es enorme.

El clero. — Para servir a las necesidades de los españoles el clero católico necesita ser muy numeroso. Hay ocho arzobispados (Zaragoza, Burgos, Santiago, Tarragona, Valencia, Toledo, Granada y Sevilla) y cincuenta y ocho obispados. En 1787 el clero secular cuenta con 70.170 individuos. Los monjes, agrupados en cuarenta órdenes distintas, tienen a 62.249 individuos repartidos en 2.067 conventos, y las religiosas son 33.630, repartidas en 1.122 casas y 29 órdenes.

Un total que abarcase no sólo las personas dedicadas al servicio religioso, sino a los novicios y familiares de la Inquisición, daría una cifra de cerca de las doscientas mil almas a las órdenes directas de la Iglesia para una población de unos diez millones de habitantes.

Este mundo clerical era absolutamente popular entre todas las clases sociales. La encopetada dama tenía su confesor como la más modesta mujer. Especialmente en los pueblos el «señor cura» era el consejero y restaurador de las paces conyugales y de las conciencias intranquilas. Pero quienes gozaban de toda confianza y admiración eran los monjes predicadores de las órdenes mendicantes, que recorrían el país sin más ropa que su sayal remendado ni más armas que su rosario.

LOS PREDICADORES PEDANTES. — Sin embargo, estos misioneros que arrastraban a muchedumbres enteras por la fe y el entusiasmo que ponían en sus palabras, tenían a menudo una deficiencia de instrucción que les obligaba a errores teológicos de bulto, unida a un ansia de asombrar a los auditores con palabras extraordinarias y fuera del uso común. «La mayor parte de los sermones del siglo XVII y primera mitad del XVIII — dice La Fuente en su *Historia eclesiástica de España* — están escritos en una jerigonza estrambótica e indescriptible. En la misma portada se amontonan conceptos tan heterogéneos que de puro estupendos rayan en estúpidos. En el «Florilegio» la Iglesia es «Parnaso frondoso»; Cristo, la «fuente aganipe»; San Jerónimo, «un escintilante fanal de la Iglesia»; el martirio de San Lorenzo, un «catastro de fuego», y el mártir, un «fénix soasado».

El padre Isla hace en su *Fray Gerundio de Campazas*

Madrid. Real convento de la Visitación, vulgo las Salesas mandado edificar por la piedad de Doña Bárbara de Braganza, esposa del rey Fernando VI, en 1758.

Iglesia de San Martín, Madrid.

alias Zotes el más acabado retrato del predicador petuiante: «Le parecía vulgaridad citar a los Santos Padres y Sagrados Evangelios por sus propios nombres, y así a San Mateo le llamaba «ángel historiador», a San Marcos el «evangélico toro», a San Lucas «el más divino pincel», a San Juan el «águila de Patmos», a San Jerónimo «la púrpura de Belén». En un sermón empezaba:

»Fuego, fuego, fuego; que se quema la casa: Domus mea, domus orationis vocabitur. Ea, sacristán, toca esas retumbantes campanas; in cymbalis bene sonantibus. Así lo hace porque tocar a muerto y tocar a fuego es una misma cosa, como dijo el discreto Picinelo: Lazarus amicus noster, dormit. Agua, señores, agua, que se abrasa el mundo.»

El latín lo utilizaba viniera o no a cuento porque el profesor se lo recomendó: «Díjome que cuando quisiese aplicar algún texto a alguna obra castellana no tenía más que buscar en las concordancias la palabra latina que le correspondiese y que allí encontraría para cada voz textos a porrillo.»

Otras veces intenta impresionar al público con paradojas ingeniosas. Sube al púlpito, se limpia la cara lenta y gravemente con un gran pañuelo y luego empieza con voz campanuda: «Niego que Dios sea uno en esencia y trino en personas... —y se detiene un poco—. Así lo dice el evionista, el marcionista, el arriano, el maniqueo, el sociniano; pero yo lo pruebo contra ellos, con la Escritura, con los Concilios y con los Padres de la Iglesia.»

O bien: «A la salud de ustedes, caballeros», y como el auditorio rompiese a reír, siguió: «No hay que reírse porque a la salud de ustedes, de la mía y la de todos, bajó del cielo Jesucristo y encarnó en las entrañas de María. Es artículo de fe.»

La fórmula preciosista en el lenguaje que luego hemos de apreciar en otras clases sociales está satirizada por esta carta que el padre Isla finge escrita por un religioso a un amigo:

«A mi hermana Rosa dirá V[a] Merced que me alegro

mucho lo pase bien así «ut quo» como «ut quod»; y que en cuando a las calcetas con que me regala, la materia «ex quo» me pareció un poco gorda, pero la forma artificial viene con todos sus constitutivos. De las cuatro libras de chocolate que Vuestra Merced me envió diré «in re veritatis» lo que me parece; las cualidades intrínsecas son buenas, pero las accidentales se echaron a perder por haber estado aplicado más tiempo del conveniente a la naturaleza ígnea mediante la virtud combustiva.»

El libro del «padre Gerundio» surtió el efecto solicitado y poco a poco los oradores sagrados robustecieron su cultura e hicieron más sencilla su expresión.

LAS COFRADÍAS. — La Cofradía es la asociación de carácter mixto civil y religioso. Puesta bajo la advocación de la Virgen o de un santo, vela por sus hermanos y los protege en sus pesares. En las procesiones y las festividades religiosas más importantes hace acto solemne de presencia.

Existían, dice Coxe, 19.024 cofradías en Castilla que gastaban al año 8.784.458 reales. Su labor era beneficiosa, pero se desperdigaba. Campomanes, con el fin de dar formas más útiles a estas sociedades, propuso la creación de juntas de beneficencia en cada obispado; estas juntas eran las encargadas de formar de todas las cofradías de las parroquias una sola, destinando los fondos que les pertenecían al auxilio de los verdaderos pobres y a las escuelas patrióticas.

Organizadas como auxiliares o esqueleto del gremio de los diversos oficios, a veces se constituyeron en forma exclusivista. El «Duende de Madrid» se quejaba en 1787 que un jalmero o un sillero pudiesen estar alistados en una cofradía sacramental y que no lo mereciese un humilde zapatero. Y decía: «Todo artista y todo ciudano debe considerar que cuando tienen que asociarse a otros en una Hermandad o Cofradía cuyo instituto es dar culto al Señor con el ejercicio de virtudes cristianas y de una vida ejemplar, entonces ya no tiene la compañía del sastre, del zapatero o del sillero, sino de unos hermanos a quienes debe unir la caridad de Jesucristo.»

Había cofradías que proporcionaban trabajo y ocupación a los presos de las cárceles; otras componían matrimonios mal avenidos, dotaban y casaban huérfanas, socorrían a pobres vergonzantes y proporcionaban asilo a las jóvenes que habían tenido un desliz.

Llegaron a tener hospitales propios y con Carlos III los titulados cinco gremios mayores de Madrid se organizaron en banqueros públicos.

La Inquisición. — En la vida española del siglo xviii ocupa lugar preferente la existencia de la Santa Inquisición. Oficialmente su poder es el mismo que cuando la introdujeron los Reyes Católicos. El Inquisidor General era la autoridad suprema en materia de fe; redactaba la lista de libros prohibidos y nombraba todos los inquisidores provinciales. Sin embargo, los Borbones no la apoyaron como lo habían hecho los Austrias e incluso Felipe V mantuvo momentáneamente a Melchor Macanaz contra el Santo Oficio. Aunque más tarde venciera éste, su labor se hizo más difícil y tras las medidas restrictivas tomadas por Carlos III había perdido casi todo su poder político.

Había once tribunales provinciales: Sevilla, Córdoba, Jaén, Toledo, Llerena, Madrid, Valladolid, Logroño, Cuenca, Murcia y Las Palmas de Canaria, además de las de Zaragoza, Barcelona, Mallorca. Los Inquisidores provinciales tenían título de Señoría y todos los años recorrían su distrito en compañía de un nuncio, un oficial y un notario. Tenía a su servicio una junta de seis consultores con dos teólogos y cuatro doctores en derecho canónico. Determinaban los hechos heréticos ocho calificadores, los cuales debían ser doctores en Teología, Derecho canónico o Derecho civil.

Las cárceles de la Inquisición. — Las prisiones de que disponía el Santo Oficio podían ser de tres clases:

públicas, para acusados de sodomía y bigamia; *mixtas,* para funcionarios del Santo Oficio sorprendidos en falta; *secretas,* para acusados en materia de fe.

Las celdas eran luminosas y aireadas. Se servía a las seis el desayuno, a las diez el almuerzo y a las cuatro la cena. La tortura, utilizada como medio corriente de castigo en las cárceles de la época, no se empleaba en las de la Inquisición cuando el acusado tenía menos de veinticinco años, más de sesenta o era mujer encinta.

CAUSAS DE DETENCIÓN. — El Tribunal del Santo Oficio no entendía sólo en materias de fe, sino en todo aquello que pudiese perturbar la moral de la sociedad, la ortodoxia de la Iglesia y el buen nombre de sus componentes. Las causas de detención eran las siguientes:

Por blasfemia, causa criminal, impudicia, falsedad, provocadores de herejías, hechiceros, herejes (entendiendo por tales los iluminados, anglicanos, calvinistas, fracmasones, luteranos), ilusos (los que se creen visitados por Dios, la Virgen, los santos, el diablo), iludentes (los que lo hacen creer a otros), impedientes (que impiden por artes mágicas la consumación de los matrimonios), injuriosos, intrusos, judaizantes, lectores de libros prohibidos, moriscos, autores de palabras escandalosas, perjuros, autores de proposiciones erróneas y proposiciones escandalosas, heréticos, religiosos casados, sacrílegos, solicitantes (que abusan de la confesión para pecar), diversos.

PEREGRINACIONES. — La tradición medieval de las peregrinaciones llenaba de devotos los lugares cumbres del catolicismo español y las leyes protegían al romero. Casi cada región puede ostentar un lugar santo al que acuden los que tienen que implorar o agradecer desde todos los rincones de la nación. En Galicia, Santiago sigue ostentando la primacía. Los peregrinos besan la santa efigie tres veces y cubren con el propio sombrero la venerada cabeza. Luego pasan por un agujero situado debajo de la imagen.

En Aragón cobra fama la visita al Pilar que, en estos años precisamente, ve edificarse su basílica. En Cataluña, Montserrat ofrece su virgen negra rodeada de exvotos y acoge a los peregrinos pobres por espacio de tres días. Un viajero francés del tiempo de la Revolución señala que Carlos III pidió a los monjes que dieran una fuerte suma para un hospicio de Barcelona, prometiendo, en cambio, quitarles la obligación del hospedaje y que ellos no aceptaron.

En Tarragona se venera a Nuestra Señora del Milagro; en Mallorca, la del Monte Sión. En Zamora, San Ildefonso, el Santo Cristo de las Batallas en Salamanca, el Crucifijo en Burgos, San Antolín en Palencia y San Pablo en Valladolid. En Andalucía son destacados los santuarios de Nuestra Señora de los Reyes en Sevilla, los de Carmona y Baeza y el lienzo de Santa Verónica en Jaén. Aquel crucifijo que construyeron los Angeles, según la sacra leyenda, atrae los presentes y visitas de los asturianos, y en Madrid tienen adoración preferente Nuestra Señora de Atocha y la del Sagrario.

El culto a la Virgen. — La imagen de Nuestra Señora en sus distintas denominaciones tiene un valor de primera importancia en la vida española del XVIII. La devoción mariana de añeja solera se manifiesta en los 142 santuarios dedicados a ella y en las fórmulas de vida habitual jamás deja de notarse el «Ave María» en la entrada de las casas, contestado por un «Sin pecado concebida». La despedida, dice Bourgoing, es siempre: «Id con la Virgen» cuando no «con Dios».

Otro viajero francés, Laborde, dice: «El culto a la Virgen es el más típico en todas las clases de la sociedad; los españoles encuentran en ello una especie de dulzura y consuelo que no les proporcionan otras prácticas religiosas. «Nuestra Señora» es su expresión favorita. La Virgen tiene en todas las casas una sala que le está particularmente consagrada y en la que su imagen figura bajo la advocación de Purísima, Dolores, Concepción o Rosario.»

«Hay pocos españoles, incluso militares, que no lleven en su pecho o en la cartera alguna pequeña imagen de la Virgen que invocan, besan y de la que no se separan jamás.»

Por otra parte, la Inmaculada Concepción fué declarada Patrona de España e Indias y la Orden de Carlos III puesta bajo su advocación por este rey. Destaquemos que este misterio había sido ya varias veces propugnado por las fuerzas culturales del país como universidades y colegios y que el nuevo doctor en Teología debía jurar mantener este dogma.

La devoción. — En asuntos de devoción los españoles van a la par; desde el rey al último mendigo, todos se inclinan al paso de la Potencia suprema y le rinden acato y respeto. La Fuente comenta que las leyes recopiladas (Novísima Recopilación) están llenas de disposiciones religiosas. Todo español debía acompañar al Santísimo cuando le hallase en la calle; los militares debían abatir banderas y armas; los magistrados y tribunales apearse de su carroza y ofrecerla al sacerdote.

Por la mañana, una campanilla solía avisar a los jornaleros y artesanos que llegaba la hora de abandonar el lecho y, al despuntar la aurora, en las calles de Madrid se cantaba a coro el rosario. La gente se persignaba y daba gracias antes de comer. Los ayunos se observaban con todo rigor. Al terminar, el sacerdote daba gracias.

Al toque de oraciones se suspendían los coloquios y todos rezaban el rosario antes de acostarse.

En el paso del Santísimo a través de las calles se hacía ostentosa la devoción española. Bourgoing señala que es llevado siempre con mucha pompa y con soldados. El portador sale de la iglesia con el sombrero en la cabeza y el viático en una bolsa; es una costumbre antigua que viene del tiempo en que Madrid estaba rodeado de infieles y había que preservar a la Eucaristía de la posible profanación. Cuando va por la calle la gente se arrodilla a su paso y la primera persona con coche que halla, se apea inmediatamente y ofrece su carroza a Dios. El sacerdote sube al coche y el caballero le sigue a pie. En la comitiva del viático, que va engrosando continuamente, van dulzainas y algunas veces un tamborcillo. Entran en la habitación del enfermo todos los que caben en ella y asisten devotamente a la ceremonia. Muchas veces el caballero de la carroza ha sido el propio Rey, que ha procedido exactamente como lo haría cualquier otro hombre del reino, sino con mayor respeto y devoción.

Todos los que visitan España y son testigos de las manifestaciones religiosas se asombran de ver la tan cacareada altivez española humillarse ante la Iglesia. El padre Labat que no se muerde la lengua para contar nuestros defectos, explica admirado el respeto con que se sirve a la misa:

«Para los grandes señores es un honor; besan la mano al sacerdote a cada cosa que le presentan. Se ponen de rodillas para dar el agua al oficiante y después que ha secado sus dedos, sin dejar su postura, el acólito presenta el recipiente boca abajo para que el sacerdote pose la mano, que es besada de nuevo. A la vuelta a la sacristía ayuda al sacerdote a desvestirse, después se arrodilla para recibir su bendición y le vuelve a besar la mano. La diferencia en estas manifestaciones de respeto estriba en que antes o durante la misa se da a besar el dorso de la mano y después la palma.»

El Rey es el primero en anularse. El viajero marroquí antes aludido explica la fiesta de la Pascua en palacio:

«El Rey manda traer la comida para pobres e invita a doce mendigos a sentarse. El Arzobispo y el Nuncio llegan y asisten al Rey que con sus manos ofrece a los pobres la comida, cambia sus platos y los quita como un criado. Luego llega el superior de la iglesia con un barreño, el Nuncio trae el agua y el Rey lava los pies a los pobres y los seca con una toalla. Luego besa los pies de cada uno y les da vestido y dinero. Se llevan también los restos de la comida y los platos que luego venden en la calle.

La Reina lo hace lo mismo con doce mujeres pobres.»

LAS PROCESIONES. — La gran manifestación religiosa de la época la constituyen las procesiones. En ellas los «pasos» muestran las escenas de la vida de Jesús y la multitud grita iracunda contra los sayones y Judas. Todas las ventanas están adornadas y llenas de curiosos y no hay en la ciudad quien no vibre ante el desfile del que se ha estado hablando durante todo el año y del que se tratará durante todo el siguiente. En *La Presumida burlada* Ramón de la Cruz se hace eco de la costumbre:

TONILLA: Esos dos serán hidalgos
de Madrid.
COLAS: ¿Por qué lo dices?
TONILLA: ¡Como los veo tan portaos!
COLAS: Pues si tú hubieras estado
aquí por Semana Santa,
y hubieras visto los Pasos,
verías a los cabreros,
y la gente del esparto
vestidos de militar,
su espadín atravesado,
y su camisola; en forma
que a no ser por los zapatos
de paso ratón y algunos
que sin duda iban peinados
de mano de su mujer,
nenguno hubiera pensado
sino que eran todos hombres
de importancia: ¡y qué borrachos,
suelen ir los trompeteros!
¡De veras es un buen rato!

El carácter específicamente español y para españoles de estas fiestas hace un poco difícil su comprensión para los extranjeros. Bourgoing describe el Jueves Santo en Málaga: «Un penitente llevaba una cola de 40 pies de larga... Los gritos, el incienso, el jadeo de los portadores de los pasos, daban a la ceremonia, más que pompa, horror y tristeza. Las mujeres cubiertas de sus ricos trajes y un velo de

Procesión de Semana Santa en Barcelona. Resumen y compendio de la devoción popular, la procesión de Semana Santa en Barcelona reunía representaciones de la nobleza, los gremios y el ejército aparte del clero. Una inmensa multitud seguía la procesión admirando los "pasos".

Archivo Histórico Municipal-Barcelona

GOZOS

7ª

DEL GLORIOSO SAN HONORATO, ARZOBISPO ARLATENSE, Patron, y Titular del Lugar de Vilanesa.

Pues que sois en Tierra, y Cielo
Estrella de resplandor,
alcanzadnos del Señor,
San Honorato, consuelo.

De Padres muy nobles fue
el mundo tu nacimiento,
mas de Christo con portento
seguisteis la Ley, y Fè;
detestando con fiel celo
toda culpa, y todo error,
alcanzadnos del Señor, &c.

Por huir del mundo engaños,
os mostrais al siglo muerto,
partiendoos para el Desierto
à vivir entre Hermitaños;
à donde tomaste el buelo
para el Cielo con fervor;
alcanzadnos del Señor, &c.

De Virtud fuiste dechado,
y por superior destino
con Fè emprendiste el camino
de aquel lugar tan sagrado,
donde Christo con anhelo
padeciò por nuestro amor;
alcanzadnos del Señor, &c.

En una Cueva estrechisima,
dicha de Lerin, viviste
muchos años, donde hiciste
penitencia rigidisima;
siendo tu mayor desvelo
castigarte con rigor;
alcanzadnos del Señor, &c.

Al insigne Arzobispado
Arlatense os promoviò
vuestra humildad, y se hallò
en Vos un grande Prelado;
no haviendo mal, que tu celo
no extirpàse con fervor;
alcanzadnos del Señor, &c.

De animales ponzoñosos
à Lerin, y de un Dragon
librò vuestra intercesion,
y con hechos milagrosos
encaminaste asi al Cielo
todo errante pecador;
alcanzadnos del Señor, &c.

Todo remedio hallò en Vos
el pobre menesteroso,
y en figura de un Leproso
vino à visitaros Dios,
pagando asi tu gran celo
con tan singular favor;
alcanzadnos del Señor, &c.

De milagros oficina
fue vuestra gran santidad,
y de toda enfermedad
sois, y fuiste Medicina;
siendo en todo desde el Cielo
para todos Protector;
alcanzadnos del Señor, &c.

Como singular Patron
os venera Vinalesa,
Lugar que siempre interesa
su amparo en tu proteccion,
y en toda afliccion su anhelo
halla alivio en tu favor;
alcanzadnos del Señor, &c.

Viniendo una gran avenida,
que pretendiò inundar
el agua à todo el Lugar,
con vuestra Imagen Sagrada
retirò su feroz buelo
à su cauce con rubor:
alcanzadnos, &c.

La esteril, de Dios alcanza
el fruto de bendicion,
si en vuestra gran proteccion
pone fina su esperanza,
y halla en el parto su anhelo
tu asistencia en su favor;
alcanzadnos del Señor, &c.

TORNADA.

Pues que sois de Tierra, y Cielo
Estrella de resplandor,
alcanzadnos del Señor,
San Honorato, consuelo.

℣. *Ora pro nobis Beate Honorate.* OREMUS. ℟. *Ut digni efficiamur, &c.*

DA quæsumus omnipotens Deus, ut Beati Honorati Confessoris, atque Pontificis veneranda solemnitas, & devotionem nobis augeat, & salutem. Per Christum Dominum, &c.

Oración de la época.

blonda que no deja perder nada de la belleza de su cara adornan las ventanas y los balcones de sus casas y no parecen tomar parte alguna en la sombría ceremonia.»

En Granada ocurrió un hecho que muestra la devoción popular por las procesiones. La Cofradía de Jesús el Rico iba a dejar de salir y los presos de la ciudad solicitaron sacar ellos la imagen. El permiso les fué negado. Se sublevaron entonces, lograron dominar a sus guardianes y se precipitaron al convento de San Francisco donde se guardaba la imagen. Los curiosos vieron asombrados el desfile de una improvisada cofradía de Jesús que guardó un orden y una devoción perfecta durante toda la procesión. Al concluir ésta, la imagen fué devuelta a su convento y los presos se personaron nuevamente en sus celdas sin que faltase uno solo. Sabedor el rey Carlos III de la noticia acordó que, cada año, Jesús el Rico indultase a un preso, previo sorteo. Así se hace la noche del miércoles santo y el nuevo ciudadano libre acompaña devotamente, por las calles granadinas, a quien le salvó de las rejas.

Los disciplinantes. — La más curiosa y solemne manifestación de fe en los españoles la dan los disciplinantes. Para un pueblo que tenía en la religión, más que un mero rito, toda la razón de su existencia, el manifestarse en la procesión podía ser, además del ofrecimiento de un dolor al Señor, una muestra de hombría frente a la amada. El padre Isla explica que...

«...para cortejarla más le pareció cosa precisa salir de disciplinante; porque es de saber que este es uno de los cortejos de que se pagan más todas las mozas de los campos donde ya es observación muy antigua que las más de las bodas se fraguan el Jueves Santo, el día de la Cruz de Mayo y las tardes que hay baile, habiendo algunas tan devotas y tan compungidas que se pagan más de la pelotilla y el ramal que de la castañuela...»

«un disciplinante con un cucurucho de cinco cuartas, derecho, almidonado y piramidal, su capillo en moco de pavo, con caída en punta hasta la mitad del pecho... almilla blanca de lienzo casero, aplanchada, ajustada y atacada hasta poner en prensa el pecho y el talle; dos grandes trozos de carne... que se asoman por las dos troneras rasgadas en las espaldas divididas entre sí por una tira de lienzo que corre de alto abajo entre una y otra... sus enaguas o faldón campanudo, pomposo y entreplegado... algunos llevan zapatillas blancas con cabos negros si no son de cofradía porque a estos se les permite zapatos salvo a los *penitentes de luz* que son los jubilados de la orden»

La disciplina...

«...saca su pelotilla de cera salpicada de puntas de vidrio y pendiente de una cuerda de cáñamo empegada para mayor seguridad... toma con la mano izquierda la punta del moco del capillo... apoya el codo derecho sobre el ijar del mismo lado... sin mover el codo y jugando únicamente la mitad del brazo derecho, comienza a sacudirse con la pelotilla hacia uno y otro lado...»

la cura...

...como sangraba tanto... uno de los mayordomos de la cruz que gobernaba la procesión le dijo que se fuese a casa. Ya estaba prevenido el vino con romero, sal y estopas que es todo el aparato de estas curaciones. Estrujáronle bien las espaldas por si acaso había quedado en ellas algún vidrio de la pelotilla; lavarónselas, aplicáronle la estopada, vistióse, embozóse en su capa parda.»

El padre Labat añade que el azote se hace siempre ante las mujeres y cadenciosamente.

En 1777, fué prohibido el paso de disciplinantes La orden del 20 de febrero fijada por Carlos III dice: «No permitan chancillerías ni audiencias del reino, disciplinantes, empalados ni otros espectáculos semejantes que no sirven de edificación y pueden servir en la indecencia y el desorden de las procesiones de Semana Santa, Cruces de Mayo, rogativas y otras... debiendo los que tuvieran verdadero espíritu de compunción y penitencia elegir otras más racionales, secretas y menos expuestas».

La Semana Santa en la calle. — Aparte de las procesiones que imprimen carácter a toda la Semana Santa, ésta se distingue de los demás días del año por la absoluta falta de carruajes que se nota. Las damas van en silla de manos, lo que no dejan de criticar los cronistas del tiempo considerando la inoportunidad de substituir a las bestias con los hombres en el pesado trabajo de transportar a una persona en estos días del Señor. En cuanto a los caballeros, *El Pensador* de 1767 les pregunta si es lógico que vayan haciendo ostentación, no sólo de su gallardía de jinete, sino de la opulencia en criados, libreas y adornos.

Los votos. — Aparte de los típicos de acudir en peregrinación a un centro religioso, los españoles del tiempo hacían votos de diversas clases. Uno muy curioso, citado por el padre Labat, consiste en prometer ante un peligro inminente, especialmente en el mar, el casarse con una muchacha pobre si no hay nada que objetar sobre su nacimiento y educación. «Ello debe ser — imagina el viajero — para que, teniendo ante sí siempre el objeto que recuerda el peligro pasado, sean buenos», algo así como tener un exvoto en figura de esposa.

Otros prometían pedir limosna para la Iglesia si se salvaban de una enfermedad, aunque fuesen ricos. Y, efectivamente, era cosa normal ver a caballeros lujosamente vestidos pidiendo casa en casa por el amor de Dios a fin de cumplir con su promesa. Sin embargo, este voto pierde gran parte de su mérito si se recuerda que la pobreza y el pedir subsiguiente no representan una humillación en la España del xviii. El pobre está convencido que Dios ha repartido los bienes en forma arbitraria, pero que, precisamente por esto, los que tienen están obligados a dar al que le falte. Por ello no existe la vergüenza del solicitante, sino que se pide de igual a igual y como quien ofrece la ocasión de reparar una injusticia.

OTRAS PRÁCTICAS RELIGIOSAS. — La Cuaresma se cumple en todos los hogares españoles a rajatabla, desde el Rey al último súbdito. Por la mañana de los días de ayuno se puede beber una taza o dos de chocolate al que se pueden añadir unos bizcochos. Una hora después del medio día se hace una comida copiosa y a medianoche una comida ligera. Teniendo la bula de la Santa Cruzada, se puede tomar huevos y lacticinios. La bula es obligatoria para todos, incluso para los pobres que piden limosna para esta especial condición y nadie deja de dársela.

La comunión pascual es también obligada. Los párrocos dan a quien la cumple una cédula que hay que conservar luego cuidadosamente, casi siempre pegada a la pared. La falta del papel en caso de una visita domiciliaria de los emisarios de la justicia podría traer aparejado un disgusto al suspecto desde entonces de tibieza religiosa. Casanova de Seingalt tuvo de ello una triste experiencia.

LA MUERTE. — Un pueblo en el cual la religión toma caracteres tan absolutos es un pueblo familiarizado con la idea de la muerte. «La víspera del día de los Muertos — según Bourgoing — en casi todas las ciudades y pueblos de España se sitúan unos bancos en la plaza pública, se reúne la multitud y se hace una subasta a provecho de las almas del Purgatorio. La subasta se hace sobre unos regalos que los hermanos de las cofradías han recogido en días anteriores. Los feligreses pujan y el dinero obtenido sirve para mandar decir misas.»

En el día de Todos los Santos, sigue Bourgoing, se llevan cirios encendidos a la tumba de los parientes para que las almas realicen una procesión nocturna. El familiar que quede sin cirio tendrá que asistir al cortejo con los brazos cruzados.

Cuando alguien muere, hombre o mujer, se le entierra con hábito de fraile o monja, casi siempre de franciscano. Depositado en un ataúd de madera, el cadáver es llevado en unas andas con unas cubiertas de terciopelo negro. Los parientes, vecinos y amigos mandan a los familiares del finado, durante tres días, uno o varios platos a la hora de la comida porque se supone que el dolor sufrido no les permitirá acordarse de su manutención. También es de rigor la visita a la familia para consolarla. Y se encargan todas las misas posibles.

Cuando el muerto es pobre de solemnidad es llevado a la plaza pública y expuesto a la caridad hasta que se recauda suficientes limosnas para enterrarle.

La familiaridad en la iglesia. — El exceso de fe sin una cultura que la sustente puede llevar a la inconveniencia. El padre Labat descubre estupefacto en Cádiz que la Virgen de la catedral va vestida como una joven recién casada de la época y que cambian sus vestidos según las estaciones y los tiempos de la iglesia. Santa Ana se cubre con un manto de terciopelo negro con encajes de oro y San José viste a la española, pantalones, jubón y capa de damasco negro; golilla, medias de seda, zapato de tafilete negro con la cinta del mismo color, cabellos arreglados, grandes gafas sobre la nariz, el sombrero ancho bajo el brazo izquierdo, espada larga, puñal y un gran rosario en la mano derecha.

Parecidas cosas ocurrían con el niño Jesús. Coxe nos cuenta que en varios conventos de España el divino infante era vestido de canónigo, de doctor o, como médico, con peluca y bastón con puño de oro.

Por otra parte la costumbre de ir a la iglesia hacía que lo que tenía que ser santa devoción diera ya en rutina y la intimidad con los templos los convirtiera en lugar de citas y chismorreo. Ya en el siglo XVII se habían alzado voces autorizadas contra ello. Y en un número del periódico *El Pensador*, correspondiente al año 1762, se llama la atención sobre esta libertad en los santos lugares:

«En otros tiempos eran iglesias las casas; hoy son casas las iglesias, pero no como quiera; casas de conversación... Entra un caballero en una iglesia y suele tomar agua bendita sin saber por qué ni para qué; pero, en fin, ha visto que todos lo hacen... Arrímase a un banco o a un confesionario: pone en tierra una rodilla a modo del comediante que entrega un guante a una dama, forma luego una porción de garabatos sobre su rostro, dase unos cuantos golpecitos en los pechos, siempre con cuidado de no lastimarse... y acabada esta retahila, que es obra de medio minuto, se levanta muy satisfecho y empieza a pasar revista a la gente que hay en la iglesia... Arrímase a la pared, esperando a que salga alguna misa, y entre tanto, está recostado sobre ella con muchísima indecencia... Otros vienen solamente para buscar a la dama a quien cortejan, y he aquí la astucia de que se valen para conocerla en un gran concurso. La dama trae una caja de cartón de esas que meten mucho ruido al abrirse. El caballero trae también la suya: dice el uno, responde el otro.»

En cuanto a las damas... «hácense camino a costa de incomodar y distraer una gran parte de los fieles hasta llegar a las gradas del altar mayor. Las demás suben al presbiterio y se dan el espectáculo de todo el concurso».

«Una comida de tres horas es un rato divertido, un baile de seis u ocho es un entretenimiento muy gustoso; una misa de media hora es insufrible y esto aun sin estar de rodillas, que ya se tiene por cosas del tiempo de las calzas atacadas... Se ofrece la silla y hay disputas, votos y quimeras sobre la preferencia del lugar.»

Y el padre Feijóo en su discurso sobre «Las Modas» dice:

«Hay oraciones de moda, libros espirituales de moda, ejercicios de la moda y aun hay para la devoción santos de la moda... Apenas hay quien invoque (ya) a San Pedro o San Pablo.»

Y contra los libros de oraciones: «Se ha extendido el uso de las Horas. Pienso que ya se desdeñan de tener el rosario en la mano y de rezar la sacratísima oración del Padre Nuestro y la Salutación Angélica.»

LAS FESTIVIDADES RELIGIOSAS. — El sentido devoto del pueblo español protegido por el Estado y las innumerables advocaciones de la Virgen, Jesucristo y los santos, daban por resultado un número extraordinario de fiestas a celebrar al cabo del año. En el «Diccionario de Hacienda» de Canga Argüelles se cita el informe elevado a este respecto por don Tomás Pérez, que al tratar de la elaboración de los paños en Sevilla dice que los operarios sólo tienen al año 280 días útiles de trabajo o sea que pierden dos meses y medio o, dicho de otra manera, el veintinueve por ciento de su labor.

BIBLIOGRAFÍA

DESDEVISSES DU DÉZERT: *L'Espagne de l'Ancien Regime,* t. I, *L'Inquisition au XVIIII siecle,* Révue Hispanique 1899. — P. ISLA: *Fray Gerundio de Campazas, alias Zotes.* B. A. E., Madrid. — LA FUENTE: *Historia eclesiástica de España.* Barcelona, 1885. *Lettres ècrites de Barcelonne a un zelateur de la liberté.* París, 1792. *Etat politique, historique et moral du Royaume de l'Espagne l'an MLCCLXV.* Révue Hispanique. París, 1914.— LABORDE, ALEXANDRE: *Itinerario descriptivo de las provincias de España y de sus islas y posesiones en el Mediterráneo.* Valencia, 1878. *Voyage en Espagne d'un ambassadeur marocain.* — RAMÓN DE LA CRUZ: *La presumida burlada. El Pensador,* de 1762 y 1767. — CANGA ARGÜELLES: *Diccionario de Hacienda.* Londres, 1813.

Capítulo III

LA NOBLEZA

La majestad real y todo el Estado se apoyan en dos fuertes columnas. Una es la Iglesia, la otra la Nobleza. Ya hemos destacado el importante papel transmisor de la primera. En la segunda no existe una unión íntima y una seria disciplina como entre los eclesiásticos; al revés, es muy corriente la lucha más o menos encubierta por la primacía; pero, de todas formas, su labor es muy importante. Su absoluta fidelidad al Rey les hace útiles para los cargos del Estado y, a menudo, en lugar de enriquecerse en ellos dejan las rentas de sus señoríos para ostentar dignamente la representación que les ha sido conferida. Representan además a una considerable cantidad de españoles que, al depender de ellos económicamente como criados, ballesteros, caballerizos, aparceros, colonos, se sienten unidos a la grandeza de la casa y a la monarquía que sirven sus dueños.

Para el pueblo es natural ver en los altos cargos del país a individuos colmados de títulos antiguos. Y la costumbre es tal que en este siglo XVIII que verá la subida de muchos ministros procedentes de la clase media, son honrados estos en la primera ocasión con un título a fin de que no desmerezcan ante sus compañeros de gabinete cuyo abuelo estuvo en Mühlberg o en Lepanto. Este valor militar de la nobleza ha desaparecido en gran parte pero el recuerdo pervive en la imaginación del vulgo aureolando las cabezas altivas de los nobles contemporáneos. A través del siglo, sin embargo, las clases ilustradas aguzarán sus plumas contra el estado noble poniendo de relieve su inutilidad social.

GRANDES DE ESPAÑA. — La jerarquía nobiliaria está rematada por la categoría máxima de Grandes de España, que en 1789 son 119 por 535 títulos de Castilla y 480.589 hidalgos. Tienen derechos extraordinarios; el rey los llama primos, besan su mano los días de gala y el retrato de S. M. figura bajo dosel en su casa. El Papa los manda sentar en su presencia, pueden llevar cuatro mulas en la carroza y antorchas.

En los pueblos tienen derecho a una guardia de honor y el ayuntamiento acude a visitarles y a ofrecerles sus respetos. Son Grandes de primera clase los duques de Arcos, Béjar, Escalona, Frías, Infantado, Medina de Rioseco, Medinasidonia, Nájera; condes de Aguilar, Benavente y Lemos.

UN GRANDE SE CUBRE. — El privilegio más típico entre los que poseen los Grandes es el de cubrirse ante el Rey. En la ceremonia en que este privilegio se otorgaba, el ritual estaba fijado aún en los menores pasos de todos los concurrentes. Por mucho tiempo hubo una diferencia entre la forma de cubrirse los Grandes de primera, segunda y tercera clase. En el primer caso el noble se adelantaba a S. M. desde su sitio y tras dirigirle su salutación se ponía ostentosamente el sombrero. Los de segunda clase tenían que esperar para este menester a ser contestados por el Rey, y, en cuanto a los de tercera, se retiraban tras la contestación siguiendo destocados y al llegar a su sitio se cubrían. Luego, esta ceremonia fué suprimida por considerarla vejatoria para los mencionados en último lugar, pero el rito no perdió solemnidad. El «Memorial Literario, Curioso e instructivo» antes mencionado nos describe una «cobertura» en el año 1784:

«Luego que el Rey nuestro señor dió la orden del día en que se había de cubrir dicho Excmo. Sr. D. Agustín de Silva y Palafox, se le comunicó al Secretario de la Estampilla Real y el Mayordomo Mayor de S. M. lo hizo saber a los criados de la Real Casa», a fin de que, para entonces en adelante, lo trataran según su nuevo grado:

«...el día 8 se tendió en medio de la sala de las audiencias públicas una alfombra primorosamente labrada y sobre ella una silla y a su derecha una mesa cubierta con un tapete de damasco carmesí galoneado de oro; llegada la hora señalada, se presentó en la sala de más afuera el excelentísimo señor que se había de cubrir, acompañado del Excmo. Sr. Duque de Alba, que le sirvió de padrino. Y en la misma sala donde se había de ejecutar la ceremonia de la cobertura se introdujeron los demás grandes vestidos de media gala y los individuos de la casa real (los mayordomos de semana) con el peti-uniforme y bastones, quedando corridas las cortinas de las entradas. Al tiempo que había de salir S. M., el Laugier de cámara descorrió la cortina y se formaron en dos filas laterales los Grandes e individuos de la Real Casa, aquéllos en la izquierda del Rey y éstos a la derecha, a cuyo lado y remate de filas frente a S. M., un garzón de Reales Guardias de Corps formó y colocó a dos cadetes del mismo Real Cuerpo con sus carabinas al hombro. Se presentó el Rey N. S. con sombrero puesto, bastón y espada y luego que se sentó vinieron todos los Grandes y guardaron su espalda, el Excmo. Sr. Príncipe de la Riccia, Capitán de la segunda Compañía de Reales Guardias de Corps, el Excmo. Sr. Marqués de Ruchena, Sargento Mayor de dicho Cuerpo y otros oficiales mayores, y al mismo tiempo ocuparon los dos lugares de la fila de Grandes más inmediata al Rey los Excmos. Sres. Duque de Medinaceli, Mayordomo Mayor y el Marqués de Valdecorzana, Sumiller Mayor de S. M. Luego que se hallaba dispuesta esta formación, salió el Secretario de la Estampilla a avisar al Grande que se había de cubrir... El ayuda de Cámara que estaba de guardia descorrió la cortina y puesto de frente a S. M. dijo en alta voz: «Señor: el Conde-Duque de Aliaga y Castellot», y al mismo tiempo entró éste llevando a su derecha al padrino, y luego que entraron en la sala hicieron una cortesía a la española antigua (1) al Rey N. S. y después, terciándose a derecha e izquierda sin perder el frente a S. M., hicieron otra a los Grandes e individuos de la Casa Real, quienes correspondieron al saludo; después de este acto se retiró el padrino, colocándose en el lugar que le correspondía en la fila de los Grandes, y el Mayordomo de semana más antiguo pasó a ocupar el lado izquierdo del Conde-Duque, en cuya compañía hizo éste la segunda cortesía en la misma ceremonia que la anterior, y concluída ésta se retiró también el Mayordomo de semana y entonces, solo el Conde-Duque, cuando ya se hallaba inmediato al Rey, hizo la tercera cortesía y poniéndose el sombrero le dió a S. M. las gracias ofreciéndole su persona y estados; concluído esto se volvió a quitar el sombrero y haciendo otra cortesía al Rey pasó a ocupar su lugar entre los Grandes; en cuyo acto el Rey N. S. se quitó el sombrero y volviendo la cara a ambas filas se retiró por la misma puerta por donde había entrado. El padrino se volvió a unir con el nuevo cubierto para acompañarle al cuarto de los príncipes nuestros señores, donde se ejecutaron las mismas ceremonias, y después pasaron a cumplimentar y besar la mano de los serenísimos Infantes.»

Hemos dado la versión completa del «Memorial» para que se pueda apreciar hasta qué punto era meticulosa la ceremonia palaciega. Con el mismo rigor puntilloso con que trataban gustaban luego los Grandes de ser tratados entre sí. Se sentían responsables de una herencia de siglos y mantenían el tren de lujo a que les obligaba el cargo o la costumbre, aunque las deudas se acumulasen sobre los viejos palacios. La condesa d'Aulnoy ya observó el numeroso ejército de criados que cada señor tenía, porque al heredar la casa se heredaba también la servidumbre, y hubiese sido deshonroso para un noble intentar reformas económicas. Esta gran cantidad de criados producía el desorden que Torres Villarroel reflejó sarcásticamente en su soneto «La casa del gran señor»:

"Las Parejas Reales" – Fiesta típica celebrada en Aranjuez en 1773. La preside el rey Carlos III. (Tela de *Paret*).

Museo del Prado

"El Paseo de las Delicias en Madrid". Entre los árboles caballeros y damas entregados al placer de tan combatido "chichisveo". *(Bayeu).*

Museo del Prado

Un rodrigón que siempre está en pelea
con la de pajes lamerona junta,
un pobre mayordomo que se unta,
y un contador maldito que lardea;
una señora a quien el ocio asea,
y otra que siempre está de blanco en punta,
una dueña arrugada y cejijunta,
que rellena de chismes la asamblea;
un comprador que riñe, roba y miente,
un cocinero de la misma masa,
gran chusma de libreas insolente;
envidia mucha, adulación sin tasa,
y el gran señor, que sirve solamente
de testigo del vicio de su casa.

Rodríguez Villa nos cuenta que Patiño no pidió jamás cuentas a su intendente y prohibió expresamente en su testamento que nadie se las tomase. Cualquiera que llegase a su casa era su huésped por el tiempo que quisiera.

El duque de Arcos, enviado a Nápoles en representación de Carlos III al bautizo de la primera hija del rey de aquel país, gastó en su viaje cuatro millones de reales entre fiestas y obsequios, y los «lazzaroni» le acompañaron entre ovaciones al puerto cuando se embarcó de regreso. En cuanto a Fernán Núñez, a quien debemos unas luminosas memorias sobre el reinado de Carlos III, dió en Lisboa, y siendo su embajador, una cena al infante Don Gabriel y a su esposa Doña María de Portugal en la que hubo 331 comensales.

Sin embargo, esta tendencia al derroche se veía coartada por las pragmáticas contra el lujo que continuamente eran puestas en vigor. La de 1723 prohibía que el número de mozos de silla pasase de cuatro y uno para el farol. No se podía llevar arriba de cuatro mulas (los Grandes) por la ciudad, y si tenían que salir por carretera, los cocheros debían llevar casaquillas cortas y dirigirse a las afueras por el camino más corto. Por otra parte, se les exigían fuertes impuestos. Fernando VI y antes Felipe V (1739-1752) mandaron que, por regla general, a todos los títulos y demás que deben servir perpetuamente con lanzas se admitiesen a redimirlas, tomando por supuesto fijo el que había de entregar cada título 160.000 reales de vellón.

EDUCACIÓN. — Los reyes protegieron la educación de la nobleza encaminada a cumplir en sus ejércitos. El Semi-

NOBLES CONVERSANDO
Dibujo de A. Casanovas

nario de Nobles fué fundado por Felipe V en 1725 y desapareció en 1836. Estuvo a cargo de los jesuítas, excepto las clases de baile, y se estudiaban las disciplinas de Gramática latina, Retórica, Matemáticas, Física experimental, Historia, Náutica, etc.

El colegio militar de Sevilla se inauguró en 1764 reinando Carlos III. El cadete debía ser de buena familia, sacar plaza y «después de servir doce o catorce años como soldado raso y portarse como es natural se arguya de su nacimiento, es promovido al honor de llevar una bandera con las armas del Rey y divisas del Regimiento».

Otras veces, casi siempre, el noble era educado por sí mismo o sus padres descuidados. Cadalso hace, en sus Cartas Marruecas, una sátira del noble andaluz: «En sabiendo leer un romance y tocar un polo, ¿para qué necesita más un caballero?... Ir a los encierros, y la noche, jugando, cenando, cantando y bailando».

Un artículo de «El Pensador» correspondiente a 1762 critica también la educación de la nobleza:

«Su cuidado (el de los padres) es criarlos en el orgullo de Señores; procura imponerles que no se dejen tratar sino de Señoría; que se tuteen con los de su clase aunque puedan ser sus abuelos (2). Singularmente el primogénito lee muy mal y escribe mucho peor; pero sabe cuál es el mejor cochero, cuál mula es mejor para guía, cuál para tronco, si es mejor el tiro de su padre que el del marqués Fulano y otras erudiciones de esta importancia, como tocar un guitarrillo y fumar con los lacayos en la caballeriza.»

NOBLEZA PROVINCIANA. — «Cuando más alta es la nobleza — dice Cadalso (ob. cit.) —, menos presume. En cambio un hidalgo de aldea... se pasea majestuosamente embozado en una mala capa contemplando el escudo de armas que cubre la puerta de su casa... dando gracias a la Providencia de haberle hecho don Fulano de Tal. No quitará el sombrero, no saludará a quien no sea su igual.» Y el «Pensador» describe su vida:

«La cama lo ocupa hasta las diez o las once del día; peinarse y vestirse hasta cerca de las doce. Toma el coche y se va a carrera a tal iglesia donde, a la misma hora, se dice una misa con un «ite misa est»... luego hay que hacer tantas visitas como un médico en el otoño, aunque alguna no es de médico. Vuelve a casa reventando las mulas y son ya cerca de las dos cuando se sienta a la mesa. Levantada ésta, es suerte que los cocheros coman muy de prisa o no coman porque va la Señoría a la comedia... Sale de aquí al paseo, de donde le echa la noche o el convite que ocurre o a la casa de juego o a la tertulia de su cortejo, hasta cerca de las doce, que entra en casa alborotando a los criados postrados del sueño en las sillas de las antesalas. Cena y vuelve a la cama.»

Cuando el hidalgo de aldea cree llegada la hora de hacer valer sus méritos se traslada a Madrid convencido de que sólo al verle el Rey recordará a sus gloriosos antepasados y le dará una prebenda en cualquier sitio de España o sus Indias. Pero en lugar de esto tiene que engrosar la turbamulta de pedigüeños de la villa y corte. Sepúlveda, en su «Madrid Viejo», describe el deambular del hidalgo de gotera, que se cubre con una capa remendada y camina arrastrando la larga espada en busca de una ventura que no logra casi nunca.

De los nobles pobres hizo un retrato sangriento M. de Blainville en su «Madrid ridicule»:

> *...une quantité misérable*
> *de carrosses dont la moitié*
> *ne sont que portraits de Pitié*
> *font un fracas épouvantable;*
> *un pobre diable d'Arlequin*
> *chaussé d'un maigre brodequin*
> *sert de tout, de cocher, de laquais et de page.*

Poco a poco la aristocracia pierde, no ya el privilegio de ser la única clase en quien puede fijarse el Rey para sus cargos, sino el respeto del pueblo, que no ve respaldados por actos heroicos ni siquiera administrativos aquel orgullo desmesurado. Los Borbones españoles acaban enalteciendo al modesto funcionario procedente de la burguesía y los corregidores y los intendentes de toda España son empleos substraídos a la influencia de la nobleza. Cadalso dará una definitiva opinión sobre la vanidad inútil:

«Nobleza hereditaria es la vanidad que yo fundo en que ochocientos años antes de mi nacimiento muriese

Concierto familiar. Un grupo de caballeros y damas improvisan una orquesta. (*Dibujo de Casanovas*).

Museo de Arte Moderno-Barcelona

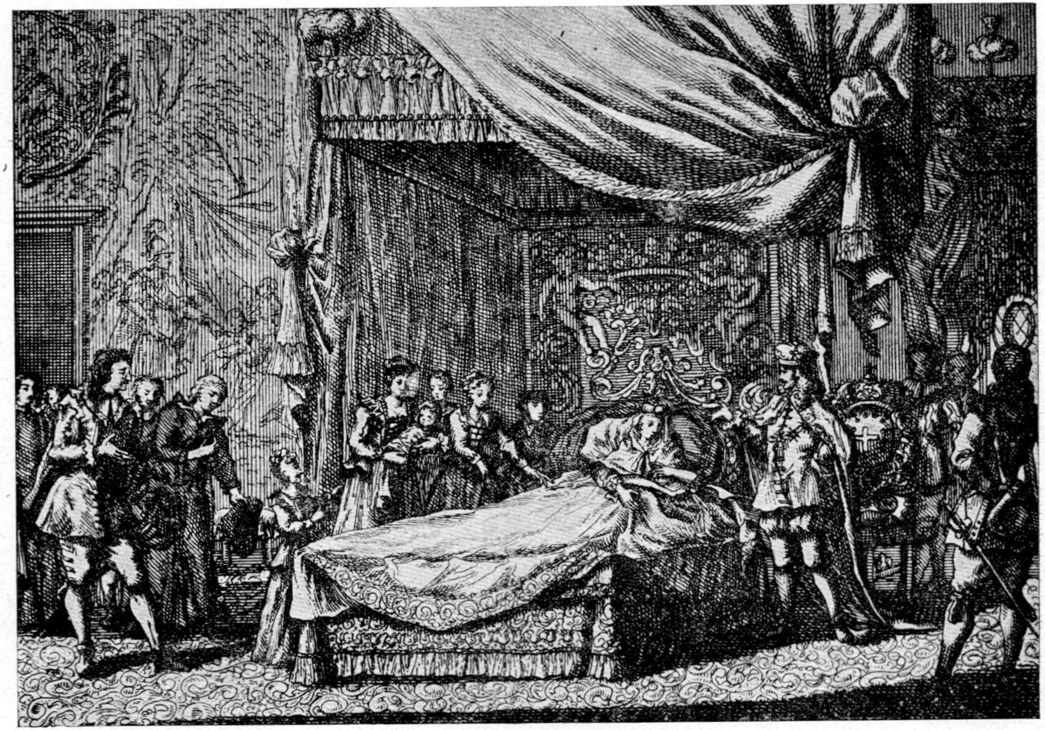

Nacimiento de una Princesa. Los cortesanos invaden la regia estancia con la libertad típica de la época.

Biblioteca Nacional

uno que se llamó como yo me llamo y fué hombre de provecho aunque yo sea inútil para todo.»

De la incultura del noble frívolo se hace eco indignado Jovellanos en su «Epístola a Arnesto» lamentando la decadencia de la raza:

> Examínale, ¡oh idiota!, nada sabe.
> Trópicos, era, geografía, historia,
> son para el pobre exóticos vocablos.
> ...Que mucho Arnesto si del padre Astete
> ¡ni aun leyó el catecismo! Mas no creas
> su memoria vacía. Oye y diráte
> de Cándido y Machante la progenie;
> quien de Romero y Costillares saca
> la muleta mejor y quien más limpio
> hiere en la cruz al bruto jarameño.
> ...¿Y es esto un noble Arnesto? ¿Aquí se cifra
> los timbres y blasones? ¿De qué sirve
> la clase ilustre, una alta descendencia
> sin la virtud? Los nombres venerados
> de Laras, Telles, Haros y Girones,
> ¿qué se hicieron? ¿Qué ingenio ha deslucido
> la fama de sus triunfos? ¿Son sus nietos
> a quienes fía su defensa el trono?
> ¿Es ésta la nobleza de Castilla?

El golpe más fuerte dado a la diferenciación social en que se apoyaba la nobleza fué el decreto de la Real Cédula de Carlos III declarando que los oficios de curtidor, herrero, sastre, zapatero y otros a este modo son honestos y honrados; que el uso de ellos no envilece a la persona ni a la familia de quien los ejerce ni les imposibilita para obtener los empleos municipales ni para el goce de la hidalguía. Este decreto fué muy bien acogido por los periódicos de Madrid como «El Duende», «Zumbas», etc. Sin embargo, su efecto, al principio, fué nulo. Campomanes en su carta IV dice: «Las leyes podrán consignar que no hay deshonra en ser zapatero o sastre, pero mientras no digan que es deshonra la holganza, habrá siempre hidalgos que considerarán la ociosidad como la compañera inseparable de la nobleza y juzgarán toda ocupación personal por capaz de embotar los fulgores de su ejecutoria.»

(1) La reverencia española era más sencilla que la de otras naciones. Rousset dice que los franceses que vinieron con Felipe V se quejaban de que los españoles no doblaban más que un poco la rodilla sin inclinar la cabeza.

(2) El tuteo era el espaldarazo para los recién llegados a la nobleza y, por ello mismo, la mayor ofensa que podían hacerles los nobles antiguos era tratarle respetuosamente de «Vuesa Señoría».

BIBLIOGRAFÍA

D. DU *D.*: *L'Espagne...* Memorial literario, instructivo y curioso. 1784. — ROUSSET, J.: *Histoire publique et secréte de la cour de Madrid.* Colonia, 1719. — RODRÍGUEZ VILLA: *Patiño y Campillo.* Reseña histórico-biográfica de estos dos ministros de Felipe V. — FERNÁN NÚÑEZ, ob. cit. — TORRES VILLARROEL: Obras líricas. B. A. E. — CONDESA D'AULNOY, ob. cit. *Novísima Recopilación.* (Códigos antiguos de España: MARTÍNEZ ALCUBILLA. Madrid, 1885.) — *El Pensador,* 1762. — CADALSO: *Cartas Marruecas.* — SEPÚLVEDA: *Madrid viejo.* Madrid, 1887. — BLAINVILLE: *Madrid ridicule.* Révue Hispanique, 1919. *El Duende de Madrid, Zumbas.* — JOVELLANOS: *Epístola a Arnesto.* B. A. E. — CAMPOMANES, ob. cit.

Capítulo IV

EL EJÉRCITO Y LA MARINA

«Si pensamos — dice Desdevisses du Dézert — que en el siglo XVIII no hubo en España más que un rey guerrero, Felipe V (que desde 1715 no tuvo mando), y que ni Fernando VI, Carlos III ni Carlos IV tuvieron regimientos ni pasaron revista, comprenderemos que ocurriera en el Ejército lo mismo que en las fiestas de toros. Que la nobleza, principal sostén de aquél, lo abandonara por la Iglesia, la carrera judicial y los empleos civiles.»

De las cualidades militares del Ejército del tiempo hay opiniones contradictorias. Sorel dice en «La diplomatie française en Espagne» que era un Ejército disciplinado y duro pero lento y muy cargado de bagajes. Combatía muy bien tras las fortificaciones. Mis. de Langle, en su «Voyage en Espagne», se lamenta del mal estado en que van las tropas, sucias y destrozadas, cabezas sin empolvar, trenzas mal hechas.

El general Foy, en sus «Guerres de la Peninsule», tomo segundo, pág. 219, los elogia: «No son amotinados ni charlatanes, fanfarrones ni libertinos. Se emborrachan rara vez. Tienen menos inteligencia que los franceses, pero más que los alemanes e ingleses. Quieren a su patria y hablan de ella con entusiasmo.»

El Ejército, tras la decadencia de los Austria, había llegado físicamente a un deplorable estado. Sin pagar y sin vestir, dice el padre Labat que sólo una razón y dos soluciones impiden desertar al español: «1.ª El pundonor. Tienen demasiado corazón para dejar un partido tras haberlo tomado. 2.ª Si no hay sueldo se roba y si se sospecha se devuelve. 3.ª Pedir limosna. La piden con tanto orgullo —típica forma del mendicante español— que parece que todavía os hacen un favor».

Felipe V reorganizó el Ejército aprovechando la reacción militar a su favor. Al llegar él no había más que 20.000 hombres sobre las armas (de ellos 8.000 en los Países Bajos) y 6.000 más en el Milanesado. Tras Brihuega y Villaviciosa, se había armado a 120 batallones y 103 escuadrones de caballería, amén de 300 cañones y 40 morteros. Desapareció el mando omnipotente que sobre la Compañía y sus fondos tenía el Capitán y se creó el fondo de masa y el de masita para equipo y vestuario.

Reclutamiento. — En el transcurso de la centuria los soldados entraron por tres procedimientos. Como voluntarios (enganche), sacados a suerte (quintas) y forzados (leva). La quinta se llamaba así porque acostumbraba a salir un hombre de cada cinco; fué idea de Carlos III. Sin embargo, había muchas excepciones basadas en los privilegios supervivientes de la aristocracia y de los elementos administrativos.

La leva recogía a los vagabundos. Si a los tres días no habían justificado sus medios de existencia, iban al cuartel.

El servicio duraba ocho años. Pasado el primero, el soldado tenía cuatro meses de permiso cada año.

Vida militar. — El Ejército se fué ordenando. El oficial tenía una vida severa y activa y casi todos estaban empleados en servicios e instrucciones. La fórmula era «Ni grado sin función ni mando sin residencia». Los oficiales de escuela estaban mejor educados e instruídos. Los que habían ascendido desde soldados rasos eran más puntuales y disciplinados. Entre las dos clases había una antipatía recíproca. El oficial llevaba para distinguirse un pequeño bastón blanco de cuatro pies de largo rematado en plata.

Sitio de Barcelona en 1714. Tras heroica resistencia la ciudad se rindió a las armas de Felipe V. Puede apreciarse el asalto de las primeras murallas.

Archivo Histórico Municipal-Barcelona

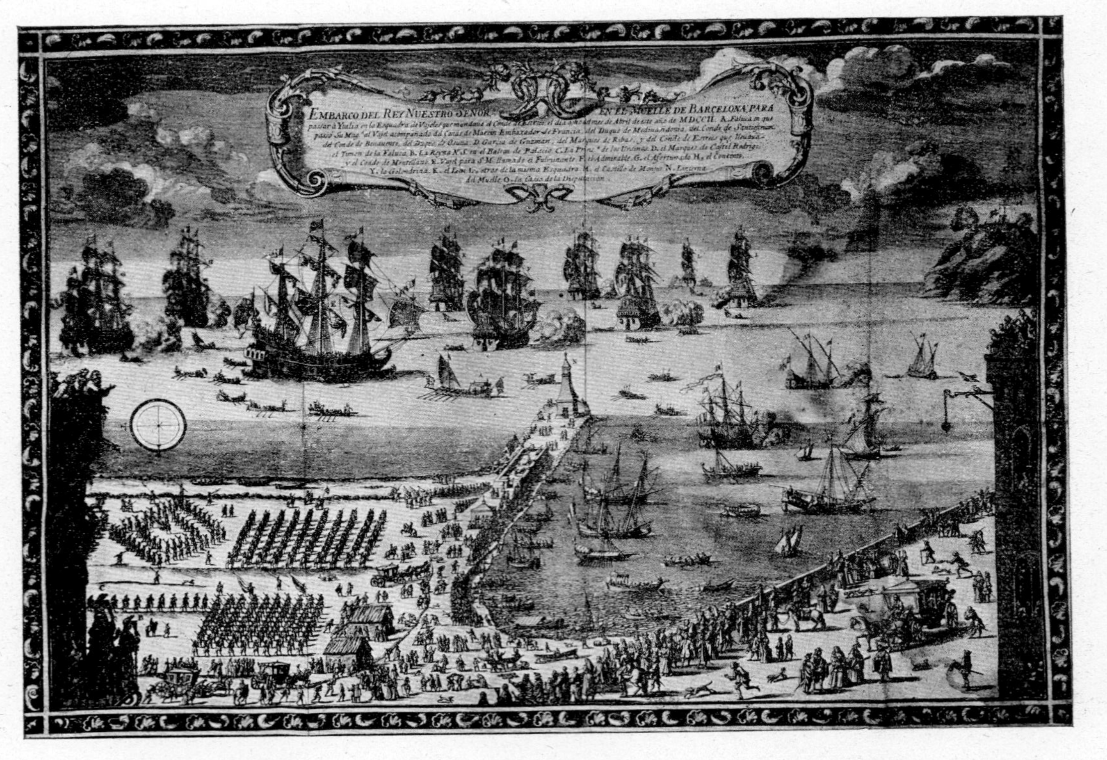

Embarco de Felipe V en Barcelona para Italia. Las finas siluetas de los barcos de guerra esperan su llegada para zarpar.

Archivo Histórico Municipal-Barcelona

Los tenientes, un bastón de Indias o imitado con una pequeña punta de pica. Los alféreces, con una gavilla de cintas negras bajo el acero. Los sargentos, alabardas.

El soldado tenía — según Canga Argüelles — una cama compuesta de dos bancos y cuatro tablas, jergón con 25 libras de lana, almohada de 8 libras, dos lienzos del país y un cobertor.

La comida del soldado debía componerse diariamente de lo siguiente: 1 libra y media de pan; 8 onzas de carne; 4 onzas de manteca; 4 onzas de bacalao, guisantes y habas; 1 cuartillo de vino; 1 onza de aceite; un sexto de cuartillo de vinagre, aparte de media onza de tabaco.

Alojamiento. — Según lo ordenado en 8 de noviembre de 1719 los soldados debían recibir en las casas a donde fueren destinados en los pueblos acogida amable, cama para dos hombres, sal, silla o banco, mesa, sitio cerca de la chimenea y del fuego.

El traje. — El adorno del soldado sufrió diversas variaciones a lo largo del siglo. Según Clonard, Carlos III aligeró el complicado peinado que usaban los soldados, pagando sin embargo el tributo a la moda francesa, reduciendo dos bucles a cada lado y éstos colocados por encima de la oreja. Cortóse el pelo de la parte superior de la cabeza o se mandó al menos que así se hiciera, pero los jefes principales no por eso dejaron de peinarse al uso de los cortesanos. Considerábanse sin importancia si no se peinaban en «crepé» (rizado y mezclado huecamente) y «tupé a la greca» (pelo batido y echado hacia atrás).

En 1767 se prohibió llevar en la casaca el collarín vuelto y solapa redonda, continuando cogidos con un corchete los ángulos de los faldones de la casaca. A la cartuchera se le dió otra forma, llevándola delante ceñida a la cintura en lugar de llevarla sobre la cadera pendiente del hombro izquierdo. Fué suprimido el espontón (1) y alabarda del coronel y sargento, dejando por armas a este último la espada y el fusil y por distintivo los dragones o charreteras de estambre.

En 1775 fueron suprimidos la solapa y el correaje de ante amarillo cruzado por el pecho para sable y cartuchera, volviendo de consiguiente esta última a su antiguo puesto, un poco hacia la espalda. Desapareció el sombrero acandilado y ocupó su plaza un casco de fieltro negro con cerquillo de felpa negra y frontalera y cimera de latón, adornándose además con un plumero rojo colocado sobre la izquierda. El pelo continuó con polvos blancos, pero hizo el sacrificio de un bucle, limitándose a uno solo.

El 1780 reemplazó los cascos de fieltro con el luego llamado sombrero napoleónico y dispuso que el color del correaje fuese blanco y no de ante.

Cuando la guerra con Francia obligó a una mayor economía y efectividad en el vestuario guerrero, éste fué de paño pardo: casaca corta con la divisa particular de cada regimiento; botín de paño negro, sombrero redondo con un ala levantada y apuntada por la presilla y escarapela, añadiéndose para abrigo del soldado el «poncho». Suprimióse en la tropa el extemporáneo peinado de bucles y polvos y, a pesar de que permaneció la coleta, se mandó cortar a cepillo la parte superior de la cabeza, dejando tendidos hasta media oreja unos mechones a los que se dió el nombre de patillas. Los oficiales adoptaron, en lugar de bucles, el peinado en alas de pichón y tupé a la greca.

A los húsares, creados en 1793, se les obligó a cortarse la coleta y a dejarse el pelo en redondo como los húngaros, con el nombre de peinado a la Romana. Terminada la guerra, la infantería volvió a los polvos y al sebo y los oficiales al peinado de erizo, en alas de pichón y coleta.

La infantería recibió la mochila de piel de cabra forrada de lienzo crudo y cerrada por hebillas y correas, que vino a substituir la primitiva talega o saco.

A fines de siglo, en 1797 y 1800, el galón de color fué reemplazado en el sombrero por un ribete negro; la casaca quedó con faldones cortos y solapa redonda y se admitió el botín de paño negro con rodillera. A la infantería ligera se la vistió de verde y se la dió el botín de cuero color de avellana con el gambeto (2) y canana, colocándose encima de la escarapela un pompón de estambre rojo.

En 1800 el uniforme se compone de solapa recta abrochada con corchetes. En lugar del sombrero, la gorra rusa o casquete de paño adornado por delante con una frontalera ribeteada de galón, en cuyo extremo iba colocado un pompón con flama (3); en el centro se veían las armas reales. El uniforme de la infantería ligera era de paño azul, haciendo parte del vestuario el gambeto verde.

La caballería, en 1796, vestía: casaca, solapa y capa amarilla, vuelta, y vivo morado (o azul turquí o encarnado o negro), chupa, calzón y botón blanco, forro encarnado.

EJERCICIOS TÁCTICOS. — La gran invención militar del siglo XVIII es el perfeccionamiento del fusil. Hasta este momento las tropas españolas utilizaban el mismo sistema que sus antepasados del siglo anterior en orden profundo y cerrado. Una instrucción de granaderos de 1707 nos explica sus movimientos rígidos:

«La mano derecha al arma. Altas las armas. Presenten las armas. Preparen las armas. Apunten. Disparen. Retiren las armas. Tomen la correa. Echen las armas a la espalda. Presenten la cuerda. Tomen la granada. Destapen la granada. Soplen la cuerda. Den fuego a la granada y arrójenla. Pongan la cuerda en su lugar. Tomen la correa. Altas las armas.»

Hacia mediados de siglo se comprendió que este orden impedía que se sacase el partido susceptible del fuego de la fusilería y se ofrecía más blanco a la artillería. En 1750 se formó un campo de experimentación de la nueva táctica en Ocaña, basada en los principios siguientes:

«Fuego por divisiones a pie firme. Fuego por trozos ganando terreno. Alto. Frente a vanguardia, descarga general. Romper en columna por pelotones. Formación del cuadro. Formar en columna por mitad de piquetes. Desplegar en batalla. Doblar el fondo por hileras. Doblar el fondo a vanguardia por trozos. Doblar el fondo a retaguardia por trozos. Formar en columna. Formación del cuadro por trozos. Desplegar en batalla. Marcha oblicua en vanguardia, ganando terreno por ambos costados. Formación de columna de batalla.»

En 1761 se mandó a Berlín por orden de Carlos III una comisión de oficiales a estudiar la táctica prusiana, que se consideraba la más perfecta. Los granaderos desaparecieron.

La caballería. — El arma más fastuosa de la época era la caballería, que ha dado motivo a aquella alta escuela española adoptada en Viena y que todavía hoy viste como en el siglo xviii para fiestas de gala. En España se cuidaba mucho la presencia en los movimientos tácticos. Cada regimiento contaba con tres escuadrones de cuatro compañías cada uno. El primero a las órdenes inmediatas del coronel, el segundo a las del teniente coronel y el tercero a las del capitán, más otros tantos capitanes como ayudantes. En los flancos iban los veteranos y en el centro, arropados, los bisoños. En el cuerpo derecho iban los mejores.

El caballo del comandante del escuadrón debía encajar sólo la grupa en la línea formada, dejando el resto fuera. Los de los capitanes debían estar metidos hasta el pecho, dejando el cuello fuera. En el centro de la primera fila se colocaba el alférez más antiguo con el estandarte.

Los asistentes llevaban un fusil para el capitán para una justa previsión: que al verse en peligro no lo quitase a un soldado dejándole indefenso.

Algunos ejercicios de caballería eran: Cambios de frente. Formar de tres filas, dos, y de dos, tres. Marchar en distintas direcciones. Desfilar por cuatro de fondo. Formar el piquete.

La táctica se subordinaba muchas veces a la belleza de la presentación. En sus «Memorias», citadas por D. du D., el duque des Cars explica que hubo en 1782 unas maniobras en la Escuela de Caballería de Ocaña en las que los jinetes evolucionaron al son de la orquesta y cadenciosamente. El general Ricardos, que luego había de combatir gloriosamente en el Rosellón, dijo que la antigua caballería española tan renombrada ya no existía, pero que era casi imposible hacer los cambios necesarios en un país donde el principio absoluto era hacer lo que se había hecho la víspera y exactamente igual.

El Fuero Militar. — Todos los militares estaban acogidos al Fuero Militar, con su esposa e hijos hasta los dieciséis años, criados, oficiales de reserva y obreros de fortificaciones y armamento. El militar estaba exento de cargos comunales y del impuesto de cruzada. No debía alojamiento más que al Rey o séquito real. En viaje tenía derecho a carabina y pistolas de guerra.

Perdía los derechos del Fuero e iba a tribunal ordinario si exportaba lingotes de oro y plata, introducía moneda extranjera o contrabando, se batía, usaba armas prohibidas o cometía un robo o asesinato en Madrid o residencias reales.

Por el contrario, el Fuero Militar trataba en delitos contra el Ejército o el Estado. En cada regimiento había un Consejo de Guerra. La ley penal militar no era excesiva. En tiempos de Carlos III el desertor era castigado con un año de trabajos públicos y ocho años de servicio en África. Si cometía la deserción estando en campaña, recibía doscientos golpes de vara y estaba diez años en galeras. Si militaba en un cuerpo destacado frente al enemigo, ochocientos golpes de vara y ocho años de trabajos públicos en un arsenal.

El oficial a la violeta. — También en el gremio de los oficiales caló el fenómeno snob del tiempo que los impulsaba a diferenciarse de los demás en formas y usos. Cadalso les da unos consejos satíricos:

«Lo primero que debe procurar cualquier joven militar luego que se haya puesto su uniforme es separarse de todo amor, respeto y obediencia a sus mayores, contemplándose al instante como aislado y desprendido de todos los vínculos y obligaciones de la naturaleza y sociedad...

»2.° Los principios de religión, honestidad y moderación que le hayan imbuído en su educación procurará ponerlos en olvido como extraños de su carrera, substituyéndoles la irreligión, libertinaje y locuacidad, animando ésta con la expresión del gesto, particularmente en toda concurrencia de damas del gran mundo, por ser privilegio de que con particularidad gozan los de su ropa; y si tal vez alguno de sus compañeros fuese tan desgraciado que, no habiéndose atrevido a abandonar los principios que sacó de su casa, le reprendiera esta conducta, se le permite que se le ridiculice aunque esté en la más respetable concurrencia, tratándole como rústico caballero de provincia e ignorante en el uso de la libertad que corresponde a cada individuo del género humano... indicándole al mismo tiempo... los catecismos con que puede salir de esta ignorancia... y con esto conseguirá la gloria de que las damas instruídas a la moda le tengan por hombre de los que llaman «espíritus fuertes»...

»...5.° Cuidará mucho de la limpieza y aseo en su persona y vestido, manejando el cuerpo con aire y libertad, presentándose siempre con el cuello erguido y el pecho sacado hacia afuera, unido el uniforme y cogidos los faldones con los «gafetes», que por ningún acontecimiento llamará corchetes, por ser cosa que huele a golillas, que son perpetuos enemigos nuestros.»

Ya hemos señalado en otras ocasiones la inquina que entre sí se tenían los hombres nacidos de humildes hogares y que habían llegado como abogados (golillas) a los altos cargos del gobierno, y los nobles natos, que eran casi siempre los usufructuarios de los cargos militares. En las tertulias y discusiones militares dirá al final:

«Señores, no hay para qué cansarnos, pues es forzoso

que confesemos que nuestra España va siempre un siglo atrasada con respecto a las naciones cultas de Europa en todas las ciencias y artes, y que hasta el presente no se sabía qué cosa era disciplina militar, por vivir infatuados con nuestras antiguas conquistas, debidas más al capricho de la fortuna que al conocimiento del arte de la guerra», y luego, haciendo una profunda cortesía hacia todas partes, bajando la cabeza y levantando los hombros con el cuerpo inclinado y marchando de puntillas, se saldrá de la concurrencia.»

Y defenderá la forma, más aparatosa que militar, del desfile:

«...12. Si oyese que algunos viejos regañones y mal avenidos con todo lo que tiene aire de novedad se desgañitan para ridiculizar el concertado y armónico paso con que hoy marchan nuestras tropas, tratando este importante método de afectado y nimio, les rebatirá vigorosamente sus sarcasmos y les dará en rostro con su ignorancia acordándoles que ya en tiempo de Aníbal marchaban del mismo modo los bárbaros y desaliñados gallegos al son de sus escudos que acompañaban con el desconcertado tono de sus patrios versos, según refiere Silio Itálico...»

La Marina. — Como el del Ejército, el papel de la Marina a principios del siglo XVIII había bajado sensiblemente. Las medidas de Patiño y sobre todo de Ensenada, ministro desde 1743 a 1754, hicieron que la flota subiese hasta cuarenta y nueve navíos, y pudiese haber tres escuadras a la vez. Una en el Mediterráneo, otra ante Cádiz y la tercera, de veinte barcos, que cruzaba ante el cabo de San Vicente, ruta de invasiones inglesas y de galeones que volvían de Indias.

En 1787 había cincuenta barcos, y en la guerra de 1793 con Francia, cincuenta y seis buques.

El reclutamiento fué asegurado por la inscripción marítima o matrícula del mar.

Los marinos también tenían su Fuero; los jueces de

Marina eran los únicos que podían juzgarlos. Los tribunales marítimos tenían derecho sobre la pesca, navegación, toma de navíos. Había disciplina, pero no era muy severa.

En la Compañía de Guardias Marinas, fundada en Cádiz en 1717, se cursaban las asignaturas de Geometría elemental, Aritmética, Trigonometría, Esfera, Globos y Navegación.

RELIGIÓN EN LA MARINA. — El padre Labat cuenta que vió en Sevilla una escuadra de galeones dispuesta a hacerse a la mar rumbo a América. Los españoles se la mostraban con orgullo. Cada galeón tenía setenta cañones, tres puentes y tres galerías a popa. La cámara de ésta estaba destinada a la patrona de la travesía, la Virgen del Rosario.

«Para entregarla, la guarnición en armas cubre la carrera desde la iglesia hasta el puerto, deteniendo el gentío apretujado. Hay una misa solemne y al terminar, el Prior del convento la entrega al Vicealmirante que jura devolverla. Los sacerdotes la llevan en las andas hasta el río. El Vicealmirante camina a su lado apoyando una mano en las andas y portando en la otra su espada desnuda. Los cañonazos suenan al salir de la iglesia, cuando sube la Virgen a la chalupa y al entrar en el barco. Luego, al regresar el convoy, se realiza la misma ceremonia para devolver la venerada imagen al camarín del convento.»

(1) Especie de lanza con el hierro en forma de corazón.
(2) Capote hasta media pierna.
(3) Adorno llamado así.

BIBLIOGRAFÍA

D. DU DÉZERT: *L'Espagne de l'ancien regime.* — LABAT: *Voyage en Espagne et l'Italie, 1706.* París, 1927. — BARADO: *Museo Militar. Historia del ejército español, armas, indumentaria, etc.* — CLONARD, conde de: *Historia orgánica de las armas de infantería y caballería española.* 16 vols. — CANGA ARGÜELLES, ob. cit. — CADALSO: *Los eruditos...* Novísima Recopilación.

Capítulo V

LA EDUCACION Y LA CULTURA

La crianza. — Al parecer no es de hoy la idea de que el criar los hijos al pecho de sus madres es hábito anticuado y ridículo que estropea la línea. Cuando los viejos se lamentan de la costumbre hodierna del biberón recordando los tiempos en los que cada madre se envanecía de dar la vida a sus niños, demuestran no haber leído la queja del «Diario Curioso, Erudito y Comercial» del año 1758 que dice:

«Todos cuantos inconvenientes se experimentan en el particular de la primera nutrición de los niños nacen de eximirse las madres de criar a sus propios hijos... Habiéndose hecho este abuso política que sostienen la moda y la razón de estado.»

Igualmente «El Pensador Matritense», en su tomo primero, 1762, se refiere a este problema:

«¡Hombre! Vm. es un mentecato (dijo la primera licenciada). ¿Quién ha dudado que es muy grande locura criar a los hijos, impidiendo este penoso y fastidioso cuidado de ir a la Comedia, al Baile, al Paseo y a visitar a los amigos, cosas todas mucho más importantes y preciosas que el estar oyendo chillar un muñeco?»

La razón... «no es la falta de salud, es el vicio; es querer mantener el aire de Petimetra; el temor de perder el talle dejando por algún tiempo la cotilla; el enfado que sienten en tener que acallar a una criatura y despertar tal vez en la noche para darle el pecho, y, en fin, es la moda».

No cometamos, como otras veces hemos advertido, la

equivocación de interpretar por estos textos la absoluta falta de interés de las madres españolas del tiempo por la lactancia. Dase aquí como muestra de que se había circulado la costumbre entre las damas elegantes y que muchas lo hacían, aunque su ejemplo no fuese seguido más que por una minoría, a la que ataca el periodista porque, como es lógico, le interesa más la excepción que la regla.

La educación infantil. — La educación de los niños preocupaba mucho en un siglo en el cual, en cierta manera, fué descubierto el muchacho como tierra donde sembrar nueva simiente. Los hombres del siglo xviii que llevaban las riendas culturales del país estaban convencidos de haber llegado, con la ayuda de la razón, a establecer unas teorías del universo y de las relaciones de los hombres entre sí, que, aun basadas en los principios eternos de la religión y la patria, se oponían en gran manera a la superstición e ignorancia de los siglos precedentes. Por lo tanto consideraban urgente e importantísimo que los niños que habían tenido la suerte de nacer cuando las viejas tradiciones estaban en desuso, siguiesen las nuevas corrientes y no enfocasen por inercia el camino del error seguido por sus abuelos. Así se hace tan sugestivo el problema de la educación, y un ciudadano anónimo puede mandar, sin que nadie se extrañe por ello, un «Modo o plan para educar a la infancia» firmando «Un apasionado a la patria y a los padres de familia de esta ciudad», que es Barcelona (*Diario de Barcelona,* 24 de octubre de 1793).

«Es la edad de siete años aquella en que empieza a obrar el discurso racional del hombre: obra de las más admirables que han salido de las manos del Omnipotente. Por esto se ha de tener gran cuidado en gobernarles el discurso, procurando que sea su Creador el que goce las primicias de su razón, enseñándoles los misterios y dogmas sagrados de nuestra santa religión, evitando con cuidado que oigan cuentos fabulosos ni milagros que no estén aprobados por la Iglesia... Se ha de procurar no perdonarles culpa alguna cometida contra Dios o la obediencia paterna; antes bien castigársela severamente para que aprendan a respetar a Dios, al César y a los padres.»

Se mantenía el respeto reverencial a los jefes de familia, para los que se usaba el nombre de Señor en lugar del de padre. Sin embargo, poco a poco, las nuevas costumbres rechazaban tanta sumisión. Véase, por ejemplo, este párrafo de Cadalso en los «Eruditos a la violeta»:

«Aquí paró mi padre y se levantó dándome su mano a besar según su ridículo estilo antiguo.»

Sigamos con el anónimo corresponsal del «Diario», que cree que la severidad debe conciliarse con la comprensión:

«Sin embargo, se les debe apoyar cualquier travesura de ingenio que no sea contra la ley y buena crianza, que de este modo no se coarta. Procúrese que todo lo que oigan en esta edad esté fundado sobre la razón; porque las especies recibidas en este tiempo son las que más fuertemente se imprimen en sus almas, y si no saldrán unos fanáticos.»

«A los ocho años debe enseñárseles a leer y escribir según las reglas modernas del carácter largo, procurando que en la lección castellana hagan el *ceceo,* que de este modo no equivocarán la s con la c o la z, y que sea clausulado (1) para que entienda lo que dicen.»

«A los nueve años deben aprender la Aritmética y Algebra, ciencias utilísimas para cualquier estado; también es muy útil que en este año se les enseñen los rudimentos de la Geometría.»

«A los diez años enséñeseles la Geografía, que es de las ciencias que más ilustran el entendimiento.»

Atención a las lecturas literarias:

«Prohíbaseles en esta edad toda lectura de libros caballerescos y comedias profanas, porque son un cebo dulce del cual se sirve el demonio para estragar la índole de la doncella más reclusa e inocente y del niño puesto en las manos del más vigilante maestro.»

«De los diez años hasta los doce se les debe enseñar lo más principal de la Historia sagrada y profana. De los doce a los catorce, algunas lenguas extranjeras, tan necesarias para el estado eclesiástico como para el secular, procurando que las aprendan de raíz por los rudimentos de la gramática.»

DISCIPLINAS. — Regularmente estudiaban lo previsto por el espontáneo pedagogo antedicho. Carlos III, por ejemplo, a los trece años estaba versado — dice Ferrer del Río — en Matemáticas, Geografía y Cronología, Historia sagrada y profana, particular de España y Francia, y latín, italiano y francés. Danzaba y montaba a caballo.

En el otro extremo de la escala social tenemos las escuelas para pobres, de las que había sesenta y cuatro establecidas en Madrid. En ellas, según nos cuenta el «Memorial literario, curioso, etc.» de 1788 (mayo), se cursaba y se examinaban los niños de Doctrina Cristiana, Historia Sagrada y de España, Esfera armilar y Geografía, Rudimentos, Sintaxis, Humanidad, Retórica y Poética. Las niñas estudiaban Doctrina Cristiana, Lectura (vidas de santos e Historia), Faxa y sus cualidades, Calceta y Media (partes tercio, llanos, pantorrilla, canilla, talón, pie y cuadrados), Media y Calceta a un tiempo con cinco agujas, Dechados (labores de lomillo y punto real), Costura a la española, francesa e inglesa (partes de que se compone la camisa de hombre y mujer, nombres de cada una de ellas, géneros de costura, árbol o cuerpo, etc). No olvidemos, al repasar esta clasificación, que se trataba de alumnos de humilde posición social, a los que se ponía en condiciones de ganarse un día la vida con su trabajo.

La disciplina en las escuelas de niños era dura: «Es de ver — dice el «Duende de Madrid», núm. 1 (1787) — con qué aire serio y lleno de crueldad se pasea un maestro por la escuela con las disciplinas en la mano pretendiendo coger de sus discípulos el aprovechamiento que éstos miran ya con terror descubriendo el castigo y la aspereza que les amenaza. La educación doméstica que muchos padres de familia dan a sus hijos no es de mayor benignidad y blandura; no sé qué error es este de persuadirse muchos padres de que sus hijos sólo pueden ser buenos en el castigo y la severidad».

Y Torres Villarroel en sus Memorias recuerda:

«A los cinco años me pusieron mis padres la cartilla en la mano y con ella me clavaron en el corazón el miedo al maestro, el horror a la escuela, el susto continuado a los azotes y las demás angustias que la buena crianza tiene establecidas contra los inocentes muchachos. Pagué con las nalgas el saber leer y con muchos sopapos y palmetas el saber escribir.»

Otros padres, en cambio, adolecían del defecto contrario y siempre hallaban ocasión para disculparles. Ocurría el hecho más naturalmente en las clases altas, y don Ramón de la Cruz lo retrata en *La comedia casera:*

D. BLAS: ¡Qué adelantada está mi hija,
válgame, San Nicodemus!
D. FADRIQUE: Mi alma, ¿y vas a la escuela?
DOÑA ELENA: Iba; pero como el tiempo
es tan caliente en verano
y tan frío en el invierno,
le he quitado hasta que tenga
catorce años por lo menos.
D. FADRIQUE: Pero ¿sabrá la doctrina
cristiana?
DOÑA ELENA: No sé; yo creo
que sí. ¿La sabes?
NIÑO: Ya sé.
la mitad del Padre Nuestro.
D. FADRIQUE: ¡Válgame Dios qué crianza!

Las familias pudientes de la época, además, o en defecto de las asignaturas antes mencionadas, tenían sus prácticas sociales, a las que daban una importancia extraordinaria. «Se cuida mucho — dice Jovellanos en su «Memoria sobre Educación Pública» — de enseñar a los jóvenes a presentarse, andar, sentarse y levantarse con gracia, a hablar con modestia, a saludar con afabilidad y cortesanía, comer con aseo, etc.; se consume mucho tiempo en enseñarles la música, la danza, la esgrima y en cultivar todos los talentos agradables e inútiles y se les deja ignorando la verdadera decencia, modestia, urbanidad.»

Muy a menudo el preceptor va a la casa y pertenece a la categoría eclesiástica de Abate. Su misión consiste en acompañar al señorito, aparte de las clases que le da. Los pingües emolumentos y buena vida que en general se daban estos admitidos a las casas grandes hizo que en la profesión entraran muchos con menos amor a la religión y a la pedagogía que a la holganza. Este tipo de Abate alegre es satirizado por don Ramón de la Cruz en «El Fandango del Candil», al que el preceptor lleva al discípulo casi a la fuerza:

ABATE: Señorito, mire usted
que lindo par de muchachas
van con ese petimetre.
SEÑORITO: ¡Qué se me da a mí que vayan!
Ayo mío, este paseo
no me divierte y me cansa:
vámonos hacia el Retiro
que hay flores, hacia la plaza
que hay fruta, o a ver las calles
donde la procesión anda.
ABATE: Hombre, eso son niñerías;
y a usted ya la edad le basta
para pensar cosas grandes
como cortejar madamas,
conocer el vario mundo,
y entrar con todos en danza.
SEÑORITO: ¿Y si lo sabe mi madre?
ABATE: Por ahora está ocupada
en rezar sus oraciones;
y bien sabe a quién encarga
su hijo: venga usted conmigo,
que no le daré crianza

opuesta a la de los que
más en Madrid se señalan.
SEÑORITO: Si a mí esto no me divierte.
ABATE: Ahí veréis vuestra ignorancia:
y es menester por lo mismo
que la diestra vigilancia
del ayo a quien os confían
la venza con la enseñanza
de lo bueno y de lo malo;
porque no digáis mañana
que no os enseñé de todo.

EDUCACIÓN RELIGIOSA Y CIVIL. — Jovellanos se queja (obra citada) que no se cuida la educación religiosa por los padres, que los párrocos sólo lo hacen en las pláticas dominicales, los maestros se limitan a decorar una parte del Catecismo que se aprende y no se comprende en la primera edad y sobre la cual no se renueva y amplía la enseñanza.

Igual queja respecto de la moral: no hay un curso de doctrina moral, natural y civil acomodado a la capacidad de los niños. Sólo hay una obrita publicada con este objeto por el erudito don Tomás Iriarte (2) y un «Tratado de las obligaciones del hombre», Madrid, 1798, por el señor Escoiquiz (Juan de).

LA FILOSOFÍA. — El prototipo del ideal de la humanidad del Renacimiento fué el hombre de armas y letras. A éste le substituyó el del burgués comerciante simbolizado en los nuevos y pujantes Estados de Inglaterra y Holanda. Pero, a mediados del siglo XVIII, triunfa en Francia y, naturalmente, se extiende a todas las partes del mundo conocido dada la influencia de aquel país, el ideal del filósofo que razona de todas y cada una de las cosas que se presentan ante su vista. Este tipo, apreciado claramente por Paúl Hazard en su libro «La crise de la conscience européenne», toma carta de naturaleza en España y la filosofía se pone de moda en todo lo que tiene de crítica y análisis.

Jovellanos, en su «Memoria», llama la atención sobre su peligrosa presencia:

«La licencia de filosofar que tanto cunde en nuestros días... tantos y tan funestos errores como han difundido por todas partes estas sectas corruptoras que ya por medio de escritos impíos, ya por medio de asociaciones tenebrosas, ya, en fin, por medio de manejos, intrigas y seducciones, se ocupan continuamente en sostenerlos y propagarlos...»

«Estos errores, corrompiendo todos los principios de moral pública y privada, natural y religiosa, amenazan igualmente al trono que al altar...»

«...en vano se prohibe... no basta contra la curiosidad de una juventud ignorante e incauta, contra el atractivo de unas doctrinas dulces y seductoras...»

La afición a la Filosofía llega a la calle en sus más ingenuas formas. En el mismo «Fandango del Candil» el Abate dice:

ABATE: ¿Qué gruñe?
SEÑORITO: Voy estudiando
la lección para mañana.
ABATE: Eso importa menos; ahora
vaya estudiando en las caras
que se encuentran, lo difícil
de encontrar la semejanza
en unas mismas especies
de un mismo modo criadas.
SEÑORITO: Y eso que es, ¿filosofía?
ABATE: Y de las más delicadas.

Naturalmente, tal ciencia se atrae también el odio y el desprecio de sus enemigos, como el Simón, citado por Jovellanos en «El delincuente honrado»:

«Que vaya, que vaya ahora a defenderse tu marido con sus filosofías. Qué, ¿no hay más que andarse matando los hombres por frioleras y luego disculparlos con opiniones galanas? Todos esos modernos gritan: ¡la razón, la humanidad, la naturaleza! Bueno andará el mundo cuando se haga caso de estas cosas.»

En la misma obra, en cambio, Torcuato es un apasionado de «lo nuevo».

«¡La tortura! ¡Oh, nombre odioso, nombre funesto! ¿Es posible que en un siglo en que se respeta la humanidad y en que la Filosofía derrama su luz por todas partes, se escuchen aún entre nosotros los gritos de la inocencia oprimida?»

UNIVERSIDADES. — La cultura de un país brilla en sus universidades. La alta tradición cultural universitaria española había rematado en los fines del siglo XVIII con veintidós universidades para unos diez a once millones de habitantes. Sin embargo las diferencias eran muy grandes entre ellas. Había las tres importantes de Salamanca, Alcalá de Henares y Valladolid, y las más pequeñas de Sevilla, Granada, Valencia, Zaragoza o Toledo, Ávila, Baeza, Sigüenza, Santiago, Huesca, Cervera, Osma, Oñate, Oviedo, Orihuela, Osuna, Almagro, Gandía, Irache.

Debemos a Desdevisses du Dézert una estampa amplia de estos centros de enseñanza. Eran casi independientes, viviendo cada uno de sus ingresos. Sus fórmulas de enseñanza eran antiguas. La Teología estaba considerada todavía como la ciencia señora de la cual las otras no debían ser más que sirvientes. En Alcalá había doce cátedras de Teología y ocho de Filosofía sobre treinta y una en el total de la Universidad. Suaristas y scotistas, es decir, partidarios de Suárez y de Scoto discutían con tal furor que llegaban a veces a las pedradas.

«Sólo era aceptada como pasto de la inteligencia — dice Marañón en su libro sobre Feijóo — la teología escolástica, la moral y la expositiva. Mientras en el extranjero — exclama dolorido nuestro autor (Feijóo) — progresa la física, la anatomía, la botánica, la geografía, la historia natural, nosotros nos quebramos la cabeza y hundimos con gritos las aulas sobre si el Ente es unívoco o análogo; sobre si trascienden las diferencias, sobre si la relación se distingue del fundamento.»

La Universidad de Salamanca se agarraba a las piedras seculares y odiaba las innovaciones. Decía que Newton no podía formar buenos lógicos y buenos metafísicos y que Garramendi y Descartes no se acordaban tan bien como Aristóteles con la verdad revelada.

Todo era embrollo sobre temas viejos. «La lógica que deseamos para nuestro plan — decía Jovellanos — no es esta lógica escolástica y abstracta de nuestras universidades... ¿Qué necesidad hay de llevar a los jóvenes por el largo e intrincado camino de las categorías universales, ni tampoco de empeñarlos en las vueltas y revueltas del artificio silogístico en que tanto se deleitan y detienen nuestros dialécticos?»

Las ciencias, gran preocupación de Europa, entonces estaban abandonadas en España. «No sé — decía Ensenada en un informe a Fernando VI — que exista en las universidades una sola cátedra de Física experimental, Astronomía o Botánica. No hay mapas de reinos y provincias ni artista capaz de grabarlos.»

Diego de Torres Villarroel, profesor de Matemáticas en Salamanca, no halló un solo ejemplar del Almagesto de Ptolomeo para explicar. Los discípulos creían en general que las Matemáticas eran un montón de mentiras y sortilegios.

«Una figura geométrica se miraba en este tiempo como las brujerías y tentaciones de San Antón y en cada círculo se les antojaba una caldera donde hervía a borbollones los pactos y los convenios con el demonio...»

No es raro que con estos conocimientos los doctores de la Universidad de Salamanca se hiciesen acreedores a los versos siguientes del propio Torres Villarroel:

> Sabios sólo de gestos y visajes,
> estudiante ninguno, mil togados
> y con las vanidades de graduados

los que tienen ya plaza de salvajes.
La necedad se abriga con los trajes
que antes honraban doctos licenciados,
y andan todos los vicios arropados
con fúnebres y místicos ropajes.

El esfuerzo de los ministros de Fernando VI y Carlos III fué encaminado a subsanar estas deficiencias. La disección, la anatomía y la cirugía estaban descuidadas en la Facultad de Medicina. Carlos III, en la provisión de 1777, obligaba en el segundo curso a estudiar la fábrica y mecanismo del cuerpo humano. La disección se haría con cadáveres del hospital y ajusticiados o «de otros enfermos que, por las circunstancias, convenga reconocer los que deberán entregarse a requerimiento del rector de la Universidad a quien para este fin auxiliarán todas las Justicias en caso necesario con olvido de las preocupaciones que han sido tan dañosas al progreso de la Medicina y a la salud y vida de los hombres, teniendo presente que San Francisco de Sales en un siglo en que era menos notoria esta utilidad, mandó en su testamento que su cadáver fuera disecado por anatómicos para beneficio del bien público».

Las mismas acertadas ideas lograron la fundación del hospital de San Carlos de Madrid por Antonio Gimbernat, a quien se había pensionado en 1774 para ir a París, Londres, Edimburgo y Holanda. Asimismo en 1764 se fundó el Colegio de Cirugía para la Armada en Cádiz y en Barcelona para los cirujanos castrenses, en 1764. En defensa de la universidad se prohibió a los Hermanos de San Cosme y San Damián dar patentes de cirujano.

MÉDICOS. — A pesar de que había aumentado la importancia y el conocimiento de los médicos no cesaron las ironías sobre su saber. El *Pensador matritense* satirizaba a un galeno ignorante:

«Ensarta media docena de palabras griegas con que suelen semejantes médicos querer ocultar su ignorancia...

Pide papel y tintero. Receta seis bebidas diferentes y señala la hora a que se ha de tomar cada una. De paso y sólo por modo de preparación manda se le hagan luego cuatro sangrías algo copiosas. Asegura que no será cosa de cuidado y marcha a consolar del mismo modo otros enfermos... Vuelve por la tarde nuestro Esculapio y encuentra cadáver al enfermo... Pregunta a qué hora ha muerto. Dícenle que a las dos y veintisiete minutos. ¡Oh fuerza de la medicina!, prosigue el médico. Sin los remedios que se le aplicaron hubiera expirado a los veintiséis sin falta.»

La terapéutica de la época abusa todavía de la sangría. «Casi todos los españoles — señala Bourgoing — son partidarios de las sangrías, pero no en el brazo, sino en el dorso de la mano o en el pie. Las mujeres se hacen sangrar dos o tres veces al mes. Creo que la gran cantidad de ciegos que hay en España es producida por la frecuencia de las sangrías.»

Los dentistas alcanzan gran predicamento y los elegantes cuidan sus dientes. En el *Diario de Madrid* del 10-11-1790 aparece un anuncio en el cual dos hermanos dicen que...

«Tienen descubierto una nueva invención de poner dientes artificiales a aquel sujeto que haya padecido vicio escorbútico y de resultas haya perdido el albiolo que es el encaje de los dientes, por varias caries o esfoliación que hayan tenido. Forman dichos hermanos unas piezas de dientes con sus albiolos o encajes, en tal disposición que los dientes se hallan elevados cada uno separadamente con su raíz como si fuesen naturales.

»...tienen una opiata muy especial para limpiar la dentadura, que la podrá usar cada uno de por sí y un elíxir que sirve para conservar la boca en ciertas enferdades.»

Los Colegios Mayores. — Eran establecimientos aristocráticos de donde acostumbraban a salir los funcionarios de importancia. Habían sido creados a la sombra de las

Universidades y eran en número de seis: el Colegio de San Batolomé el Viejo, fundado en 1417, era el más antiguo. Había luego el de Cuenca (1518), el de San Salvador de Oviedo (1522), el del Arzobispo (1521), el Gran Colegio de Santa Cruz en Valladolid (1484) y el de San Ildefonso en Alcalá (1508).

Al principio estos colegios habían tenido un carácter de ayuda al estudiante necesitado y sólo se le exigía para ingresar prueba de limpieza de sangre, pero muy pronto la aristocracia se apoderó de los mandos convirtiéndolos en círculos cerrados a donde no tenían acceso más que las primeras familias de España. En 1569 los Colegios Mayores llegaron a obtener preferencia sobre la Universidad. Los Austria y especialmente Carlos II los protegieron mucho, dándoles facilidades máximas para alcanzar los cargos públicos.

Su ambición era llegar a conceder grados. No lo lograron, pero sí que el rector de la Universidad, elegido anualmente fuese siempre un colegial. Sobre cinco cátedras vacantes retenían cuatro y dejaban una a los *manteístas.*

Se llamaba manteístas a los estudiantes pobres por la capa que habían de llevar forzosamente en forma digna. Llevaban además los cabellos rapados, gorro y beca o banda parecida a la estola cruzada desde el hombro izquierdo a la cadera derecha y sujeta por la «rosca». Cada Colegio tenía un color particular.

Los manteístas trabajaban en lo que podían para poder seguir sus estudios. Se ofrecían como pajes, tenedores de libros, maestros. Los misérrimos pedían limosna, iban por la sopa a los conventos (por eso les llamaban también *sopistas*) y estudiaban a la luz de las linternas de las imágenes de la calle por no tener otra propia.

Por las calles formaban grupos bulliciosos con capa y sombrero (que estaba prohibido si no llovía), se peleaban, atormentaban a los novatos, jugaban a la pelota en la Universidad, perdían el respeto a los profesores y chicoleaban a las mujeres.

De sus filas salieron nada menos que personalidades como Macanaz, Roda, Floridablanca, Campomanes, Bayer.

La fuerza de los estudiantes de los Colegios Mayores era muy grande. Se decía que ocupaban los mejores cargos de la Iglesia y la Magistratura y además se ayudaban celosamente entre ellos. Contra el ministro Campovillar (1765) corrió una sátira en verso que decía:

> «Yo hago obispos y curas
> y capellanes.
> Canónigos, monagos,
> y sacristanes.
> Pero prevengo
> que han de ser colegiales,
> o si no... a un cuerno!»

Si el colegial no encontraba, al acabar los estudios, la plaza que deseaba, se quedaba en el Colegio como huésped, hacedor de becas, jefe, cabeza de tercio, y esperaba su hora favorable.

Su vida era fastuosa. Le servían numerosos criados y él llevaba una red de seda recogiendo el cabello, sotana desabrochada mostrando el pantalón de color vivo o un chaleco bordado. Usaba botas, espada y a veces armas prohibidas. «Hallándome ahora informado — dice una ley de Carlos III de 1773 — del desorden que hay en las Universidades mayores en el porte y traje de los estudiantes, poniendo algunos más atención en usarlos extravagantes y ridículos que en el estudio de la profesión a que van destinados, presentándose con botas, pantalones, lazos en los zapatos y corbata en lugar de cuello, el pelo con coletas, las aberturas de las sotanas hasta las pantorrillas para que se vean los calzones de color...» Formaba parte del Consejo de Administración del Colegio y apenas asistía a clase. Jugaba a la banca, a los trucos, salía de noche y recibía mujeres.

En los exámenes no necesitaba «ganar el curso», como el pobre, sino presentar un certificado del Rector. La borla doctoral, que caía en flequillo sobre los cuatro flancos del bonete, se daba tras un simulacro de interrogatorio, sin pruebas escritas ni rigor científico. Después había una ceremonia burlesca o «vejamen» en el que se ridiculizaba al candidato recibido. Luego venían las propinas y regalos, que alcanzaban a todos los subalternos, incluso al «relojero» que había medido la duración de las pruebas. En Salamanca el nuevo licenciado ofrecía un banquete a la Facultad y el doctorado traía consigo tres días de fiestas. Se formaba una comisión de banquetes, otra de comidas y otra de toros, y se echaba al pueblo dinero y regalos.

Este estado de cosas no podía escapar a la reforma de los ministros de Carlos III. Pérez Bayer, canónigo y preceptor de los hijos del rey, fué el instigador. En 1761 se emprendió la reforma general. Las becas del Colegio de San Ildefonso fueron sacadas a concurso y dadas a estudiantes pobres y aplicados, restituyendo el Colegio al fin para el que fué creado. Los ingresos desde entonces se administraron por la Universidad. En 1771 fué promulgado el plan de reforma general de estudios que uniformaba los programas y la administración; las cátedras fueron sacadas también a concurso.

Bayer redactó el «Memorial por la libertad de la literatura española» y los decretos fueron promulgados el 22-11-1771. Se restablecía el internado riguroso de los estudiantes, se prohibía los juegos. Ante la alegría de los manteístas, se cerraron los colegios y se reabrieron con la garantía de que sus ocupantes fuesen pobres con más de veintiún años y menores de veinticinco. Debían llevar capa, beca, capote y bonete. No podían ausentarse y no tendrían prerrogativa alguna por el mero hecho de ser colegiales.

La idea era buena, pero la pasiva resistencia de los privilegiados la anuló. A los quince años la reforma había fracasado y los Colegios Mayores volvían a su inutilidad primera. Fueron suprimidos definitivamente en 1836.

La protección real a la cultura. — Puede afirmarse que los Borbones del XVIII tuvieron un especial amor a la cultura y protegieron sus manifestaciones. A Felipe V se debe la fundación de las Reales Academias Española y de la Historia, de la Biblioteca Real, del Gabinete de Historia Natural. Fernando VI protegió las manifestaciones musicales, la ópera y el teatro; Carlos III es el autor o protector de la fundación del Jardín Botánico, Observatorio Astronómico, Sociedades de Amigos del País, Seminario de Nobles, Escuelas Pías y las gratuitas de instrucción primaria. Además exceptuó del servicio militar a doctores y licenciados de todas las Universidades y bachilleres que siguiesen estudiando. Organizó las Academias militares de Orán y Ceuta para ingenieros, para artilleros en Segovia, infantería en Avila y caballería en Ocaña.

Y por fin a Carlos IV se debe la fundación del Depósito hidrográfico, de la Junta de Fomento y Balanza, la Escuela de Ingenieros, la Institución Pestalozzi y el primer Conservatorio de Artes.

Los ministros apoyaban con su presencia las nuevas instituciones culturales. Desdevisses («Un cónsul general francés en Madrid») cita una solemne sesión en la Academia de San Fernando. Preside Ricardo Wall, primer ministro, en la gran sala del Colegio de los Jesuítas. Asisten embajadores, Grandes de España, ministros. Empezó la ceremonia con un gran concierto; el viceprotector pronunció el elogio de los ministros; se escuchan poesías latinas y españolas en loor del rey, reina y académicos; se distribuyó a los laureados de distintos concursos nueve medallas de oro y nueve de plata; luego hubo un gran refresco de aguas heladas, chocolate y confituras.

Se estaba además al corriente de las novedades extranjeras. En 1750, y por sugerencia de don José de Carvajal, Fernando VI llamó a Linneo para que diera lecciones públicas de ciencias naturales en Madrid; pero Linneo no quiso salir de Suecia y mandó a uno de sus mejores discípulos, Löfling, que llegó hacia fines de 1751. Dos años después Fernando VI le mandó a América a realizar investigaciones. Linneo publicó la correspondencia sostenida con él con el nombre de *Iter Hispanicum.*

Otra personalidad de la Química, José Luis Proust, vino en 1777 al Seminario Patriótico de Vergara. Cuatro años más tarde, a instancias del conde de Aranda, embajador de España en París, y por recomendación de Lavoisier, Carlos III le llama nuevamente para que explique en la Academia de Artillería de Segovia. En 1787 se le instaló un magnífico laboratorio en Madrid que costó cuatro millones de reales sólo hasta el piso principal y se le asignó un sueldo de 40.000 reales anuales.

El inventor del telégrafo eléctrico, Francisco Salvá, después de leer en la Academia de Ciencias Naturales y Artes de Barcelona su *Memoria sobre la electricidad aplicada a la telegrafía,* fué llamado por Godoy y en la *Gaceta* (25-11-96) se da cuenta de los ensayos realizados con pleno éxito.

Asimismo en la Novísima Recopilación es palpable la preocupación gubernamental por la cultura, destacada en las leyes relativas a la enseñanza, a su reforma, a la organización de bibliotecas, a los progresos de la Medicina y de la Cirugía, imprentas y librerías (lib. VIII, tít. XVI, leyes 23 a 27, 36 y 38).

La intervención del Estado en la cultura se nota sobre todo en la censura de libros. Serrano Sanz nos dice que el Consejo de Castilla delegaba su misión a este respecto en las Academias de la Historia y Española. No sólo se censuraban las contravenciones del dogma o del Estado, sino la calidad de la prosa y del papel. De *Los siete salmos penitenciales* se dice, por ejemplo: «La poesía es bajísima, no tiene la nobleza, dignidad, fuerza ni emoción que requiere asunto tan sublime.» Los Moratín, padre e hijo, fueron encargados muchas veces de la censura teatral y critican alguna vez el lenguaje empleado:

«El estilo es de bajísimo cómico y aun por esto busca los actores entre la gente rústica, pero esto no habilita al autor para las expresiones: «¡Maldita sea tu cara!», «es una cochina puerca», «te harto de patadas» y otras de este jaez que usa y no son dignas del teatro y el auditorio.»

Además, de cada libro publicado se debían entregar treinta y seis ejemplares al Estado distribuídos en esta forma: 30 tomos para los señores del Real Consejo de Castilla, uno para el presidente, uno para el revisor general de las impresiones de Madrid, otro para la librería del Rey, otro para la librería del Escorial (aunque sea sin encuadernar), otro para el que pone la fe de erratas de la impresión, otro al gacetero de Madrid para que participe la noticia de la obra a toda España en la «Gaceta» que compone.

La cultura como moda. — Otras veces ya nos hemos referido a este fenómeno. La influencia francesa a través de las letras — dice Legendre — se manifestó principalmente a través de Voltaire, porque Montesquieu no fué traducido (en sus *Cartas persas*) hasta 1813. El filósofo de Ferney, en cambio, era una autoridad incluso para sus enemigos y si en 1762 fueron prohibidas todas sus obras filosóficas, se dejaron traducir las tragedias y obras históricas a condición de que no figurase el nombre del autor en la cubierta para no herir susceptibilidades. Pero, por ejemplo, fray Fernando de Ceballos y Mier no pudo terminar su libro *La falsa filosofía o el ateísmo, deísmo, materialismo y demás nuevas sectas convencidas de crimen de Estado contra los soberanos y sus Regalías, contra los Magistrados y Potestades legítimas* porque el mismo poder que defendía, influído de las nuevas doctrinas, le desterró a Lisboa, donde siguió trabajando ardorosamente.

Cadalso señala en sus *Cartas marruecas* el afán cultural de las gentes: «Es un gusto oírles hablar de matemáticas, física moderna, historia natural, derecho de gentes, antigüedades y letras humanas a veces con más recato que si hiciesen moneda falsa.» Pero, en cambio, no hay mecenas y «hay cochero en Madrid que gana trescientos duros y cocinero que funda mayorazgo, pero no hay quien no sepa que se ha de morir de hambre como se entregue a las ciencias».

Otras veces se queja de la mezquina educación recibida, propia de la confianza en los saberes antiguos que tenían sus profesores *(Cartas marruecas):*

«Nuestros sabios tendrán la excusa de decirles a los extranjeros: Cuando jóvenes tuvimos unos maestros que nos decían: Hijos míos, vamos a enseñaros todo cuanto hay que saber en el mundo; cuidado no toméis otras lecciones, porque de ellas no aprenderéis sino cosas frívolas, inútiles, despreciables y tal vez dañosas. Luego leímos y vimos... Pongamos la fecha desde hoy, suponiendo que la Península se hundió a mediados del siglo XVII y ha vuelto a salir a últimos del XVIII.»

PEDANTES. — Con esta educación a veces se da el tipo de pedante. Por ejemplo este «sabio» citado en la misma obra:

«Hombre seco, muy alto, cargado de anteojos, incapaz de bajar la cabeza ni saludar a alma viviente y que te dice:

«Para nada se necesitan dos años ni uno siquiera de retórica, con saber unas cuantas docenas de voces largas de 14 ó 15 sílabas cada una y repetirlas con frecuencia y estrépito. La poesía es un pensamiento frívolo. ¿Quién no sabe hacer una décima o glosar una cuarteta de repente?»

«La física moderna es un juego de títeres. He visto esas que llaman máquinas de física experimental, agua que sube, fuego que baja, hilos, alambre, cartones... Si le dices que en todo el universo culto se hace mucho caso de esta ciencia te llamará hereje. A las matemáticas les llama embuste y pasatiempo. La medicina que basta es la extractada de Galeno a Hipócrates, aforismos racionales, ayudados de buenos silogismos.»

Y en los «Eruditos a la violeta» se explica cómo ha de ser un buen filósofo:

«... para ser tenido por filósofo consumado no bastará saber como sabéis... todas las obras de los filósofos antiguas y modernos. No basta, hijos míos, no basta por cierto. Es indispensable que vengáis, llevéis, publiquéis, aparentéis y ostentéis un exterior filósofo. (Diógenes, Arquímedes)... Es preciso que os distingáis también por algún capricho de semejante naturaleza e importancia para que la gente que os vea pasar por la calle diga: Allí va un filósofo. Unos habéis de estar, por ejemplo, siempre distraídos, habréis de entrar en alguna botillería preguntando si tienen botas inglesas o en alguna librería preguntando si alquilan coches para el Sitio. Otros, aunque tengáis los ojos muy buenos, habéis de llevar un sempiterno anteojo en conversación con la nariz. Otros habéis de comer precisamente a tal o tal hora y que sea extravagante, como si dijéramos a las nueve de la mañana o a las seis de la tarde, y si los estómagos tuviesen hambre a otras horas, que tengan paciencia y se vayan afilosofando. Otros habéis de correr como volantes por esas calles de Dios atropellando a cuanto chiquillo salga de las puertas en hora menguada para él y su triste madre. Otros habéis de tener aprensiones de enfermedades y si alguno os pregunta el estado de vuestra importante salud, quejaos de todos los males a que está expuesta la frágil máquina del cuerpo humano... Ensartad lo de tísico, ético, asmático, paralítico...»

Cuando se trate de comentar las obras de los demás, el erudito a la violeta, seguirá estos consejos:

«...Despreciad todo lo antiguo o todo lo moderno; escoged uno de estos dictámenes y seguidle sistemáticamente, pero las voces modernas y antiguas no tengan en vuestros labios sentido determinado; no fijéis jamás la época de la muerte o nacimiento de lo bueno ni de lo malo. Si os hacéis filoantiguos aborreced todo lo moderno sin excepción: las obras de Feijóo os parezcan tan despreciables como los romances de Francisco Esteban. Si os hacéis filomodernos... abominad con igual rencor todo lo antiguo y no hagáis distinción entre una arenga de Demóstenes y un cuento de viejas.»

»2.ª Con igual discernimiento escogeréis entre nuestra literatura y la extranjera. Si, como es natural, escogéis todo lo extranjero y desheredáis lo patriota, comprad cuatro libros franceses que hablen de nosotros peor que de los negros de Angola y arrojad rayos, truenos, centellas, granizo y aun haced caer lluvias de sangre sobre todas las obras cuyos autores hayan tenido la grande y nunca bastante llorada desgracia de ser paisanos de los Sénecas, Quintilianos, Marciales, etc.

»3.ª No pequéis contra estos dos mandamientos haciendo, como algunos, igual aprecio de todo lo bueno y desprecio de todo lo malo, sin preguntar en qué país y siglo se publicó.

»4.ª Cualquiera libro que os citen, decid que ya lo habéis leído y examinado.

»5.ª Alabad mutuamente los unos las obras de los otros; viceversa, mirad con ceño a todo el que no esté en vuestra matrícula.»

SOCIEDADES ECONÓMICAS DE AMIGOS DEL PAÍS. — Una de las organizaciones más importantes fundadas en España por el amor a la cultura fueron las Sociedades Económicas de Amigos del País. Su interés por las letras fué casi siempre sincero, como lo fué asimismo su preocupación por los problemas agrícolas e industriales de España. Su labor, eficaz y bien intencionada. El *Memorial Literario* de 1789, es decir, en época en que se había visto ya su resultado, nos dice:

«La fundación de Sociedades Patrióticas de Amigos del País y Diputaciones de Barrios en España es tan útil como lo pueden ser las de las Universidades literarias... si éstas ilustran el entendimiento en las materias de fe y política, aquéllas constituyen caridad y buenos ciudadanos, pues sin dejar de ser fieles observantes de la religión de nuestros padres pasan a frecuentar la buena armonía, la industria y la agricultura para obtener las materias del sustento y el vestuario con abundancia, haciendo feliz al rey, al Estado, y conservar en nuestros semejantes la paz y mutua correspondencia, desterrando el ocio, los vicios y cuanto sea capaz de perturbar el sosiego público.»

El origen de las Sociedades de Amigos del País está en el Norte. Coxe nos explica que en las provincias de Vizcaya, Navarra y Guipúzcoa, los nobles y personas más notables tenían desde antiguo la costumbre de reunirse para festejos y regocijos. Más tarde en estas reuniones se trató de materias científicas o artísticas y, por los años de 1748, había ya una academia compuesta de hidalgos y clérigos consagrados al estudio, con reglamentos que fijaban el lugar, hora y objeto de su reunión. Los lunes se trataba de matemáticas, el martes de física, el miércoles de historia y de algunas traducciones hechas por individuos de la sociedad; de música el jueves; el viernes de geografía, el sábado se dedicaba a los negocios del día y el domingo se daban conciertos. El conde de Peña Florida era el alma de la reunión. Tenía una máquina eléctrica del abate Nollet y otra pneumática. La asamblea se reunía en Azcoitia. El conde redactó un proyecto de agricultura y economía rural y dirigió una ópera en Vergara. Luego acordaron formar la Sociedad Vascongada de Amigos del País.

»Esta Sociedad — sigue Coxe — fué aprobada por el rey en 1735. Al año siguiente la Sociedad le remitió una memoria en la que hace gala de la preocupación ecléctica por la cultura, la agricultura, la industria, la salud ciudadana. Empezaba con un discurso preliminar sobre el fomento de la agricultura y los medios de las Provincias Vascongadas. Luego una memoria conteniendo: 1.° Diversidad de los terrenos, método para distinguirlos con una relación de las plantas que mejor les conviene, el abono natural y artificial necesario para las praderas, el cultivo de las tierras de pan llevar... los plantíos y la economía rural (lino, cáñamo, lana, seda, ganado de todas clases y abejas).»

«La segunda memoria se refiere al comercio y a la industria. Censura las preocupaciones de los españoles contra el comercio a pesar de la estimación que merece. La tercera memoria contiene observaciones sobre la salubridad pública y los destrozos de la viruela. La cuarta contiene consejos de economía doméstica y la descripción de una máquina pneumática para conservar la carne sin corrupción.»

Ya había empezado el auge de las Sociedades Económicas. Fueron las únicas organizaciones de las cuales el Gobierno absoluto no temió el poder porque entre los ministros había muchos verdaderos amigos de la cultura. Además no había peligro contrario al dogma porque, en general, el clero desempeñó casi siempre los cargos de director o censor que eran el alma de las sociedades. La nobleza las apoyó e igualmente concurrieron comerciantes, propietarios y cuantas clases merecían la consideración pública.

La Real Sociedad de Madrid fué creada tras petición de 1775. Su labor fué más importante que la de ninguna otra porque, viviendo junto al Gobierno, tenía forma de influir en sus determinaciones. Efectivamente, previa su intervención en 1778, se prohibió introducir en el reino gorros, guantes, medias, fajas, objetos todos manufacturados de lino, cáñamo, lana y algodón. En 1778 se prohibe la importación de vestidos, muebles, etc. En 1783 se promulga un decreto importantísimo para la vida social española. Aquel en que se declaraba oficios sin desdoro y compatibles con la nobleza los de curtidor, herrero, sastre, zapatero, carpintero, etc.

Además de estas gestiones, la Sociedad de Madrid concedía anualmente premios a los que mejor resolvían problemas planteados por ella y traducía obras extranjeras que fuesen interesantes sobre agricultura, la industria y el comercio. Crearon escuelas públicas gratuitas dedicadas a los muchachos pobres, enseñándoles con obras propias de su edad. Se hicieron traer máquinas de hilar con fondos proporcionados por los ricos. El Gobierno ayudó con cuatrocientos mil reales sacados de los bienes de los jesuítas expulsados a un Monte de Piedad que diese cáñamo, lana y algodón a las mujeres pobres.

La Sociedad de Damas fué la primera asociación femenina civil que formó parte de la Sociedad Económica para encargarse de los negocios de su sexo. Aceptada por el rey en 1784, empezaron catorce señoras que organizaban escuelas y usaban adornos sólo españoles, como ejemplo de protección a la industria nacional. Hasta cincuenta y cuatro sociedades hubo en España de este tipo.

En provincias las sociedades fracasaron generalmente por falta de dinero y sobra de rivalidad de tribunales y Ayuntamiento, que no querían compartir su poder con una corporación tan protegida por el monarca.

Veamos algunos de los artículos de la Sociedad Económica de Benavente que nos darán idea de sus intenciones (*Memorial Literario,* IV-87):

«Art. 3.º La sociedad se dividirá en cuatro clases: la primera tiene a su cargo particularmente la conservación de la salud, tanto de los racionales como de los irracionales más útiles; proponiendo cuantos medios considera conducentes para precaver sus enfermedades y para curarlas; la segunda en iguales términos todo lo respectivo a la mejor educación e instrucción de los niños y jóvenes de ambos sexos para que unos y otros puedan ser útiles a la religión y al Estado; la tercera todo lo que tiene inmediata relación con el fomento de agricultura, y la cuarta todo lo perteneciente a la industria popular y comercio, tanto interior como exterior.

»Los socios se adscriben forzosamente a aquella clase para cuyo desempeño reconozcan en sí mayor aptitud y disposición.»

Academias. — Otras tertulias preferentemente literarias se reunían en las llamadas academias. La más famosa fué la del «Buen Gusto», patrocinada por la condesa de Lemus, luego marquesa de Sarriá, en la calle del Turco, de inspiración francesa, imitadora de la del hotel Rambouillet. Se reunían en ella Luzán, Nasarre, el conde de Torrepalma, Porcel, duque de Béjar y otros, y se hacían llamar por seudónimos como «el Justo Desconfiado», «el Difícil», «el Humilde», «el Sátiro Marsías», «el Zángano», «el Aventurero».

Villarroel la describe diciendo:

> Aquí estoy en Madrid que no en la Alcarria,
> y en la casa también de la de Sarria,
> marquesa hermosa, dulce presidenta,
> que no sólo preside, más sustenta,
> con dulce y chocolate,
> al caballero, al clérigo, al abate
> que traen papelillos tan bizarros,
> que era mejor gastarlos en cigarros.

En la que tenía su lugar de cita en la Fonda de San Sebastián, en la calle del mismo nombre, no se podía hablar más que de toros, versos y amores. Llevaban todos sobrenombres poéticos por los que respondían: Cadalso, «Dalmiro»; Moratín, «Flumisbo», porque con el nombre de Flumisbo Thermodouciano «había entrado en la Academia de los Arcades de Roma» (Aribau, prólogo a *BAE*); Iriarte, «Tirso»; Signorelli, «Pierio». En esta tertulia —dice Tamayo (prólogo al Cadalso)— el tono era más italiano que francés».

(1) En cláusulas o períodos breves.
(2) *Lecciones instructivas sobre la historia y la geografía.* Madrid, 1794. 3 vols. Muy popular entonces.

BIBLIOGRAFÍA

Diario curioso, erudito y comercial de Madrid, 1758. — *El Pensador Matritense,* 1762. *Diario de Barcelona,* 24-10-93. — FERRER DEL RÍO, ANTONIO: *Historia del reinado de Carlos III.* Madrid, 1856. — *Memorial Literario,* 1788. — *El Duende de Madrid,* 1787. — R. DE LA CRUZ: *La comedia casera, El fandango del candil.* — JOVELLANOS: *Memoria sobre edu-*

cación pública, El delincuente honrado. — HAZARD, PAUL: *La crise de la conscience européenne.* París, 1935. — TORRES VILLARROEL: *La casa del gran señor. Obras líricas.* B. A. E. *Vida* (memorias). — BOURGOING, ob. cit. *Diario de Madrid,* 10-11-1790. — VERA, F.: *Historia de la ciencia.* Barcelona, 1937. — SERRANO SANZ: *El consejo de Castilla y la censura de libros en el siglo XVIII.* Revista de la Biblioteca, Arch. y Museo Municipal. 1906-1907. — *Novísima Recopilación,* lib. VII, tít. XVI, leyes 23-27, 36-37. — LEGENDRE: ob. cit. — CADALSO: *Cartas Marruecas.* — CARRERES, F.: *Encuadernación y regalo de libros de la casa de Borbón desde 1700 hasta la muerte de Carlos III.* Madrid, 1846-47. — TORRES VILLARROEL: *Pretensiones vanas,* ob. cit. — ARIBAU, B. C.: *Prólogo a Obras de Moratín,* B. A. E. — MARAÑÓN, G.: *Las ideas biológicas del P. Feijóo.* Madrid, 1934.

CAPÍTULO VI

MADRID

LA CAPITAL DE ESPAÑA. — La extensión del imperio español en 1787, según «Censo ejecutado por orden del rey» (Carlos III) daba para trece millones de quilómetros cuadrados repartidos por Europa, Africa, América y Oceanía la cifra de cerca de treinta millones de habitantes. Toda esta población se regía por las órdenes que emanaban de una población situada estratégicamente en el centro de la Península Ibérica, esto es, Madrid.

Las glosas a Madrid gran capital son constantes a lo largo del siglo XVII. Los mismos españoles que han de decir en el XIX cosas tales de su tierra que obliguen a Larra a escribir su famoso artículo *En este país*... están todavía asombrados de la belleza de la corte y de su magnificencia. *Donde está Madrid calle el mundo, Sólo Madrid es corte,* son títulos de libros y *leit-motiv* de conversaciones. Bourgoing cuenta que un predicador matritense en un sermón sobre las tentaciones del Señor, decía que el diablo le transportó sobre una alta montaña desde donde se divisaban todos los reinos de la tierra. Le enseñó Lucifer a Francia, Inglaterra y a Italia para vencer su resistencia a obedecerle; pero — añadía el sacerdote —, por suerte del Hijo de Dios, los Pirineos le escondían a España y a Madrid.

«Se ha visto — añade el viajero francés — a padres moribundos felicitar a sus hijos porque tenían la dicha de vivir en Madrid. Este amor a la capital — concluye — deja los campos desiertos. Un español no vive jamás en el campo; ni le gusta, ni lo conoce; el que está obligado a vivir en él no intenta embellecerlo.»

En el transcurso del siglo, Madrid se transforma totalmente; en sus principios era una ciudad sórdida y de una asombrosa inmundicia, con calles estrechas y sombrías.

Alcalá Galiano, en sus *Recuerdos de un anciano,* dice que las fachadas estaban sucias; puertas y ventanas muy mal pintadas y tan de tarde en tarde que más hubiera valido no hacerlo nunca; los hierros de los balcones eran tales como salían de la herrería, las vidrieras se componían de pequeños cristales azulados que apenas si dejaban pasar la luz; las escaleras, oscuras y mezquinas, y en el zaqué o portal el basurero.»

Los aristócratas, que podían haber dado el tono a la ciudad con edificaciones majestuosas, se limitaron a hacerlas mayores de lo normal, sin preocuparse de su apariencia. Antonio Ponz, en su *Viaje por España,* explica:

«Cuando Felipe II trajo la Corte a Madrid vinieron también a establecerse en ella los Grandes. Como el recinto de la Villa era únicamente el que hemos notado, al pronto sólo debían pensar en alojarse lo mejor que les fuera posible... La mayor parte de las casas de los Grandes sólo en el tamaño se distinguen de las casas de los particulares, faltando a todas algún aditamento, entre otros el de galerías para conservar las obras de las Bellas Artes como hay en otros países.»

La numeración de las casas no se verificó hasta 1751, y entonces se verificó por el sistema de dar vuelta a la manzana, lo que ocasionaba considerables embrollos por la coincidencia frecuente de los mismos números en una calle.

El empedrado era absurdo. Un autor anónimo de 1746 citado por Mesonero Romanos dice:

«También el empedrado de la corte está tenido por una de las más grandes dificultades; pocas o ninguna habrá que tengan para ello situado (1) más crecido y sin que nada le baste; está una mitad mal empedrada y la otra sin empe-

La plaza de toros y el arco de Carlos III o sea puerta de Alcalá. Picadores, majas, mujeres con mantilla, petimetres, arrieros muestran en este grabado contemporáneo la representación de todas las clases españolas unidas en una misma devoción a los toros.

El Prado y Recoletos a fines del siglo XVIII con su habitual y numerosa concurrencia.

drar. Pónense las piedras con las puntas hacia arriba porque suponen que se quebrantaría si las pusieran de otra forma, pero siendo esta forma tan ofensiva a los cascos de las bestias, vienen a causar su estrago. Aun todo se pudiese tolerar si no padeciese también la gente de a pie, pero se lamentan a todas horas de tener los pies mortificados.»

Sobre este pavimento arrojaban los vecinos de las casas sus desperdicios con el sabido e inútil grito de «¡agua va!» y se formaba un montón de inmundicia que servía de alimento y lugar de refocilo a los cerdos de San Antón.

«Los cerdos propiedad del convento de San Antón Abad recorren las calles por privilegio mal entendido, porque sólo les alcanza a pastar en las dehesas de Madrid. Se revuelcan en la hediondez y hacen peor el olor y se meten por las mulas asustándolas.»

La diferencia entre ese aspecto de las rúas madrileñas y el prestigio de que gozaba la capital de España en el mundo impresionó desfavorablemente a muchos viajeros. Blaise Henri de Coste, barón de Waleft, escribió unas sátiras en verso tituladas *Les rues de Madrid:*

> Quand la canicule domine
> la chaleur penetrant l'amas
> en forme une poussière fine
> qui nous étouffe à chaque pas;
> ...l'hiver, moins ferme et plus mouvante,
> a l'entour même des Palais
> la mare tellement augmente
> que chaque rue est un marais;
> pour peu qu'en marchant le pied glisse
> precipité dans l'inmondice
> on auroit peine a s'en sauver,
> si prevoyant pareil naufrage
> le Corregidor, homme sage,
> ne decretoit pour l'enlever
> du pavé partageant le centre
> deux mules trainent un madrier

A pesar de la exageración natural en una sátira, la estampa es evidentemente real. Como en la de M. de Blainville antes citada:

> Dans cette abîme d'inmondice
> il faut marcher avec compas,
> et s'assurer de chaque pas
> sur la foi d'un caillou qui glisse;

El papel anónimo citado por Mesonero Romanos se queja igualmente de la incuria ciudadana en tiempos de Fernando VI:

«La limpieza de la corte se ha hallado hasta aquí como imposible porque aunque se han presentado varios proyectos para su logro, no han tenido efecto ninguno y por esto no solamente es Madrid la corte más sucia que se conoce en Europa, sino la villa más desatendida en este punto de cuantas tiene el rey en sus dominios y es hasta vergüenza que, por descuido nuestro, habite el soberano el pueblo menos limpio de los suyos (aquí se extiende el autor en consideraciones sobre las malas consecuencias de tal deseo para la salubridad pública y otros perjuicios, entre los cuales se enumera que el aire inficionado toma y tiñe la plata de las vajillas, los galones y bordados de los trajes, diciendo con mucha candidez: Un vestido de tisú, que en otro pueblo pasará de padres a hijos, en Madrid debe arrimarse antes del año y hacerse otro porque con la mayor brevedad deja de ser tisú y es tizón.»

«Hace sucio a Madrid lo que se vierte por las ventanas y dícese que es muy difícil remediarlo, pero no confundamos lo difícil con lo imposible... Comprendiendo esta importancia Sevilla, Toledo, Valencia y otras ciudades, han tomado tales providencias que sólo por noticias de Madrid conocen la inmundicia (el autor recuerda los comunes públicos y sumideros de Sevilla, las alcantarillas de Toledo y las grandes obras subterráneas de Valencia).»

A este triste aspecto físico Madrid unía por la noche un

temeroso aire de inseguridad. Las calles no estaban iluminadas más que por pequeñas lamparillas puestas en la hornacina de una imagen en un recodo y nadie transitaba de noche sin ir bien armado. Las damas que se dirigían a una fiesta se hacían preceder de pajes con hachas de viento, para apagar las cuales solía haber en las puertas y escaleras de los grandes señores cañones y tubos de fábrica en forma de apagador.

LAS GRANDES REFORMAS DE LOS BORBONES. — A lo largo de la centuria, Madrid fué cambiando su aspecto. Reconocida su importancia, con pocas guerras exteriores, los reyes se pudieron dedicar a hermosearla. Del tiempo de Felipe V es la construcción del Puente de Toledo, Seminario de Nobles, Teatro de los Caños del Peral y los de la Cruz y el Príncipe, iglesia de San Cayetano y Santo Tomás, el hospicio y la fábrica de tapices, además del nuevo palacio mandado construir en substitución del Alcázar y del cual ya nos hemos ocupado.

A Fernando VI le debe Madrid el gran caserón de las Salesas Reales hasta que llega la época de Carlos III, el gran protector de la capital, a la que tomó de arcilla y casi dejó de mármol, como otro Augusto.

A este rey y a sus ministros se deben los edificios del Museo del Prado, de la Aduana, puertas de Alcalá y San Vicente, Casa de Correos, Imprenta Nacional, Hospital general, templo y convento de San Francisco el Grande, Observatorio Astronómico, Reales Caballerizas, Fábrica platería de Martínez, Fábrica de Tapices, Fábrica de China (porcelana). Además arregló el Prado de San Jerónimo, los paseos de Florida y Delicias, el canal del Manzanares y casi todos los caminos que conducen a la capital.

En tiempos de Carlos IV siguió la reforma. Se levantaron la Fábrica de Tabacos, el convento, luego cuartel, de San Gil, la casa de la Escuela de Caminos en la calle del Turco, el convento de las Salesas Nuevas y se abrió la calle de San Bernardo. Por parte de particulares fueron edificados en este reinado los Palacios de Liria y de Buenavista, la Casa de los Gremios, la del nuevo Rezado, la del duque de Villahermosa y la reforma iniciada en la de Altamira.

Pero esta labor material debía llegar más lejos para transformar la faz de la Villa. Carlos III, en 1761, obligó por ordenanzas a los vecinos a colocar aceras a lo largo de las fachadas, a instalar canalones en los aleros de los tejados y a hacer pozos y sumideros para las aguas sucias y las limpias. Para dignificar la calle prohibió a los cerdos hozar en la vía pública, mejoró el alumbrado público (obra de Grimaldi) e instaló varios quilómetros de alcantarillado.

Las noches ya no fueron un peligro para el viandante. Dividió a Madrid en ocho cuarteles y puso a los regidores como responsables de su tranquilidad... «Celan... — dice el *Diario Curioso, Erudito y Comercial de Madrid* del 3 de enero de 1787 — todo lo que pueda ocurrir en ellos, teniendo a este fin adjuntos a un Celador o más con un Escribano para lo que se ofrezca en el Quartel respectivo. Esta noticia unida a la de las calles que comprende cada uno de dichos quarteles, es muy conducente para todos los vecinos que por este medio sabrán a quién deben ocurrir (por recurrir) en los casos correspondientes.»

Creó el cuerpo de «inválidos útiles», cuyos componentes recorrían las calles en patrullas de veinte a treinta hombres. Fué organizado asimismo el cuerpo de serenos de vigilia que el vulgo llamó «gusanos de luz» por el farol que llevaban en la cintura sus componentes y que todavía hoy pueden verse por las calles madrileñas.

La población. — En tiempos de Carlos II, según datos del marqués de Louville, había 160.000 habitantes. El censo de 1787 antes citado daba una población de Madrid de 156.672 almas, y el de 1799, 207.887. El menguado espacio que la Villa ocupaba y sus estrechas calles hacía que éstas se vieran siempre llenas de gente. Por otra parte del censo se escaparían, no sólo los poco amigos de inscribirse judicialmente, sino los numerosísimos transeúntes que la ciudad albergaba.

La mayor parte de ellos eran aspirantes a algún destino en España y sus Indias que acudían a buscarlo desde todas las provincias, fiados en la brillantez de su nacimiento o en su habilidad. Para su conocimiento se imprimía en Madrid todos los años una «Guía de Solicitantes» en la que se concretaban las plazas vacantes en el reino y la forma de opositar a ellas. Ironizando sobre los solicitantes de cargos, Torres Villarroel escribe:

Si yo hago el memorial, tiempo perdido;
si lo hace el abogado, adiós dinero;
si visita el agente, mal agüero,
y si visito yo, quedo rendido.
Gasto en membretes, póngome fruncido,
dame una sobarbada el consejero,
viene el procurador por mi puchero,
y luce el escribano mi vestido.
No ha de darme ninguno lo que importe
al patrimonio y pasos excusados;
pues fuera pretensiones, fuera porte.
Pues es dolor que acuerden mis cuidados,
cuando tengo mis cuartos en la corte,
unos molidos, los demás gastados.

La ambición era el acicate de esa masa heterogénea para quien parece haberse escrito las *Recetas Morales, políticas y precisas para vivir en la corte con conveniencias todo género de personas* y que apareció en 1734. En estos consejos se decía:

1.ª Manda que se vista bien, aunque no se coma (en la Corte, como saben todos, el estómago no tiene vidrieras), pues con buen traje se encuentra comida en casa de los amigos.

2.ª No lleves dinero, porque lo piden hasta las personas bien vestidas.

3.ª Una de las dos cosas debes hacer en la corte: o meterte a Diógenes o a político; si Diógenes, a despreciar al mundo con esfuerzo varonil; si político a valerte de las reglas de los demás para fabricar tu fortuna.»

Alguna vez medraba el recién llegado gracias a la ayuda de sus paisanos. Se distinguían en apoyar al coterráneo los asturianos y los gallegos. Ramón de la Cruz en *El agente de sus negocios,* dice:

> Pero, si bien me acuerdo, mi vecino
> dos años ha que vino atravesado
> en un burro, y ya llegó al estado
> de criados, de coche y de talego,
> y eso que no es vizcaíno ni gallego,
> que es decir que no debe su equipaje
> al ínclito favor del paisanaje.

Como es natural, entre la animada aglomeración menudeaba la gente de mal vivir huída de su provincia por algún asunto de feo aspecto y que se sumergía en la Corte para no ser reconocida. Está acostumbrada a seguir haciendo de las suyas con timos y estafas de toda índole. De vez en cuando, la policía daba una batida y expulsaba de la Corte a quien no demostrase concluyentemente su derecho a permanecer en ella.

En 1766 se dictó la siguiente ordenanza: «Todos los que no teniendo aplicación, oficio ni servicio, se mantienen con varios pretextos y concurren con frecuencia a cafés, botillerías, mesas de truco públicas y otras diversiones, aunque permitidas, pero solamente para el alivio de los que trabajan, recreo de los que no abusan, y no para el fomento del vicio de los ociosos; o también paseando continuamente llenan las plazas y esquinas se abstengan de semejantes frecuencias y tomen alguna honesta ocupación conocida que los releve de la sospecha y remueva el escándalo que causan a los demás bien empleados; pena de que serán tenidos por vagos...» (Carlos III).

La población enraizada en Madrid pertenecía casi toda a funcionarios, tales como Magistrados de los Grandes Consejos, empleados de Ministerios, gente de justicia y servidumbre.

LAS POSADAS. — Los no madrileños tenían para su cobijo las posadas públicas o mesones y las secretas. De las primeras cita la «Memoria de los mesones y posadas que había en la Corte en 1733» la cifra de once. La primera es la de Cava Baja de San Francisco, que reseña la *Mojiganga* de Simón Aguado:

—¿Has almorzado, Domingo?
—Sí; chocolate me dieron
en la Cava, y los bizcochos
me parecieron torreznos
porque estaban muy salados.
—Y yo los comí por eso.

Holgárame de saber
si el chocolate midieron
por cuartillos.
—Por cuartillos
es todo lo que yo bebo.

Y los mesones del Caballero, de los Paños, de la Media Luna, de Paredes, Torrecilla, del Peine (que todavía se conserva), de las Medias, de la Herradura, de San Blas, del Toro.

Una disposición de 1787 transcrita por el «Memorial Literario» demuestra el cuidado con que el Gobierno atendía a la comodidad de los hospedados. Dice así:

«El Sr. Superintendente ha formado los siguientes artículos:

«1.° Que en las Fondas, Cafés, Hosterías y Botillerías donde actualmente no se observa aquella decencia y curiosidad que corresponde, se pongan frisos de lienzo pintados, se blanqueen las paredes y se den de color a las puertas y mostradores.

«2.° Que a cada uno se sirva su plato limpio, aunque

se junten tres o cuatro personas, pues, al sacar los vasos de la salvilla, se derrama la bebida sobre la mesa y a un leve descuido se mancha los vestidos y capas de los concurrentes.

«3.° Que los mozos sirvientes se presenten aseados, sin redecilla ni gorro y, si fuere posible, peinados.

«4.° Que no coman ni cenen a la vista del café o botillería y sólo puedan hacerlo en piezas interiores o sólo después de cerrar.

«5.° Que no se consienta el uso del tabaco de hoja y se ponga a la vista del público un letrero que diga: «Aquí no se permite fumar».

«6.° Que desde el primero de mayo hasta últimos de septiembre haya en las botillerías agua de nieve para servirla (si alguno la pide) a los que van a beber, sorbetes y aguas heladas.»

Las posadas secretas nacieron — dice Sepúlveda en su *Madrid Viejo* — de la carestía y mala traza de las posadas públicas y de la escasez de los cuartos de vecindad, pero el remedio fué peor que la enfermedad; «el pobre que caía de huésped en una posada secreta tenía que vivir en perpetua vigilancia, defendiendo el bolsillo con espadín o con garrote».

«Los desmanes llegaron a tanto que se pensó seriamente en su abolición. Una ordenanza de 1788 las ponía en la vigilancia de los Alcaldes de barrio, casa y cuartel, y policía general. Se corrigió que se dieran en ellos cocido con perdigones de Segovia, principios de menudos adulterados y postre de castañas pilongas, todo eso por 5 reales sin vino y 6 con el de Arganda.»

Jovellanos escribió al Conde de Floridablanca una memoria sobre la pretendida abolición de las posadas secretas:

«La multiplicación de las posadas secretas de Madrid es una resulta indispensable de la estrechez en que vive la población; o por mejor decir, de la carestía de casas efecto de la misma estrechez.

Las personas que vienen a la Corte, no pudiendo acomodarse a la incomodidad, a la indecencia o a la carestía de las posadas públicas... toman al buscar una posada secreta que no es otra cosa que la reunión de dos o tres personas para habitar y pagar de consuno un cuarto y su asistencia.

Supóngase por un instante que hay en Madrid novecientas posadas secretas. Éstas, a razón de cuatro huéspedes, corresponderá la suma de 3.600 huéspedes. Quítense de repente estas posadas y nuestros huéspedes quedarían en la calle. La vanidad los alejará de la indecencia de los mesones y la comodidad o la pobreza del bullicio y dispendio de las fondas... Las posadas secretas ofrecen una granjería honrada y lícita a muchas gentes que no tienen otro medio de subsistir. Si el Gobierno las hace públicas será lo mismo que quitarlas porque la granjería de posadas públicas es indecente en la opinión común.»

En albergues y cafés estaba prohibido fumar, leer las Gacetas y papeles públicos, hablar de política, jugar a cartas y a billar. Este último es juego de privilegio real y se puede usar en ciertas casas pagando contribución especial. Está prohibido que las tabernas tengan más de una salida. El hospedero pasará aviso al juez de barrio de su nuevo huésped. Los blasfemos públicos van a la cárcel.

La Fonda de San Sebastián. — En 1767 los hermanos Gippini piden permiso para poner una fonda. Ante la enemiga del Gremio de Hosteleros opone uno de los Gippini: que «se halla en su casa el buen hospedaje que la hace la más acreditada de la Corte, sirviendo a sujetos de la mayor distinción, así de la tropa como caballeros de la mayor altura, como también en sus casas y funciones que ocurren a toda satisfacción por su aseo y limpieza como es público y notorio». La fama de su fonda se debió a reunirse en ella la importante tertulia literaria ya descrita iniciada por don Nicolás Fernández de Moratín para seguir los pasos de la Academia del Buen Gusto, presidida por la condesa de Lemus, marquesa de Sarriá. A aquella runión concurrían don Ignacio López de Ayala, Juan Bautista Muñoz, historiador del Nuevo Mundo; don José Cerdá y Rico, don José Cadalso, Tomás de Iriarte, el orientalista Pizzi, el botánico Gómez Ortega, etc.

Siguiendo voluntariamente las leyes del tiempo, estaba prohibido en ella hablar de política; sólo se permitía a los contertulios disertar acerca de teatro, de toros, de amores y de versos.

CAFÉS. — Poco a poco fueron introduciéndose los cafés. Los más importantes fueron «La Fontana de Oro», «El Angel», «La Cruz de Malta» y la botillería de Canosa en la Carrera de San Jerónimo. Las señoras acudían a refrescar tras la vuelta por el Prado, pero no entraban en el establecimiento, sino que se hacían servir en los coches parados a la puerta.

TABERNAS. — Carlos IV, en disposición de 26-2-1795, establece algunas condiciones por las que han de regirse las tabernas, muestra de la cuidadosa atención que sus súbditos merecían a los reyes del tiempo:

«El vino ha de ser puro, legítimo y de buena calidad, sin mezcla alguna.»

«...las puertas deben estar siempre enteramente descubiertas.»

«Se prohibe que a los días y horas de trabajo se detengan en dicha casa artesanos oficiales y aprendices de cualquiera oficio; nunca hombres embriagados; y en ninguna ocasión se permitirá se detengan las mujeres en la citada taberna.»

«Al tabernero no casado se le prohibe tener por medidora y guisandera mujer que no llegue a la edad de cuarenta años poco más o menos.»

LA CIUDAD SE DIVIERTE. — Madrid era una capital animada y bulliciosa. Ya hemos visto cómo hacía suyas las fiestas de sus soberanos y se precipitaba a la calle a expresar su alegría. Sus fachadas se iluminaban con este motivo y se llenaban de inscripciones y dibujos alegóricos. El *Memorial Literario, Instructivo y Curioso de la Corte de Madrid* describe, con motivo de las fiestas del nacimiento de los infantes gemelos en 1783, el adorno que de su casa hizo el duque de Híjar:

«La Música y la Poesía en una sola persona coronada de laurel, en la mano derecha un papel de música y a la izquierda una lira. La Concordia coronada de mirto y dos corazones ardiendo en la mano atravesados con una flecha; la Abundancia coronada de flores y frutos y con el cuerno de Amaltea; la Paz coronada de olivo y un ramo de él en la mano; la Justicia con espada y balanza; la Prudencia con un espejo en la mano y una enroscada serpiente en la otra; la Felicidad sentada en un trono derramando de un vaso varias monedas; el Comercio simbolizado en Mercurio; la Navegación, en una ninfa con una nave en la mano; la Agricultura, con un rastro; la Escultura, Pintura y Arquitectura, con una sola figura con los instrumentos de estas artes en las manos. Todo esto para mayor adorno y visual de la fachada, iba enlazado con cabezas de leones, varios mancebos, florones y algunos vástagos colocados en el mejor orden.»

Si los curiosos levantaban la cabeza podían ver, además de todo eso, «medallones que representaban todos los gemelos (alusión a los infantes) de que se tiene noticia o por la fábula o por la Historia. Castor y Pólux, Rómulo y Remo... Jacob y Esaú, Farés y Zaran, Hércules e Ifido, Cetes y Caláis...».

Por la tarde del mismo día pudieron ver la mascarada...

«...consistía en cinco carros triunfales con varias figuras alegóricas al motivo de los regocijos... al son de timbales y trompetas comenzó a entrar la máscara por enmedio de dos filas que formaban las Guardias Española y Valona tendida desde el mismo arco hasta las puertas de Palacio; primeramente ocho volantes en dos filas con iguales uniformes y bastones: seguía una soldadesca (compuesta de individuos del Gremio de obra gruesa) de 40 hombres vestidos a la Albanesa e Irlandesa con gorras y fusiles al paso de marcha y tambor batiente y músicas de instrumentos militares, yendo enmedio el Alférez que había de tremolar la bandera en los sitios destinados, después los maceros que llevaban al hombro cada uno su bandera desplegada en que iban pintadas las armas de la Villa; a éstos seguían 8 parejas de ambos sexos de las cuales 6 representaban Artesanos, uno Hortelano y otro Labrador, llevando instrumentos de su profesión. Este carro llevaba enmedio una estatua de Atlante sosteniendo sobre su cabeza el cielo figurado en un gran globo azulado... En varios miembros del cuerpo de Atlante había varios emblemas en letras de oro. En el pecho se leía: la bondad de Carlos III, en el brazo derecho el poder, en el izquierdo la magnificencia, en la frente la Majestad, en la pierna derecha la Justicia, en la izquierda la benignidad.»

Las fiestas callejeras más importantes se verificaban con gran alborozo, como lo demuestra este bando que el *Memorial* nos atestigua como del año 85:

«Que ninguna persona de cualquier sexo y calidad que sea se propase las mencionadas noches de San Juan y San Pedro ni otra alguna a usar de panderos, sonatas, gaitas ni otros instrumentos rústicos y ridículos, guitarras ni algazaras y aun se prohibe más estrechamente que provoque e insulte a otras personas con expresiones lascivas y obscenas ni que se exceda en cometer acciones indecentes y demostraciones impuras bajo la pena... de ocho años al servicio de las armas, sin que para ello valga fuero alguno ni excepción por privilegiada que sea.»

Igualmente las *Recetas morales, políticas y precisas para vivir en la Corte con conveniencia todo género de personas* advierten huir del barullo de las verbenas de San Juan, San Pedro y fiestas de Semana Santa y Corpus: «Mientras los otros estén en esos disparates puedes estar tú encomendándote a Dios, rezando responsos por tus padres si son muertos o durmiendo, que será mejor que no ir al Prado o a la Florida a bobear de marca, a disparatar por mayor

Proclamación de Carlos III en la plaza Mayor celebrada con la ceremonia habitual en estas manifestaciones.

Fuertemente castigada por el fuego a lo largo de la centuria, la **Plaza Mayor** centro indiscutible del Madrid de entonces vió devorada una gran parte de su edificación por el incendio del 1790. En el grabado se aprecia los daños ocasionados, la intervención del ejército y los carros cuba y la retirada de efectos.

y regoldar matachinadas; porque este par de noches no son otra cosa que un concurso de delirios, una tertulia de embelecos, un compendio de desórdenes, pozo de potradas.»

En *El buen casero,* de R. de la Cruz, unos ciegos cantan coplas alusivas a estas noches alegres:

De San Juan en las noches
y de San Pedro
no hace mal a las damas
nunca el sereno.

Ni a los galanes
que andan como unos tontos
por esas calles,
sudando con pretexto
de refrescarse.

Y allá en el río
alternan las puñadas
y los respingos
entre las manolillas
y manolillo.

Una vieja una noche
de las presentes
se enamoró en la plaza
de un petimetre.

Llegó y le dijo
por entre las varillas
del abanico,
¿dónde va usté a paseo,
caballerito?

Y él que era chusco,
haciéndola el reclamo
con disimulo
la llevó hasta Vallecas,
y escurrió el bulto.

El Prado. — Hemos citado el Paseo del Prado. Punto de reunión de la buena sociedad madrileña en el siglo XVII, mantuvo el favor en la siguiente centuria. «Explanada bastante vasta, pero montuosa — comenta Bourgoing —, las mujeres vienen regularmente a mostrarse en carroza y pasear su indolencia... a través de una espesa nube de polvo, a pesar de que es regado todos los días durante el verano.»

El *Juzgado Casero,* periódico madrileño, nos da una estampa bastante clara de lo que debía ser la concurrencia del paseo con la natural relajación de costumbres en una ciudad populosa:

«¿Qué juicio ha de formarse de una mozuela soltera que ayer servía en Madrid de cocinera o vino de su tierra miserablemente vestida, viéndola hoy presentarse en los paseos públicos con la más preciosa basquiña y traje interior, mantilla de toalla, Parlamentaria, Peinado de Erizón, cofia de la última y más costosa moda, sortijas de diamante, reloj, zapatos, medias?»

«...¿por qué en las noches de luna huye esta clase de *cernícalas* del centro del Prado, donde se hallan colocadas las sillas, mudándolas por sus propias manitas o las manazas de los babosos que las acompañan, a lo más oscuro de la sombra de los árboles o retirándose a disfrutar la que hacen las paredes de la iglesia del glorioso San Fermín y su huerta?»

Y criticando la formación de grupos en un lugar público:

«Coloca el cobrador todas las sillas en dos bandas... según van llegando los que contribuyen a sus veteranas asambleas, mudan las sillas formando círculo oblicuo de modo que parecen ramilletes de berengenas, sobre la indecencia de estar con las espaldas vueltas a lo más lucido del tránsito.»

Conversaciones peligrosas... (se habla) «de que permita (el esposo) a la señora ir a los toros, comedias, baños, sola con la criada o con una amiga; vaya el dulce, venga el caramelo, el golpecito con el abanico, la pisadita en el pie. No sea Vuesa Merced tan malo, sr. don Fulano. Madre, dígale V. M. que se esté quieto...»

Y don Ramón de la Cruz acaba de grabar el cuadro con su entremés titulado precisamente *El Prado por la noche:*

—Nosotras hasta allá iremos
con el paje; nos sentamos
luego que los encontremos,
y estamos hasta las once;

VENDEDOR: ¡Avellanas verdes!

VENDEDORA: ¡Agua
fresquita de Recoletos!

VENDEDOR: ¡Garbanzos verdes y tiernos!

VENDEDORA: ¡Bizcochos de Zaragoza!

VENDEDOR: ¡Bizcochos de moda tiernos!

—Vámonos, don Manolito,
que ya van bajando en cuerpo
las gentes, y estoy aquí
siendo el lunar del paseo.
—...En quitándonos la mantilla
y la basquiña podemos quedarnos.
—Tapaos con los abanicos
las caras, porque al reflejo
de la luna no os conozcan.

LOS BAÑOS. — Otro punto de reunión y de *flirteo* del Madrid de la época lo constituyen los baños situados a orillas del Manzanares, fuera de la ciudad. Cómo eran y en qué consistían nos lo explica mordaz y taxativamente el *Juzgado Casero:*

«¿Cómo podrán ser útiles y provechosos a la salud pública baños tomados en un hoyo de arena cenagosa... el cual se surte en un arroyuelo de agua viciada, tan escasa que apenas cubre el cuerpo del que se baña? Unos baños dispuestos en línea recta desde el puente de la Puerta de Hierro hasta el de Segovia recibiendo los segundos el agua que pasa por los primeros y así de unos a otros hasta el último, comunicándose por el mismo sucesivo orden los contagiosos humores que expelen cuantos se bañan, que por lo regular lo ejecutan a unas mismas horas... cuatro alcantarillas como cuatro bocas del infierno que desaguan en el mismo riachuelo todas las inmundicias de Madrid.»

Pero no es sólo el cuerpo el mancillado...

«Se perjudica el alma por la poca honestidad con que se hallan construídas las chozas de dichos baños... Sólo van

DESCANSO JUNTO AL RÍO
Dibujo de A. Casanovas

a bañarse dos clases de personas, viejas verdes o mozas locas. Las mozas por tener quince días de bureo y todas por lograr con menos embarazo la compañía de un *mueble* (2) que les haga centinela en el baño y eche la sábana cuando salen de él...

»Para ir y volver ajustan un calesín o coche simón, pero dígame VM.: ¿van y vienen solas en él? ¡Qué disparate! No, señor, cada una va con su lazarillo al lado como sardinas en banasta y de consiguiente nada frescas; llegan a el baño, vanse despojando las fogosas señoritas hasta el último folio a vista, ciencia y paciencia de los truhanes asesores de oreja y luego se entran en la pocilga de agua, quedándose los tales muebles de parte de afuera sin más estorbo para ver a su amada Bersabé (Betsabé) que el de una clara, remendada estera que cuando no tenga algunos agujerillos se los hacen los señoritos como en género de juguete... y añádase a esto el remate del baño que regularmente es merendar bien, atracarse de vino, saltar y bailar con que me parece no podrán agraviarse con que yo diga vuelven a sus casas más calurosas que cuando salieron de ellas... son muy pocas o ninguna las que van con sus maridos a dichas funciones porque o no debe de ser moda o no se los permiten los tales gorrones...»

Y termina filosóficamente:

«...lo que yo admiro es la cachaza y paciencia de los bañeros haciéndose sordos, mudos y aun ciegos a proporción del interés que les produce.»

Es posible, sin embargo, que el periodista que nos ocupa exagere en sus apreciaciones de los baños de Madrid. El público que concurría a ellos no debía ser tan desvergonzado como apunta el *Juzgado Casero* y muchos acudían por prescripción facultativa. Ramón de la Cruz los describe en el sainete *Los baños inútiles*. Alrededor del establecimiento, y como sucede casi siempre, se levantaban pequeñas industrias y puestecillos de venta. Su animado cuadro es éste:

—¡Baños limpios como perlas!
—¡Tostones y queso fresco!
—¡Ciruelas de flor! ¡Ciruelas!
—¡Ropa!
—¡Livianos! ¡Pepinos!

GARCÍA: Estos baños son más grandes
señoras, y están más cerca
de Madrid que los del Puente
Verde.
PACA: Es verdad, pero aquella
broma, música y fandangos

que allá se arman, y meriendas,
son la salsa de los baños,
y de ese modo aprovechan
más los del río que en casa.

GARCÍA: Señoras, de estos tres baños
elijan aquel que quieran;
porque mejor recogido,
ni con mejores esteras,
me río. Tiene su banco,
dentro soga, que atraviesa
para sostenerse y todo.

PACA: Vos, mientras que yo me bañe,
disponedme la merienda
de un salpicón con la carne
que hallaréis en esa cesta,
y un gran plato de ensalada
de pepinos que en aquella
casilla los hay, y adiós.

ABASTECIMIENTOS EN MADRID. LA PLAZA MAYOR. — «Los mercados de esta ciudad — señala el marroquí andariego otras veces mencionado — son muy grandes y están llenos de vendedores, compradores, mercaderías, artesanos y gente de oficio... Los pueblerinos de los alrededores traen a la ciudad toda clase de alimentos, comestibles y frutos para vender. Las mujeres traen el pan montadas en bestias de carga y sin bajar del lomo se estacionan en el mercado para vender. Otras van a las casas para suministrar lo que necesitan... Hay carne de animales muertos o en vida para quien quiera la sangre. Hay frutas secas y frescas en número ilimitado, mientras que las manzanas, las uvas y las peras se venden todo el año hasta la llegada de los productos de la nueva cosecha. La mayor parte de los frutos frescos son traídos de las montañas de Granada y Ronda. El pescado llega de Alicante y Portugal.

»En medio de la explanada una muchedumbre de mujeres vende pan, fruta, legumbres y carne de toda clase.»

La «explanada» mencionada por el musulmán es la

Plaza Mayor. Aunque sin la importancia que alcanzara en el siglo XVII, todavía la Plaza era lugar de proclamaciones reales como la de Felipe V y Carlos III, coronación de Fernando VI y jura y proclamación del Príncipe de Asturias luego Carlos IV. Fué muy dañada por el incendio del 16 de agosto de 1760, que derribó todo el lienzo que mira a oriente y parte del arco de Toledo.

Sepúlveda recuerda que durante el motín de Esquilache en esa plaza se formó el núcleo del numeroso grupo que se dirigió luego a Palacio. En ella también hizo fuego al pueblo un piquete de Guardias Valonas, que fué destrozado, llevando la gente a rastras a uno de los soldados hasta la Puerta de Toledo. En el balcón de la Panadería, tribuna exclusiva hasta entonces de los Reyes, que desde allí presenciaban los torneos y los autos de fe, se presentó Bernardo el calesero, acompañado del Gobernador y señores del Consejo a dar cuenta al gentío de la embajada popular que había llevado a Carlos.

En días pacíficos era el mercado más importante de Madrid y Ramón de la Cruz glosó varias veces la animación de sus puestos. El *Memorial Literario* de 1787 trata de la vigilancia de que la policía hacía objeto esas ventas:

«Con el fin de que se observe el mejor orden y policía en los puestos que señala la Superintendencia de la Plaza Mallor, Calles y Plazuelas de esta Corte, con arreglo a lo mandado por S. M., se han destinado dos partidas de tres ministros con sus Cabos (Alguaciles de la Real Casa y Corte) para que celen que los carros hagan bien la limpieza y que los vendedores de comestibles y otros géneros se coloquen con orden y despejo para que no incomoden al público y le sirvan con puntualidad y aseo. Por las calles no se permitirán vendedores de naranjas ni otros comestibles.»

Carlos IV en 1792 prohibió que las verduleras tuviesen agua en los puestos: «A pretexto de lavar las verduras y de mantenerlas frescas de que resulta corromperse aquéllas con daño de las mismas verduras y exhalar cuando la vierten en las calles vapores mefíticos y hedores capaces de infestar y ocasionar tercianas, calenturas pútridas y otras indisposiciones.»

La Puerta del Sol. — No tenía todavía la importancia que adquirió en el xix. Desdevisses du Dézert la señala como punto de cita de los vagos que iban a calentarse al sol, sorber un polvo, aprender noticias, contar sus aventuras, fumar un cigarro, lucirse y esperar la última campanada de las doce para ver a las elegantes entrar en la iglesia del Buensuceso. «En verano — dice Cadalso —, por un cuarto daban un vaso de agua.»

Los viernes de Cuaresma los predicadores populares evangelizaban al aire libre a los asturianos y gallegos, mientras los ladrones cortaban bolsas. En la calle del León estaba el mentidero de los representantes. Casi toda la gente de teatro vivía en los alrededores, calle de los Jardines, del Amor de Dios, de San Juan, de Santa María, de Francos y Cantarranas.

La Pradera de San Isidro. — Era otro grato lugar de diversión. La acotación que hace R. de la Cruz en el sainete del mismo nombre es un retrato perfecto:

«Se descubre la ermita de San Isidro en el foro, sirviendo el tablado a la imitación propia de la Pradera, con bastidor de selva y algunos árboles repartidos, a cuyo pie estarán diferentes ranchos de personas, de esta suerte: de dos árboles grandes que habrá en medio del tablado, al pie del uno, sobre una capa tendida, estarán Juan y Lorenzo, la Nicasia y la Casilda de payas, merendando con un burro de pelo al lado y un chiquillo de teta sobre el albardón sirviéndole de cuna y le mece Juan cuando llora. Al pie de otro estarán bailando seguidillas la Manuela y la Isidra, con Esteban y Rafael, de majos ordinarios de trueno y la Joaquina. Al primer bastidor se sentará Nicolás solo sobre su capa y sacará su cazuela, rábano, cebolla grande, lechugas, etc., y hará su ensalada sin hablar, y al de frente estará arrimado Calderón de capa, gorro y bastón, con una rica chupa como atisbando las mozas; seis u ocho muchachos cruzarán la escena con cántaros de agua, vasos y ramas de álamo; y al pie del telón en que está figurada la ermita se verá el paseo de los coches y a un lado, un despeñadero en que ruedan otras muchachas. Gertrudis y Vicenta se pasean vendiendo tostones y ramilletes. Seguidillas que canta el coro y bailan los majos ordinarios, y, al mismo tiempo, llora el niño y rebuzna el burro. La Joaquina estará con su pandero:

JOAQUINA: El señor San Isidro
nos ha enviado
porque le celebremos,
un día claro.
Bien lo merece,
pues es paisano nuestro,
pese a quien pese.

LOS GREMIOS MAYORES. — Una institución muy importante del Madrid dieciochesco la constituyeron los cinco Gremios Mayores. Es una compañía — dice Canga Argüelles — compuesta de los mercaderes de paños de seda, de lienzos, especería, droguería, quincalla y joyería. Se creó con el objeto de traer géneros a precios cómodos y depositarlos en almacenes públicos para el surtido de las tiendas. No contentos con esto, sus socios tomaron en arriendo algunas rentas reales: corrieron mucho tiempo con el asiento de los víveres del Ejército y Armada, habiéndolo desempeñado muy a satisfacción del Gobierno y con gran comodidad de las tropas; luego se empeñaron en los abastos de Madrid, donde perdieron dinero y crédito.

En 1788 su capital era de 260 millones de reales.

HOSPITALES. — Había el de la Latina, el de enfermos venéreos de Antón Martín, el de la Misericordia. El de Santa Catalina de los Donados para alimentar y vestir a un cierto número de sujetos que se hubiesen inutilizado por vejez o por accidente en el ejercicio de las profesiones mecánicas de las artes y oficios. En 1600 se había fundado un albergue para niños perdidos.

La Real Hermandad de Nuestra Señora de la Esperanza, creada por la reina María Luisa de Borbón, se ocupaba del recogimiento y asistencia sigilosa de mujeres embarazadas de ilegítimo concepto. La Hermandad del Buen Retiro, debida a Carlos IV, debía emplear sus cuidados en el beneficio espiritual y temporal de los pobres encarcelados.

HOSPICIOS. — La Orden de Carlos III creándolos (18-11-1777) es típica del estilo del tiempo:

«Debiendo impedir como soberano y padre de mis pueblos el abuso de la mendicidad de que proviene el abandono del trabajo útil y honesto y nace la multitud de vagos de ambos sexos en quienes se pervierten las costumbres y forma una especie de manantial perenne de hombres y mujeres perdidas, he resuelto que en cada uno de los sitios reales se forme un recogimiento provisional donde, a costa de mi erario, se mantengan los que fuesen aprehendidos pidiendo limosna, para conducirlos después al hospicio de Madrid, en el cual permanecerán.»

(1) Es decir, renta o asignación. *(N. del A.)*
(2) Sobrenombre del acompañante. *(N. del A.)*

BIBLIOGRAFÍA

D. DU D. (ob. cit.) LARRA, M. José de: *En este país*...—BOURGOING, ob. cit.— ALCALÁ GALIANO: *Recuerdos de un anciano*. Madrid. 1878. — PONZ, ANTONIO: *Viaje de España*... Madrid, 1782, t. V. — MESONERO ROMANOS: *El viejo Madrid*. Madrid, 1861. — DE COSTE, BLAISE HENRI: *Les rues de Madrid*. Révue Hispanique, 1919. *Diario Curioso, Erudito y Comercial de Madrid*, 7-1-87. — TORRES VILLARROEL, ob. cit. — R. DE LA CRUZ: *El agente de los negocios, El buen casero, El Prado por la noche, Los baños inútiles. La Pradera de San Isidro*.—SEPÚLVEDA, ob. cit., *Mesones y posadas en 1733*. Revista Biblioteca, Archivo y Museo Municipal 1928. — JOVELLANOS: *Memoria sobre la abolición de las posadas secretas*. Obras B. A. E. — *Memorial Litera-*

rio... 1783 y 1787. — SALCEDO RUIZ: *La época de Goya.* — GÓMEZ ARIAS: *Recetas morales, políticas y precisas para vivir en la corte con conveniencia todo género de personas.* Madrid, 1734, cit. por SÁNCHEZ ALONSO, *Revista Biblioteca, Archivo, Museo Municipal.* Madrid. *Juzgado Casero,* 1786. Madrid. — CANGA ARGÜELLES, ob. cit. *Orden para los hospicios de 1777.* Novísima Recopilación.

Capítulo VII

EL TRATO SOCIAL

La cortesía y el ceremonial. — Como en otros muchos aspectos de la vida diaria, el trato social del hombre del siglo XVIII es la continuación del que distinguiera al del XVII. La engolada ceremonia que los españoles del Siglo de Oro utilizaban para hablarse entre sí, incluso cuando estaban en los peldaños más bajos de la escala social (recordemos la primera entrevista de Rinconete y Cortadillo), sigue siendo la misma. Sin embargo, a partir de la segunda mitad del XVIII empiezan a dejarse oír voces autorizadas combatiendo la rigidez del ceremonial y propugnando una mayor sencillez dentro de normas cristianas y de respeto. Aquí sí parece hallarse la huella francesa de los propugnadores de la Naturaleza y el hombre natural. Veamos el anónimo escritor, que es muy probable fuera José Clavijo y Fajardo, expresando en su periódico *El Pensador* su opinión a este respecto. Su crítica de 1762 da luz sobre las costumbres sociales de la época:

«Los hombres han llegado a figurarse que en los tratamientos de Eminencia, Excelencia, Ilustrísima, Señoría y Merced hay una cierta entidad sin la cual quedarían degradados de su ser. Una silla de brazos o un taburete; la mano derecha o la izquierda; dar tantos o cuantos pasos para recibir una visita; hacer cejar un coche y otras semejantes frioleras.»

«...los hombres no han podido inventar cosa más necia y de mayor embarazo para el trato de la sociedad. Los títulos... sólo sirven de llenar el idioma de voces vanas y frases sin sentido, que a cada paso embarazan y hacen pesada la conversación y los escritos. Pues atreverse a faltar a esta etiqueta, ¡qué gloria! Un hombre que no tiene en la mano la balanza para distribuir con equidad y a proporción de su suma importancia estos títulos, es un hombre sin educación y sin política. Sea en hora buena hábil y virtuoso y tenga todas las prendas que puedan hacer a un hombre estimable, si no está puntual en el ceremonial de tratamientos, es preciso separarle del gremio de las gentes.»

El ceremonial proporciona un complejo de inferioridad...

«Hablamos con los Grandes, los Generales y los Señores con un tono de timidez servil y vergonzoso y, como si al encaminarles con derechura nuestras voces fuera hacerles un insulto, damos a entender que temblamos de hablarles por el tono respetuoso de nuestras frases como si mirasen a otra persona.»

En la familia...

«Lo más chistoso es que no se limita esta etiqueta a sólo el criado y el pretendiente; pasan por ello los más erguidos y si el hijo comete el desacato de atreverse a hablar a su padre directamente valiéndose del dulce nombre de padre en lugar de los títulos de Señor y V. E., hay reprensión, ayuno y tal vez, aunque por yerro de cuenta, alguna pena más severa.»

Absurdo de los cumplidos normales...

«Beso a Vm. las manos es un cumplimiento de que todos nos servimos sin que por ello hagamos pleito homenaje de besarlas por lindas, limpias y curiosas que sean.»

«Según los principios de nuestra docta civilidad, faltamos a la atención debida a los superiores siempre que les damos seguridades de nuestra amistad y de nuestra estimación. Para no ser tenidos por desatentos, osados y bárbaros, hemos establecido cambiar aquellas voces en las de respeto, sumisión, obsequio, rendimiento.»

«Quedo con el más profundo respeto a la obediencia

de Vuestra Excelencia», «Renuevo a V. E. las seguridades de mi rendida sumisión».

Tampoco los conventos quedaban libres de este ceremonial cuidadoso: Reverendísima, Paternidad, Reverencia y Caridad eran tratamientos que hacían quejarse al Pensador.

El «estoy a los pies de Usía» para las señoras y el «beso las manos a Usía» o «estoy a vuestra obediencia» para los caballeros, son expresiones típicas y aparecen a menudo en los sainetes de R. de la Cruz. Cadalso en sus *Cartas Marruecas* se queja de que en la primera carta dirigida a una persona hay que calcular prolijamente el espacio, el cumplido con que se ha de empezar, la expresión para el final, si se puede hablar en tercera persona y el señorío que se puede tener.

En las participaciones de bodas se termina, según Cadalso, con la frase «para que mereciendo la aprobación de vuestra Merced, no falte circunstancia de gusto en este tratado».

El mismo escritor se queja del abuso del Don: «Don el amo de la casa, Don cada uno de sus hijos, Don el dómine que enseña Gramática y el que enseña al chico a leer; Don el mayordomo; Don el ayuda de cámara; Doña el ama de llaves, Doña la lavandera. En lo antiguo no era así y ahora se ha extendido tanto que hay que llamar a uno Señor Don para no tratarle de criado.»

Desafíos. — El constante trato social tenía también sus inconvenientes cuando la antipatía o la rivalidad obraban entre los concurrentes a una fiesta. El exaltado ánimo de los españoles les llevaba muchas veces a la cuestión personal y al desafío subsiguiente a pesar de las ordenanzas en contra dadas por los reyes. La ley de Felipe V de 1716 fué refrendada por Fernando VI en 1757 con una energía que no deja lugar a dudas respecto a la frecuencia con que los duelos se llevaban a cabo.

«No habiendo hasta ahora podido las maldiciones de la

Iglesia y las leyes de los Reyes mis antecesores desterrar el detestable uso de los duelos y los desafíos, sin embargo de ser contrarios al Derecho Natural y ofensivos del respeto que se debe a mi Real Persona y Autoridad; y valiéndose los que se discurren agraviados del medio de buscar por sí la satisfacción que debieren solicitar recurriendo a mi Real Persona o a mis Ministros; habiendo sugerido el engaño el falso concepto de honor, de ser falta de valor el no intentar ni admitir este modo de vengarse como si la Nación Española necesitase adquirir créditos de valerosa por un camino tan feo, criminal y abominable, después de tantas conquistas, sangre vertida y vidas sacrificadas a la propagación de la fe, gloria de sus Reyes y crédito de su patria...»

«...si el desafío llegase a tener lugar serán (los contendientes) castigados con pena de muerte.»

La moda francesa hizo mucho por desterrar los desafíos, calificándolos de bárbaros. Ya veremos lo que dice el Petimetre sobre este tema.

La tertulia. — En el aspecto de las relaciones sociales, los españoles, especialmente los madrileños, adelantan un gran paso a lo largo del siglo. Los viajeros que llegaron a España a primeros de él muestran su disgusto por el poco trato que existe entre la gente y de las escasas, por no decir ningunas, invitaciones a comer que se verifican. A últimos, en cambio, Cadalso se asombra de lo contrario: «A las visitas espaciadas y reverencias graves ha sucedido un torbellino de visitas diarias, continuas reverencias, estrechos abrazos y continuas expresiones amistosas.»

La más importante expresión de este trato social son las tertulias. Su nombre procede del lugar que en los teatros se reservaba a varones graves, muchos de ellos sacerdotes que en aquella época comentaban mucho a Tertuliano. De ahí pasó ya a cualquier reunión, fuera o no de carácter literario; Cadalso describe una: «Una señorita se iba a poner al clave; dos señoritos de poca edad leían con mucho misterio un papel en el balcón; otra dama estaba hacienda una escarapela; un joven estaba vuelto de espaldas a la chimenea, un viejo empezaba a roncar sentado en un sillón a la lumbre, un abate miraba al jardín y al mismo tiempo leía algo en un libro negro y dorado y otras gentes hablaban.»

Aunque en el texto de Cadalso está explícita ya gran parte de la sociedad del tiempo, del viejo a los señoritos pasando por el abate y la muchacha aficionada a la música, se trata de una tertulia de poca envergadura. En las importantes, la concurrencia era más numerosa y se servía un refresco. «El Pensador» nos describe este momento:

«Apenas dan las siete en el invierno y las ocho en el verano cuando en las casas de tertulia formal se tañe la campana a refresco. Vean Vuesas Mercedes salir tres o cuatro pajes cargados de salvillas, platos y bandeja... repartiendo platos a todos según el orden establecido que mandan que sean preferidos, como es justo, las cofias y marruecas a los sombreros y peluquines... Tras los platos sigue la bandeja con el azúcar o los dulces que llaman de platillo... Sin embargo de que enmedio de la bandeja se acostumbra a poner una luz, es etiqueta que el paje vaya repitiendo a cada señora los nombres de los géneros de dulce que se le sirven... Viene luego el agua, sigue después el chocolate con bollos, bizcochos, repite el agua... Este dispendio suele ascender a tanto como la manutención de la familia.»

En seguida «El Pensador» hace un curioso emplazamiento a los hombres del siglo XX:

«Estoy persuadido a que si esta manía llega a desterrarse han de mirar nuestros sucesores con espanto cuando hayan pasado uno o dos siglos, que las gentes de esta era hayan llegado al extremo de la necedad de poner su conato y esmero en cosas tan triviales que antes se llamaba agasajo y hoy refresco.»

Cabría contestarle que los refrescos, antes agasajos, se llaman hoy combinaciones y *lunchs* y que todavía siguen pesando sobre el presupuesto familiar. Otras costumbres, en cambio, que él daba por buenas y naturales, causan hoy nuestro asombro.

Bourgoing también describe los refrescos con cierta acidez que pone siempre al hablar de España:

«Las familias que se visitan se dan un «refresco», pero con tanta pompa, etiqueta y profusión que raramente hay alegría y amenidad.»

«Sesenta u ochenta personas son invitadas y se sientan en sillas muy bajas. Los hombres se ponen a la izquierda

EL REFRESCO EN LA TERTULIA
Dibujo de A. Casanovas

y las mujeres a la derecha. Cuando llega una mujer está obligada a saludar y dar un beso a todas las señoras ya sentadas hasta que llega a la silla que debe ocupar, que siempre es la última. Cuando todos están sentados van entrando doncellas que traen bandejas cargadas de bizcochos, pilones de azúcar, dulces, agua puesta en hielo. Es la obertura del refresco que se termina con tazas de chocolate, confituras líquidas, azucarillos. Nadie deja su sitio y cada uno es servido a su tiempo. La conversación es tranquila y mezclada con muchos silencios. En estos casos no se considera de mal gusto, puesto que hay abundancia, el llenarse los bolsillos con frutas y bombones. He visto que los españoles no son sobrios con el bien ajeno. Mi cochero, cuando yo iba a comer, no dejaba jamás de ofrecer mi sopa a los demás cocheros. Felizmente su finura era raramente aceptada.»

Las costumbres habían cambiado mucho desde principios de siglo. Cuando el padre Labat llegó en 1704 a España visitó a unas señoras y éstas permanecieron durante toda su estancia en el «estrado» adonde no podían subir los hombres. Más tarde desapareció la barrera y el estrado quedó como referencia del lugar de recepción de las damas.

El chocolate. — Ya hemos visto que en el refresco se sirve chocolate. Pero el chocolate en el siglo XVIII es algo más que un obsequio; es toda una institución de la época. El chocolate es tomado por todas las clases sociales; Carlos III repetía de su taza y además tenía una famosa chocolatera que podía contener cincuenta y seis libras de ese líquido, es decir, dos arrobas y cuarto (1). Cuando la expulsión de los jesuítas, hecha con el rigor y diligencia tan conocidos, sólo se permitió, según La Fuente, que cada religioso tomase «su breviario, alguna ropa, *chocolate* y otras cosas necesarias para su uso.»

La bibliografía del chocolate en el siglo XVIII es inmensa. En Valencia, Marcos Antonio de Orellana escribe:

> ¡Oh!, divino chocolate,
> que arrodillado te muelen,
> manos plegadas te baten
> y ojos al cielo te beben.

En el *Papel seriojocoso para el presente tiempo. Arancel económico para mantener una casa en Madrid,* se dice:

> En cualquiera imprevenida
> dolencia, que insulta al pecho

el chocolate bien hecho
es el agua de la vida:
De oro potable bebida
es antídoto en los males;
tómenle, pues, los mortales,
porque es bebida especiosa,
dulce, fragante, gustosa.
y en fin de virtudes tales.
...No hay cosa mejor, si es bueno,
ni cosa peor si es malo;
es triaca, si está ralo:
y si está espeso es veneno;
de todo extremo es ajeno.
Pues por él unos murieron
con salud robusta, ufanos,
y el vivir siempre tan sanos
a su eficacia debieron.
Quien le sabe usar es raro,
no lo tomes muy espeso,
ni tampoco con exceso,
porque suele costar caro:
Sé para partirle avaro,
si quieres vivir sin males,
y con condiciones tales,
usarás bien del arcano,
a quien debieron, por sanos,
ser los dioses inmortales.

El anecdotario del tiempo trata a menudo del chocolate. En la *Floresta española* se cita el caso del venerable prelado don Juan de Palafox, que renunció al chocolate diciendo: «No lo hago por mortificarme, sino porque no haya en casa quien mande más que yo, y tengo observado que el chocolate es alimento dominante, que en habituándose a él no se toma cuando uno quiere, sino cuando quiere él.»

Otro refiere, según Fernández de Velasco, duque de Frías, que D. Benito Trelles, camarista de Castilla, tenía una casa de poco aliño y sobrada escasez. Entró a verle una mañana hallándole en la cama un colegial de su mismo colegio, «sacáronles a ambos chocolate claro y mal hecho; probó el huésped el suyo, y D. Benito dijo al paje: Traedme agua. Hincó la rodilla el colegial y ofrecióle su

TOMANDO CHOCOLATE EN LA INTIMIDAD
Dibujo de A. Casanovas

jícara. Agua es lo que pido, dijo D. Benito. Respondió el otro con una reverencia: Agua, señor, es lo que os ofrezco».

En las tertulias también era acostumbrado el tomar rapé. En *El viejo y la niña*, de Moratín, don Roque le ofrece a su criado Muñoz:

D. R.: Vamos, Muñoz, no te enojes,
toma un polvo.

MUÑOZ: ¡La zanguanga
del polvito! Tengo aquí.
D. R.: Arrójalo, que eso es granzas.
MUÑOZ: Así me gusta.
D. R.: Este es
de aquello bueno de marras
del Padre de la Merced.

TERTULIAS LITERARIAS. — La reunión en tertulias favoreció la entrada en escena de la pedantería enmascarada por el súbito afán de aparecer como sabios. De la ampulosidad de sus discursos y la vaciedad de sus proposiciones da buena idea el «Pensador» en su excursión ciudadana:

«...tuve algún tiempo en mucha estimación estas Juntas o Academias vespertinas que llaman Tertulias... Las consideraba como una escuela de que se podía sacar mucho provecho porque, según había oído decir, se formaban de hombres de letras de todas clases, Teólogos, Juristas, Filósofos, Poetas, Críticos, que por medio de una amistosa conversación se comunicaban mutuamente todas las noches las varias especies que habían adquirido con el estudio del día.»

«...La primera tertulia se juntaba en casa de un hombre a quien por haber tenido en su mocedad varias conclusiones públicas y defendido en ellas no sé qué de «universal a parte rei» y que «la materia no puede existir sin forma», dando sus distinciones de «materialiter», «formaliter», «simpliciter» y «secundum quid», se le había pegado una vanidad extremada, un deseo frenético de ser tenido por erudito y el honor de juntar una librería sumamente costosa e igualmente mal escogida. Llegamos a su casa a las oraciones y entramos a la «Sala de Minerva», que este nombre daba a la de su tertulia. Mi conductor le dijo al Presidente de la Junta que yo era recién llegado de Roma... Hízome mil preguntas de Roma: todo lo quiso saber y llegó su curiosidad a indagar si en aquella capital se comían frescos los besugos, pero de literatura no me habló ni una palabra.

«...llegan tres hombres embayetados que con sus gritos ya se habían anunciado desde la calle... Entraron en la sala tan sofocados que les fué preciso descansar bastante rato para tomar aliento y saludarnos, tal era el ardor con que habían controvertido un punto de la mayor importancia según ellos decían; y estaban tan coléricos que fué forzoso les hiciese tres o cuatro gestos el Presidente para que dijesen cuál había sido el objetò de la discusión... Se trataba de determinar el año en que se habían hecho las coplas de Calaínos (2) y el tiempo y paraje en que se estableció el telar de Ambrosio. Empezóse a votar y dividiéronse en bandos Güelfos y Gibelinos. Unos decían que Calaínos había vivido en el tiempo de la guerra de Troya; que Homero había cantado sus acciones... que toda la Ilíada, según varias personas que dicen entienden el griego, no es otra cosa que unas coplas de Calaínos. Despreciése este dictamen. Calaínos — decían los contrarios — fué natural de Calatayud y sus coplas, con la época memorable de su construcción, deben buscarse en la continuación de la historia de México por Salazar. En cuanto al telar de Ambrosio hubo la misma variedad. Éste quería encontrar su establecimiento en la historia de los Asirios y Babilonios, y aquéllos en las Guerras Civiles de Granada con los Fastos de Albaicín. Nada calmaba los espíritus enfurecidos con el calor de la controversia. Volvióse a gritar con más estruendo y nos escapamos mi amigo y yo sin tener ganas de ver el fin de esta comedia.»

Otras veces una auténtica cultura está ahogada por la rigidez dogmática y la excesiva erudición:

«La segunda tertulia a donde fuimos se juntaba en casa de un literato que verdaderamente tenía traza de haber leído mucho y en quien una penetración singular se hallaba unida con una memoria portentosa. Sobre cualquier asunto que le preguntasen respondía al instante con bastante oportunidad; pero vertía luego un torrente de erudición tan descomunal que si llegaba por fin a dejar hablar... se quedaba en ayunas el curioso, confundido con la disparatada muchedumbre de noticias. A este flujo de boca juntaba aquel memorión dos circunstancias que inutilizaban muchísimo su aplicación: mucha escasez de juicio y grandísima y ciega veneración a Aristóteles, con cuya autoridad quería imponer silencio a los tertuliantes. Nunca hablaba sin citarle, fuese o no del caso, como sucedió aquella misma noche, que con un montón de textos del filósofo griego quiso probar su parecer sobre la cuestión de si el chocolate quebranta el ayuno.»

No falta, claro está, la de los políticos que arreglan el mundo:

«Entre otras tertulias a que me llevó mi conductor no olvidaré jamás la de un caballero que juntaba en su casa todas las noches los más famosos políticos de la corte. Verdaderamente era la tertulia más burlesca que se puede imaginar. Componíase de un Militar, un Letrado, un Oficialito de Rentas y varias personas de las que llamamos de capa y espada. La primera y única vez que concurrí a esta tertulia me recibieron con un millón de cumplimientos de que no creí defenderme en toda la noche... Ocupó su silla el Reverendo Rector de la tertulia y empezó a tomar residencia a sus tertuliantes de las novedades que habían adquirido en la Villa. Al instante sacó una cantidad de papeles el Oficialito de Rentas. Repasólos todos y al fin separó uno que dijo ser la papeleta de noticias que habían venido a la oficina... leyóla medio mascando porque él mismo apenas entendía su letra y a cada palabra había una disputa con el oficial, que se oponía a todo citando las obras de Vauban, la Escuela de Marte y el «Arte de la Guerra» del Rey de Prusia. Los demás contribuyeron también con sus noticias, unos por escrito y otros de palabra, y era cosa de entremés ver la tenacidad con que cada uno defendía las suyas, ni más ni menos que si al oírlas hubiese hecho voto solemne de defender y sostener su verdad. Duró bastante tiempo la pesadísima controversia y vino a parar la conversación en lamentarse de la decadencia de España y proponer cada uno de aquellos Catones los medios de remediarlo todo y de volver a poner la España en aquel estado de prepotencia que tuvo en otros tiempos haciendo su monarquía universal y demostrando que no es difícil ni tan quimérica empresa como lo creían algunos. —¿Cómo difícil? — decía el oficial —. Que mantenga siempre España un ejército de doscientos a trescientos mil hombres y verá si es quimera el hacernos dueños, no digo yo de un rincón del mundo como es la Europa, sino de todo el imperio del Mogol. Y no hay que replicarme que la España está despoblada, porque esta no es razón. ¿Tenemos nosotros por ventura árboles de canela? No, por cierto; pero se traen de fuera. Pues venga también de fuera la gente, y si no, que me den la comisión de recluta y verán si por menos de un par de millones de pesos traigo aquí todos los cantones suizos en cuerpo y alma. No aprobaba este proyecto el Oficial de Rentas, y en su lugar proponía otros disparates mayores. Decía que era preciso aumentar los impuestos, con lo cual los españoles, que naturalmente son perezosos, se aplicarían al trabajo. Todo lo oía el Jurista (que hasta allí había callado) con una sonrisa burlona; pero ya le faltó la paciencia. Tomó su vez y díjoles con textos claros y corrientes del Derecho Romano que era un puro desatino cuanto hablaban, y que no tenían que cansarse porque España no volvería a su antiguo lustre hasta que se pusiese en práctica la Ley Agraria y la Ley Fusia Caninia. En fin, hízose locutorio de monjas la tertulia. Todos hablaban y de principios ridículos sacavan consecuencias descabelladas...»

Otra tertulia, de músicos...

«...encontramos junto y ocupado al Parlamento sentado alrededor de una mesa que podía servir sola por un refectorio. Todos con papel, pluma y tinta. Nadie daba allá señales de vida... Uno parecía estar en consulta con un velón de seis mecheros que los alumbraba... el primero estaba acabando una canción muy difícil...»

Sin embargo, el afán de ironizar no le impide al *Pensador* reconocer que hay tertulias buenas, tertulias donde es ley la comunicación espiritual entre personas sensatas. Una muestra puede darla aquella reunión de la fonda de San Sebastián antes mencionada. Otra la proporciona el mismo *Pensador:*

«...Los tertuliantes no eran muchos, pero tan escogidos que abrazaban juntos todos los ramos de las letras. Nos juntábamos siempre a una hora señalada; empezaba la conversación por hablar de libros recién publicados. Se hacía la crítica con gran moderación: todos los jueces eran inteligentes... Se hablaba de comedias, bellas artes, comercio, política, derecho público, matemáticas. Nunca hablaban dos tertuliantes a la vez ni a ninguno se le permitía el hacer degenerar en disputa la conversación.»

El matrimonio y la sociedad. — Toda sociedad bien organizada gira, como es lógico, alrededor de la familia, y ésta alrededor del matrimonio. Cuando éste se concierta sobreviene el terremoto de los preparativos. *El Pensador* de 1767 explica los trámites sociales previos, el capítulo de los regalos y la propia boda:

«Lo primero son los papeles de aviso y las visitas dando cuenta de la boda, y Dios nos libre de que en esto haya aquí descuido: la amistad más íntima y más bien cimentada suele acabarse para siempre por falta de una visita o un papel. Siguen luego los regalos que se hacen a la novia, por cuya cuenta y razón casi es precisa una oficina. Debe de haber lista de ellos en la casa para servir de noticia e instrucción a todas las personas que vienen a verlos; debe haber también listas para todos los demás curiosos y ha de quedar a lo menos un duplicado para que sirva de régimen a la novia a fin de cambiar los frenos a las primeras ocasiones que se presenten; y llamo «cambiar los frenos» al retorno de los regalos, pues ya se sabe que esto se reduce a enviar a una señora el regalo que otra hizo...»

Como verá el lector, la historia se repite con asombrosa vulgaridad.

«Llámase a un cocinero y a un repostero, ambos de los más famosos, y se ajustan la cena y refresco... convídase a todo el género humano... (los invitados) comen, beben, diviértense, dicen a la novia media docena de impertinencias... y toman pastel de macarrones, bebida de fresa, sorbete de leche, dulces. Luego hay baile.»

Ya está el matrimonio constituído, una nueva casa abierta a las tertulias, una nueva pareja que ver en las fiestas de los demás. Ahora bien, aparte de ese aspecto externo, ¿cuál acostumbra a ser el estado de las relaciones entre marido y mujer en el siglo XVIII?

Si hemos de creer a los literatos, periodistas, viajeros del tiempo, catastrófico. Ahí sí que ha calado la influencia extranjera, y el vicio parece estar a la orden del día. Tomás de Iriarte llega a decir en una epístola y refiriéndose a un tintero:

> Él no era de plata, bronce,
> latón, estaño; ni hierro,
> ni sacado de la frente
> de maridos madrileños.

Sin embargo, haremos bien en poner en cuarentena tales expresiones y otras que veremos más tarde. Siempre ha sido costumbre de moralizadores exagerar el daño para presentar como más necesaria la reparación, además de que los comentarios se hacían casi siempre sobre las costumbres de la alta sociedad y no es justo hacerlos extensivos a todas las capas de la vida española o madrileña.

La moda, al parecer, era francesa y consideraba ridículo el comportamiento unido de un matrimonio. En «El Pensador», t. 5.º, se finge un diálogo entre marido y mujer. Dice él:

«—La iré yo acompañando.

Mujer. — ¿Vuesa merced? Muy bien. No faltaba otra cosa para divertir a mi costa a todas las gentes del paseo.

Vaya, no puede Vmd. disimular que está cortado a la antigua.

Marido. — ¿Qué misterio hay en que las mujeres para bailes, paseos, visitas y otras diversiones aborrezcan tanto la compañía de los maridos? Pero es cosa muy disonante

RIÑA CONYUGAL
Dibujo de A. Casanovas

que se acuerden de ellos para arruinarlos en gastos superfluos, y para ir a un paseo, a la comedia o a la merienda se excluya absolutamente a éstos y sólo vaya el *cortejo*... y otra caterva de vagos.»

Y Salcedo Ruiz cita la *Proclama de solterón* de Vargas Ponce, que desea para su mujer:

El padre director no la visite,
ni yo pague la farda en chocolate,
que rece poco y bien, riñas me evite,
no sea gazmoña ni con ellas trate;
sólo el mentarle toros la espirite;

primos no tenga capitán ni abate;
probar el vino por salud lo intente,
pero ¿tomar tabaco?, ¡aunque reviente!

Sobre las relaciones entre marido y mujer dice don R. de la Cruz en *La maja majada:*

ALCALDE: Qué ¿no manda usted en su casa?
BLAS: Señor alcalde, aunque sea
descortesía, y usted,
si es casado, ¿manda en ella?
ALCALDE: Sí, señor; y mi mujer,
en viéndome, es la primera
que se pone a temblar, sin
que nadie a chistar se atreva
hasta que yo doy la orden.
BLAS: Será la señora, vieja.
ALCALDE: No es sino moza y bonita.
BLAS: ¿Muchacha bonita, y tiembla
en entrando su marido,
y en todo vive sujeta
a su mercé, en este siglo?
¡Vaya, que usté se chancea!
¡Ningún casado es posible
que trague esa berenjena!

EL CORTEJO. — Hemos citado el Cortejo. Es la gran institución del siglo. El Cortejo es el acompañante de las damas, el que las sirve y está a su disposición siempre que le necesitan. Puede ser que la dama sea casada o soltera, pero a todo el mundo parece natural que figure un galán a su lado. Cuesta creer que nuestros antepasados aceptasen tal compañía, pero de su existencia nos dan fe todos los papeles de la época. Azorín, en *El alma castellana,* transcribe una copla que dice:

Una mujer todo el día
solita con su cortejo,
metida en su gabinete,
consultándose al espejo,

¿estarán los dos rezando
o tratando de su entierro?

El cortejo puede actuar en el teatro o en la propia casa de la cortejada, pero su lugar de acción favorito son las tertulias, donde, aprovechando la aglomeración, puede acercarse a su dama y hacer apartes con ella. Este gesto se llama «Confesionario». *El Pensador* se irrita:

«Júntanse Damas y Caballeros en una tertulia y, a poco rato de su llegada si no desde que entraron, se forman varios pareados que a vista de todo el concurso se retiran a los ángulos o parajes más retirados de la sala a estar escandalizando todo el tiempo que dura la tertulia. Al principio era a secreto. Ahora ya no se hace escrúpulos de que se entiendan sus conversaciones, pero ¡qué conversaciones!, llenas de groserías e indecencias.»

«...allí se ponen públicamente espías para avisar cuando entra algún marido indigesto y (se ve) cómo un caballerete que ha estado dando motivo de murmurar toda la noche con una señora, se levanta al menor aviso que le da la guardia avanzada de haber marido indiscreto en campaña y no vuelve a mirarla mientras esté de plantón este marido poco civil.»

La costumbre del cortejo obliga ya a un léxico especial: el «mueble» es el propio galán-cortejo. El «grupo»: juntarse los dos amantes. «Formarse el corazón», irse adiestrando en los lances del amor. «Seguir los pasos», indagar cautelosamente la vida del galán. «Estar en el locutorio», cuchichear en un rincón del palco o estrado.

«La dignidad, la modestia y aquella delicada honestidad que caracterizaron a nuestras españolas —dice melancólicamente *El Pensador Matritense,* t. 1.° — naufragaron con las calzas atacadas, la espada, la golilla y la valona.»

El chichisveo. — La atención con que el hombre de sociedad se dedica a una dama en el siglo xviii convirtiéndose en su cortejo se llama chichisveo. L. Augusto de Cueto lo define así:

«Obsequio asiduo de un caballero a una dama con afectadas pretensiones de culto extático y desinteresado. El nombre y la ridícula costumbre que significa pasaron a España y Francia de Italia.»

El poeta E. Gerardo Lobo lo explica de esta forma:

Es, señora, el chichisveo
una inmutable atención,
donde nace la ambición
extranjera del deseo;
ejercicio sin empleo,
vagante llama sin lumbre,
un afán sin inquietud
que no siendo esclavitud
es la mayor servidumbre.
Es un enfático gusto,
gloriosamente empleado
en fomentar un agrado
sin las pensiones del susto;
es un rendimiento augusto
de una humilde vanidad,
donde la capacidad
con sus caudales se obliga
a la incesante fatiga
de una eterna ociosidad.

Y el padre Joseph Haro de San Clemente le trató como fuente de todos los pecados de la sociedad de su tiempo en un folleto titulado *El chichisveo impugnado.*

(1) En el cuadro *La familia de Felipe V,* de Van Loo, aparece una azafata con una chocolatera.

(2) *Coplas de Calaínos* son especies remotas y fabulosas. Moratín en *La Petimetra* dice:

Salieron muy mesurados,
cabizbajos y mohinos,
haciéndose de valientes
y murmurando entre dientes
las coplas de Calaínos.

BIBLIOGRAFÍA

El Pensador, 1762 y 1767. — CADALSO, C. M., BOURGOING. Ob. cit. — MARCOS ANTONIO DE ORELLANA: *El Correo Erudito,* t. II, pág. 114. — MORATÍN: *El viejo y la niña, La Petimetra.* — IRIARTE, T. DE: *Obras líricas* B. A. E. — R. DE LA CRUZ: *La maja majada, Las Preciosas ridículas, El Petimetre.* — SALCEDO RUIZ: ob. cit. — MARTÍNEZ RUIZ, A.: *El alma castellana.* — *El Pensador Matritense,* t. I. — L. AUGUSTO DE CUETO: *Prólogo Poetas líricos del siglo XVIII.* B. A. E. — HARO DE SAN CLEMENTE, J.: *El chichisveo impugnado.—El Pensador,* 1763.—CADALSO: *Eruditos...—Libro del Agrado.* Madrid, 1787.—*Zumbas.*—FEIJÓO: *Discurso de las modas.* Obras B. A. E.— A. MANUEL RUIZ, *Memorial de las damas arrepentidas de ser locas al tribunal de las juiciosas y discretas. Barcelona,* 1755.

Capítulo VIII

LA HUIDA DE LO NATURAL

El petimetre. — Es muy fácil que el cortejo de una dama sea un petimetre, porque éste dispone del tiempo necesario para poderla servir durante todo el día sin faltar a sus obligaciones, ya que no las tiene ni las ha tenido jamás. El petimetre acostumbra a ser de buena familia y a vivir para el mundo que le rodea, procurando asombrarle siempre con sus tocados, vestidos y porte. Es una imitación del francés (su nombre viene del *petit-maître*) y constituye una mezcla de dandy, Narciso y Casanova.

Su vestido. — Hay pocos documentos de la época en que no se trate del petimetre. Duro, en la *Historia de Zamora,* describe su traje:

«Hebilla enorme y zapato pequeño, medias blancas y brillantes, sin calcetines, calzón justo hasta la rodilla, traje verde inglés, magníficos botones con retratos, chaleco blanco bordado, tupé rizado, coleta corta, talle en los sobacos. Con eso y un gran sombrero deshilachado, una corbata que cubre el cuello de una ola de muselina, aguas de olor, rapé, capa escarlata, aplomo y mucho dinero, es petimetre quien lo desea.»

No basta con esto. Ha de vivir siempre a la moderna, como dice en *El Pensador* de 1763 un fingido petimetre:

«Me voy civilizando (como dicen los corteji-cultos) y dejando las ridículas vejeces de mis costumbres antiguas. He encargado a mi zapatero me haga los zapatos muy ajustados y con tacón encarnado. A mi sastre le he prohibido formalmente me haga la casaca más larga que una chupa y la chupa más larga que un chaleco. He recibido por peluquero a un pobrecito francés que gana su vida peinando a doblón de oro por peinado. También he recibido maestro de francés e italiano, no para aprender con designio de leer libros instructivos en estos idiomas, sino para echar unas frases italogalicanas con estilo entre pedante y erudito... Ya sé decir «bravo», «bella», «rifiuto», «principesca», «adorata regina», «troppo mi sdegno perche troppo t'adoro», «nell piu vivo del cuore», «charmante», «adorable», «sans retour», «plaisir», «maitresse», «volupté».»

Además tiene que atender a los consejos que Cadalso le da:

«Para ser buen patriota: Hablar mal de la patria, burlar de los abuelos, escuchar con resignación a peluqueros, maestros de baile, operistas y cocineros, sátiras contra la nación, hablar ridículamente mal trozos de lenguas extranjeras, olvidar la propia y hacer ascos de todo lo que ha pasado desde los principios hasta acá.»

«Para mantener el cuerpo físico bueno: Indispensables cuatro horas de mesa con variedad de platos exquisitos y malsanos, café que debilita los nervios (1), licores que privan la cabeza, juego que arruina los bolsillos, contrayendo deudas vergonzosas.»

«Para ser ciudadano útil: Dormir doce horas, gastar tres en el teatro, seis en la mesa y tres en el juego.»

«Para ser buen padre de familia: No ver en meses enteros a vuestra mujer sino a las ajenas, arruinar vuestros mayorazgos, entregar vuestros hijos a un maestro alquilado o a vuestros cocheros, lacayos y mozos de mulas.»

«Para ser hombre grande: Negarse al trato civil, arquear las cejas, tener grandes equipajes, grandes casas y grandes vicios.»

«Para contribuir al adelantamiento de las ciencias: Perseguir a los que las cultivan y despreciar a los que quieran dedicarse a cultivarlas, y mirar a un filósofo, a un poeta, a un matemático, a un orador como a un papagayo, un mico, un enano y a un bufón.»

Por la noche el petimetre, según *El Pensador,* «duerme con guantes para conservar la blancura de las manos, y con papeles puestos en el pelo para que se mantenga el rizo; y no falta alguno que conserva aún por la mañana tal reliquia de los emplastos en que ha puesto su rostro en confusión toda la noche. Antes de levantarse de la cama consulta con su criado el vestido que debe sacar a la luz en aquel día, y acabada felizmente la conferencia sale de su lecho a pensar en nuevas necesidades».

Su tocador. — Según el *Libro del Agrado* (1787) el tocador ofrece:

«Un peine para cada día, un grande espejo, botes de

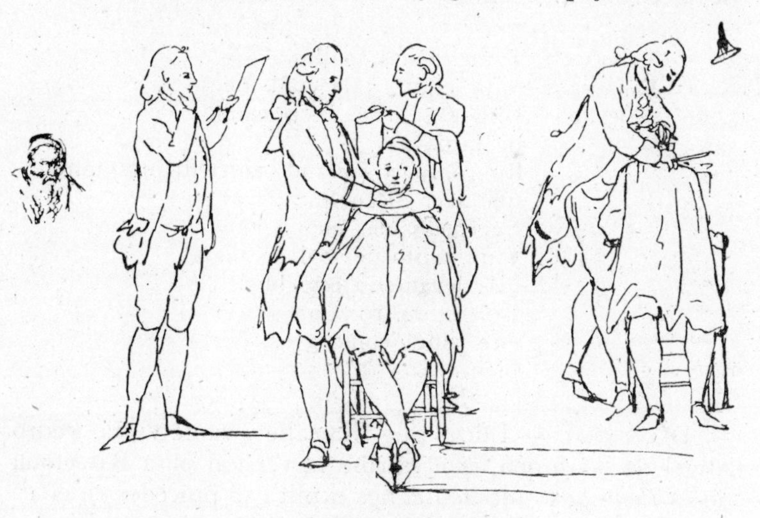

En la barbería
Dibujo de A. Casanovas

cristal y de Talavera con diversas pomadas, particularmente la de la Mariscala, la Duquesa, Artea, Tranchipana y otras; cabos de olor, cajas de jabón blando, con sus cepillos, esponjas y palillos para limpiar los dientes, pomada para los labios, salserilla, alfileres grandes y chicos, tenacillas de rizar, cuchillos, tijeras, escobillas de cerda y otros mil enredos puestos con pulcritud.»

Según *El Pensador,* el pelo...

«...se carga de sebo y manteca, se llena de polvos el rostro y la cabeza. En esto se pasa media hora, y después entra el peinado de «ala de pichón», de «grano de espinacas» o de alguna de aquellas modas... En fin, cuando se cree que el tocador esté y sólo le falta para lograr desmentirle enteramente su sexo, colocar un poco de color en las mejillas y un par de lunares en paraje que hagan gracia y simetría, repara en un rizo que no está puesto con arte.»

El lenguaje que entonces se emplea nos lo dice Ramón de la Cruz en el sainete *El Petimetre* (1764):

SOPLADO: Tararira, las toallas
TARARIRA: Aquí están. ¿De cuál manteca?
SOPLADO: Ninguna; trae la pomada
de jazmines.
Ro, ro, ro, ro (rezando entre dientes) mirad
que ayer dicen que llevaba
tres pelos más en un lado
y un canto de real de plata
más levantado este bucle.
Ro, ro, ro, ro. Con gracia
este tupé; como ayer,
bien...

DÍA SOCIAL. — Luego sale a la calle y va de visita. Pedro Ángel de Tarazona, que escribe la versión para Barcelona de *El Pensador Matritense,* nos explica su proceder en ella:

«Preséntase a hacer a Vms. la corte un joven bien hecho, blanco, de bellos colores, con una de aquellas fisonomías dichosas que previenen a favor de quien las posee y, en fin, de figura recomendable y elegante, pelo propio, cortado y peinado con mucha gracia, y vestido con todo el aparato y rigor de la última moda. Siéntase al lado de una

"Riña de Majos". Estampa anónima iluminada de la época.

M.º Municipal-Madrid

"La gallina ciega". Las damas rehuyen la persecución del invidente voluntario. En el suelo capas, tricornios y abanicos abandonados por el juego.

M.º Municipal-Madrid

La navaja en ristre, la expresión audaz que se adivina en los labios y una mujer sonriendo satisfecha en medio de la escena.
Ilustración al sainete "Manolo" de *R. de la Cruz*.

dama, salúdala con frialdad o no la saluda. Celébrale la señora el peinado y responde que está para servirla. Alábale el gusto del vestido; pregúntale de dónde es la tela y responde que de la fábrica. Se entretiene en renovar los dobleces de las vueltas, estírase la chupa, pone en orden la casaca para que no se aje el tontillo y se queda embelesado contemplando su hermosura en un espejo que tiene enfrente.»

Pero, cuando se decide, el baile es plaza ganada.

«Sabe de memoria todas las contradanzas corrientes y para las que no son de tabla trae en el bolsillo un tomo de contradanzas inglesas que es toda su biblioteca y en que hace todo su estudio. A más de esto, sabe el modo de dar impulso violento a las «ruedas», aunque sea con peligro de hacer caer un par de señoras.»

«Las academias de música no le son menos favorables. Aprende media docena de arias de aquellas que están en mayor auge en la estación; canta algunas de ellas cada semana y procura tener alguna nueva a quien da honores y título de favorita y que, por lo mismo, logra el privilegio de ser repetida cien veces.»

«Otras veces va a la Comedia. Entra de aventurero. Pide la lista de los aposentos; encuentra los nombres de tres o cuatro personas que, por efecto de urbanidad y buena educación, le han dado alguna vez los buenos días. No necesita más. Toma de memoria los números y sin otro ceremonial que el de su fatuidad va pasando revista a todos e incomodando a gentes que no han pensado en asociarlo a sus diversiones ni echarían de menos su compañía.»

Según el *Libro del Agrado,* «para ser petimetre conviene ser una figura de movimiento: no obrar sino por resortes; pasear sucesivamente dos o tres cajas sobre sus manos y sacar tan pronto una muestra inglesa como una de París. Es conveniente tener la primera estofa que se fabrica cada año en León (Lyon) y mirar con desprecio todo vestido que no sea nuevo. Componer a menudo sus encajes y saberlos poner con ostentación, extender un gran pañuelo bañado en agua de olor y sonarse con gracia y fuerza al mismo tiempo.»

El petimetre no puede llevar un reloj. Como mínimo han de ser dos y en ellos una tienda completa de dijes: allí hay almanaques, regaderas, faroles, bellotas, violines, arpas, libros de memorias, llaves y campanillas.

Su lema y su guía en la vida es el «buen gusto», que se define así en el sainete de R. de la Cruz:

MODESTO: ¿Y qué es buen gusto?
ZOILO: Yo os lo diré: una fantasma
que como a los racionales
entes les anima el alma,
a los entes petimetres
anima invisible, para
que se esfuercen en salir
de las jerarquías bajas
de su especie, hasta ocupar
la sublime; y se señalan
estos felices sujetos,
ya en la hechura de las cajas
que llevan, ya en los relojes,
ya en la conducción gallarda
del aire de la figura,
ya en la guarnición extraña
y colores del vestido;
ya, finalmente, en la gracia
inconcusa con que se hacen
preferir de las muchachas.

El antiguo culto al honor se desprecia. Los petimetres no admiten su necesidad:

ya nadie al vernos se espanta,
pues yace oculto de miedo
el duelo o la patarata
de aquel honor, que fundaron
en ser las doncellas castas,
muy religiosas las viudas,

recogidas las casadas,
los ancianos venerables,
los niños de cera blanda,
los hombres ingenuos y
muy hombres de su palabra.
Que porque me dijo mientes...
porque me sopló la dama...
u otras tales bagatelas,
¿he de andar a cuchilladas?
¡Hubo entre nuestros antiguos
gentiles extravagancias!

LA IRRELIGIÓN. — Es evidente que el Petimetre no puede ser religioso; le tira demasiado lo humano, mejor la espuma de lo humano, para poder pensar en lo divino. Si sigue yendo a misa o rezando sus oraciones lo hace en virtud de la fuerza de la costumbre inculcada por sus padres, pero sin ninguna voluntad. Cuando los amigos van a ver al Petimetre, protagonista de D. Ramón de la Cruz, le dicen:

ZOILO: Nuestra visita embaraza
y más que estabais rezando.
LOS TRES: Adiós.
SOPLADO: No, que por nada
me podéis dar sujección
vos, siendo de confianza,
y el rezo ya está acabado (tira el libro).
PELUQUERO: ¡Y con qué devoción! Vaya,
¡que edificará a cualquiera!
SOPLADO: Y cuando no se acabara,
esto se hace el día que uno
se está por demás en casa
un rato.

Y el *Libro del Agrado* comenta:

«Ya hace tiempo que es moda hacer burla de un hombre que no come carne los viernes; que se arrodilla delante de Dios y que va a misa a otra cosa que a recibir la bendición; que toma agua bendita y que no tiene la vista ocupada con mirar a una y otra parte hasta registrar bien si hay alguna dama a quien hacer cortesía o con quien entablar conversación para no fastidiarse demasiado en la iglesia...»

La gracia está en «gritar que las regiones no son más que una política, que son la polilla de los Estados, la ruina de los imperios y la carcoma de sus vasallos; que lo mismo es ser turco que cristiano con tal de que sea hombre de bien».

«El poderoso — dice Cadalso en sus *C. M.* — toma café de Moka en taza de China; lleva camisa de Holanda tejida en Lyon de Francia, lee un libro encuadernado en París, viste en la dirección de un sastre peluquero francés, sale en coche pintado en París; va a comer en vajilla labrada en París y Londres las viandas calientes y en platos de Sajonia o China las frutas y dulces. Paga a un maestro de música y otro de baile, ambos extranjeros, asiste a una ópera italiana o a una tragedia francesa.»

BARBAS Y TRADICIÓN. — *El Petimetre* de R. de la Cruz odia la cara poblada:

> Parece se ha propagado
> el cultivo hasta las caras:
> aquel bruto desaliño
> del cabello y de la barba,
> que hacía nuestra nación
> tan terrible a las contrarias,
> ya dócil a beneficios
> del jabón y las pomadas,
> por donde quiera que vamos
> van diciendo nuestras fachas
> que somos gente de paz.

En *El deseo de seguidillas,* en cambio, el protagonista ama la tradición y dice de los barrios bajos:

> PEDRO: Y sobre todo
> y discurro cuando veo
> aquellas mujeres bravas

y diligentes, aquellos
hombres tan mal afeitados,
y aquellos chicos en cueros,
que así como a las montañas
de Asturias se recogieron
los últimos godos, por
temer de los sarracenos
el mayor poder, así
se albergan a los extremos
de Madrid las pocas barbas
que nos han quedado, huyendo
la inundación de bellezas,
modistas y peluquero
que han arrasado el bigote
de la patria a sangre y fuego.

La Petimetra. — El Petimetre masculino tiene su réplica en el sexo contrario. La Petimetra en quien se ensañará también la literatura del tiempo tiene las mismas características generales del Petimetre, esto es, afectación en el traje y en los modales, un deseo extraordinario de gustar y de figurar en los salones, una absoluta ignorancia... Su aspecto, según el periódico *Zumbas*, de 1788, es el siguiente:

Sobre la ceja el erizón batido,
pelo suelto a la espalda, y desatado,
cintillos tres de acero pavonados,
con tal que haga castaña el más caído.
Dos grandes bucles sobre el cuello erguido,
pañueleta, sombrero aturbantado,
reina de «grodetur» tornasolado,
y corsé de hebillaje bien bruñido.
Con esto, pues, y con gastar calzones,
abanico de cisnes, falda poca,
parches calados, ricos sortijones,
almizcle y zapatito de ancha boca
la tarántula al pico, y con botones,
es grande petimetra la más loca.

D. Ramón de la Cruz retrató el tocado de esa clase de damas en *La Petimetra* (1762):

ÁGUEDA: ¡A las doce sin peinar
y hay concurrencia esta noche
en casa de doña Inés!
¡No hay paciencia!

BEATRIZ: No se enoje
usía, que aunque no venga, (se refiere al peluquero francés)
fácilmente se compone,
y en ahuecando los bucles...
así como están, las flores.
y los polvos taparán los defectos.

ÁGUEDA: Ni los nombres
¿Yo había de llevar peinado
remendado, y más, adónde,
fuera de unas tres o cuatro,
van las que mejor se ponen
de Madrid?

...Desde el coche
el otro día en los altos
distinguí unas diez o doce
que se peinan de criada.
...¡Qué tarde y qué mal se imponen
las criadas en la moda!

El Pensador de 1767 ataca el peinado de las mujeres:

«Un peinado compuesto de multitud de bucles que imitaban a las tiendas de campaña y con los cuales se figuraba un campamento con un foso, calles, plazas, cuartel general, guardias avanzadas y centinelas perdidos y en vez de penacho formó en la fachada una Venus hecha del mismo pelo, sentada en una concha marina, tirada por dos cisnes y acompañada de las Gracias.

»Lo que da menos trabajo son los bucles a la greca, cifras, lazos, rosas, tulipanes. Con ella va a todas partes un peluquero por si se le desarregla un bucle.»

El peinado bajo es usado por la gente vulgar. *La Petimetra* de Moratín dice:

Quisieras que me peinara
con bolsa, moño y rodete,
o que anduviese el copete
ofuscándome la cara.

También se depila:

Anita, digo que ahora
quitarme el vello es mejor,
antes que venga más gente.
ANA: ¿Pues qué, no se quitó ayer?
JERÓNIMA: No importa, que da en crecer,
y apenas tengo los veinte,
trae el vidrio si te place,
si no, con pez o con cera.
ANA: ¿Tengo mi madre vellera (2)
y no sabré cómo se hace?

Las cejas se llevaban cuidadas. Feijóo se asombra: «¿Quién creerá que hubo siglo y aun siglos en que se celebró como perfección de las mujeres el ser cejijuntas?»

LA JORNADA DE LA PETIMETRA. — Y en las *Preciosas ridículas* (1767), versión casi literal de la obra de Molière, dice uno viendo el tocador de una petimetra:

...no veo
otros muebles que pomadas,
leche virginal, mantecas,
manos de carnero, claras
de huevo y otros menjunjes.

El Pensador (tomo II) es aún más cruel: «Levántase por la mañana una de estas que presume de tales y a quienes una cierta riqueza o el capricho de alguno ha puesto, como suele decirse, en chapines. La primera diligencia es tomar chocolate. Las que son aseadas suelen pedir agua para lavarse y se lavan en efecto, pero éstas son el menor número y sólo aquellas faltas de noticias que no han cursado en la escuela del buen parecer ni saben las reglas de conservar la belleza. Las que entienden siguen otro rumbo. Un pedazo de bayeta, humedecido, y no con agua, les sirve de Jordán sacrificando un poco de porquería al ídolo de conservar la tez.»

«Adercas, ungüentos y salserillas... Da Madama una vuelta a su casa con pretexto de ver si reina en ella el orden y el aseo; pero, en la realidad, sólo para hacer un poco de ejercicio y digerir el chocolate; empieza a reñir a criados y criadas; nada está bien puesto, nada a su gusto. La criada se ha levantado tarde; el cochero no ha venido a tomar la orden; el lacayo se ha dejado una ventana abierta, el paje ha olvidado escribir el papel a una amiga y el comprador no ha venido aún de la plaza. Hay gritos, juramentos y maldiciones... Todo se revuelve... La señora trata a sus criados de «enemigos precisos» y ellos, por consecuencia forzosa, le miran como a enemiga. Díceles palabras injuriosas y ellos le responden sin decoro... Suspéndese por un rato esta gresca y pasa Madama al tocador. Supónese que entran en él las visitas que de otra manera no sería posible que sufriera las dos horas del martirio cuotidiano, ni las cuatro que corresponden al peinado de primera clase con rosas y claveles.»

«Empieza a vestirse... frioleras y dijecillos en su adorno... Todas estas serias ocupaciones suelen terminarse por enviar una docena de recados y papeles inútiles a otras tantas amigas para avisarlas que Madama se queda en casa, que va a paseo o que se verán en tal visita: saber qué noticias hay del marqués o cómo ha llegado el conde y preguntarse recíprocamente por el estado de su salud, aunque se hayan visto la noche antes.»

«Conclúyese el ceremonial para Madama en el cuarto de conversación que es el de la chimenea en invierno y alguna pieza fresca en verano. En ésta no la acompaña más mueble que el abanico y la Dama pasa el resto de la mañana haciéndose aire muy satisfecha de haber empleado dignamente su tiempo. En la de la chimenea suele hacerle compañía un saco de labor o una almohadilla; alhajas ambas de tanto uso como los espadines de nuestros petimètres. Pero en ambas partes es igual la conducta y se ven los mismos efectos de la ociosidad. Se preguntan noticias y se saben embustes. Se suelta las riendas a la vanidad y a murmuración y se saben las personas decentes y caracterizados que entran en la villa para enviarles recado de llegada; a éstas a fin de que vengan a hacer la corte y a aquéllas por tener esquela de convite si dan alguna diversión de baile o misiva.»

«Llega la hora de comer y ordinariamente se sirve en mesa poco limpia una comida grosera y mal sazonada. Nuestras Damas por la mayor parte no son las más aseadas y las que se pican de más pulcras suelen contentarse con serlo en los zapatos, los vuelos y el escote. Prefieren una bata rica al placer de tener a un amigo a la mesa.»

Otras, según el mismo autor...

«Duermen la siesta, se van al paseo o se pasan la tarde de comedia o de visita; y como si este género de vida las dejase demasiado tiempo de que disponen y no supiesen en qué emplearlo, se ponen a jugar para llenar este hueco y logran por este medio aumentar su corte y juntar una sociedad tanto más numerosa cuanto el necio y el hombre de talentos hacen igual figura alrededor de una mesa de revesino. Llega la hora de retirarse y lo hacen citándose para el día siguiente en que continúa la misma vida.»

En fin, «todas necesitan abjurar de lazos, piochas, abanicos, navíos, garzotas, herraduras, sombreros», «colocar en la cabecera del estrado y en el mejor lugar del gabinete la memorable imagen de la Modestia y mandar pintar en los frisos y biombos, como figura despreciable y mamarracho extranjero, a la Moda», según frase del *Memorial de las damas arrepentidas de ser locas al tribunal de las Jui-*

ciosas y Discretas, que publicó en Barcelona y en el año 1755 don A. Manuel Ruiz.

LA PETIMETRA EN LAS LETRAS. — Naturalmente las petimetras no leen porque la vida de sociedad no les deja tiempo para ello, ni su cerebro se lo exige. Pero a veces gustan de saber cosas y discutirlas, ya que la cultura en cierto modo está a la orden del día. Para ello el *Libro de la Moda* ya citado da una fórmula:

«Quisiera que en cada abanico se pintase un libro en donde se escribiesen todos los extractos de los que al presente se imprimen. Las Damas que no tienen tiempo de leer y que aprecian tanto hablar de ciencia y literatura, habrían hallado el modo de brillar y de instruirse refrescando sus hermosas caras.»

Para este público *snob* y fácil al elogio, dicta Cadalso a los filósofos unos cuantos consejos:

«Si en el concurso vierais algunas damas atentas a lo que decís, lo que no es del todo imposible, como no vaya por allí algún papagayo con quien hablar, algún perrito a quien besar, algún mico con quien jugar o algún petimetre con quien charlar, ablandad vuestra erudición, dulcificad vuestro estilo, modulad vuestra voz, componed vuestro semblante y dejaos caer con gracia sobre las filósofas que las hubo de todas sectas y dejando pendiente el discurso, idos a casa y sin dormir aquella noche (a menos que se os acabe el velón, en cuyo caso será preciso que esperéis hasta que amanezca) y tomad la obra citada (*Severian,* Amsterdam) y copiar la lista... Notad que entre las filósofas la secta mayor fué la de las Pitagóricas, porque sin duda (diréis con gracejo, haciéndoos aire con algún abanico si es verano y calentándose la espalda a la chimenea si es invierno o dando cuerda a vuestro reloj, que habréis puesto con el de alguna dama de la concurrencia o componiéndoos algún bucle que se os habrá desordenado o mirando las luces de los brillantes de alguna piocha, o tomando un polvo con pausa y profundidad en la caja de alguna señora o mirándoos a un espejo con postura de empezar el amable) sin duda — diréis haciendo alguna cosa de estas o todas juntas —, porque el sistema de Pitágoras trae la metempsícosis, transmigración o, vaya en castellano una vez y sin que sirva de ejemplar para en adelante, el paso de un alma por varios cuerpos, y esta mudanza debe ser favorita del bello sexo. Veréis cómo todas se sonríen y dicen: ¡Qué gracioso! ¡Qué chusco! Unas dándoos con sus abanicos en el hombro, otras hablando a otras al oído con buen agüero para vosotros y todas muy satisfechas de vuestra erudición.»

El currutaco. — Un tipo que coincide en ciertos aspectos con el del Petimetre es el del Currutaco. Sin embargo, tiene dos cosas que le distinguen de él. Lo primero es su carácter nacional, sin proceder de moda alguna extranjera. Lo segundo es su afectación, que radica más en el porte y la expresión que en el traje y peinado, aunque éstos sean cuidados y perfilados.

En el *Libro de la Moda,* Madrid, 1796, citado por Desdevisses du Dézert, se dice que el currutaco era una criatura etérea: «Su delicada, menuda, tenue máquina no se mantenía más que con la ayuda de jugos, espíritus, esencias, conservas, bombones y licores; tragaba, chupaba, bebía, saboreaba, jamás comía. Cultivaba cuatro profundas ciencias cuyo conocimiento le aseguraba una gran superioridad sobre el resto de los humanos. La ciencia «toeletaria» le guiaba en la elección de sus trajes, la «umbelaria» le enseñaba a llevar bien el sombrero, la «miroaria» a consultar su espejo, la «incedaria» le daba un aire distinguido.»

«Cuando va al Prado su paso se compara a un pasaje de Homero y Virgilio. Para lograr este efecto se pasaba dos horas ante el espejo andando con trabas en los pies. Lo elegante era aparecer en la Puerta del Sol entre una y dos, decir en voz alta algunas palabras en francés e italiano y desaparecer como por arte de magia.»

Sepúlveda en su *Madrid viejo* dice que el currutaco jamás hablará de la misma manera que los demás mortales y que si necesita lumbre para su cigarro lo expresará de esta forma:

—¿Tiene usarcé la dignación de comunicarme sus ardores fumacéricos para saciar mi apetito impúdico?

A lo que el otro, si es currutaco, debe contestar:

—Ya sabe usarcé que tengo el cofrecillo de sus mandatos a la zaga de mi obediencia.

EL EXCESO VERBAL. — No eran sólo los currutacos los que se gozaban en emplear palabras de tono literario y difícil. Se había formado a lo largo del siglo una capa de individuos que se creían superiores por su altura intelectual y pretendían hacer más ancho el abismo que les separaba de los demás mortales con sus expresiones selectas.

Ya hemos citado algunas de las que da el «Fray Gerundio». Veamos estas otras: a la tinta se la llama «alio licor de la verrugosa agalla»; al tintero, «cóncavo aéreo vaso»; al papel, «cándido lino triturado»; a la pluma, «aquilífero pincel», y a las letras, «rasgos caduceos».

Asimismo se hace extensivo hasta el ridículo el encomio y la alabanza. Según el padre Isla, las dedicatorias deben ser del estilo siguiente. Si hay que dirigirse a un militar, se ha de decir: «Al Jerjes español, al Alejandro andaluz, al César bético, al Ciro de Genil, al Tamberlán europeo, al Kauli-kan, al Marte no fabuloso, a don Fulano de Tal, capitán de caballos ligeros del regimiento de Tal».

Cuando es al Rey: «Al poderoso emperador de dos mundos; al émulo del Sol, Febo sublunar en lo que domina, como el celeste en lo que alumbra; al archimonarca de la tierra... al depósito real de la clemencia, al coronado archivo de la justicia, al sacro augusto tesoro de la piedad, al escudo imperial de la religión; al pacífico, al benéfico, al magnético, al magnífico, al católico rey de los españoles, Fernando el Sexto, pío, feliz, siempre augusto, rey de Castilla, de León, de Navarra, de Aragón, etc., e ir prosiguiendo así hasta el último de sus reales dictados».

En todos los aspectos de la vida española existe la misma inflación de palabras. Según Cadalso *(Cartas Marruecas),* los títulos de los libros aparecidos entonces se parecen a estos: *Médula eutrapélica que enseña a jugar a las damas con espada y broquel añadida y aumentada; Arte de bien hablar, freno de lenguas, modelo de hacer personas, entretenimiento útil y camino para vivir en paz; Nueva mágica experimental y permitida; Ramillete de selectas flores así aritméticas como físicas, astronómicas, astrológicas, graciosos juegos repartidos en un manual Kalendario para el presente año 1761.*

El amor a lo extranjero. — La afectación del lenguaje se apoya casi siempre en la expresión extranjerizante. En su empeño de distinguirse del pueblo, los cultos del siglo XVIII toman sus locuciones principalmente del país vecino, árbitro de la elegancia. Mientras todos los viajeros que llegan a España destacan como cosa típica el odio hacia Francia a pesar de la alianza Borbón y de los Pactos de Familia, odio que estallará en la guerra del 93 y luego en la de la Independencia, los petimetres y currutacos viven al socaire de la vida francesa imitando sus palabras y su forma de vivir, comer y vestir. El desprecio a lo tradicional y el amor a lo extraño está reflejado en las palabras de «D. Zoilo», en *El Petimetre,* el sainete ya citado de don Ramón de la Cruz:

Zoilo: Pues yo traía ya echada
la cuenta de no pararme
en Madrid ni una semana,
pero en estos cuatro días
he observado que se halla
digno tal cual de que yo
la habite. Está adelantada,
en lo que cabe, la gente.
Ayer comí en una casa,
y estuvo aquello mediano;
no hubo las extravagancias

de la sopa guarnecida,
ni lo del pichón por barba.
Había un lindo trinchero
de menestra, otro de pasta,
un fricasé, una compota
y una o dos pollas asadas
que para quince de mesa
es comida muy sobrada.
Ya le amanece el buen gusto
en el mueblaje; las casas
se adornan de cornucopias,
en vez de petos y lanzas,
y ya ven los españoles
que el papel y las indianas
para vestir las paredes
les hacen muchas ventajas
a los cuadros de Velázquez,
Cano, Ribera, que llaman
el Españoleto, y otros
pintorcillos de esta laya.

«Quejaos muchas veces — aconseja Cadalso a los eruditos a la violeta — de la pobreza del castellano y decid que Carlos V fué un majadero en publicar que este idioma era el mejor para hablar con Dios, sin duda porque creyó hallar en él mucha majestad, abundancia, dulzura y energía. Decid que no tenemos en español palabra que signifique las siguientes francesas: *Papillotage, coqueterie, persiflage,* y otras varias de esta importancia. Irritaos cuanto pueda un sabio contra los españoles que pretenden ser su idioma capaz de todas las hermosuras.»

También da unos consejos para viajar:

«1.° No sepáis una palabra de España y si es tanta vuestra desgracia que sepáis algo, olvidadlo por amor de Dios, luego que toquéis la falda de los Pirineos.

«2.° Id como bala de cañón desde Bayona a París y, luego que lleguéis, juntad un consejo íntimo de peluqueros, sastres, bañadores, etc., y con justa docilidad entregaos en sus manos para que os pulan, labren, acicalen, compongan y hagan hombres de una vez.

«3.º Luego, presentaos en los paseos, teatros y otros parajes afectando un aire francés que os irá perfectamente.

«...5.º Volveréis a entrar en España con algún extraño vestido, peinado tonillo y gesto; pero sobretodo haciendo tantos ascos y gestos como si entrarais en un bosque o desierto. Preguntad cómo se llama el pan y agua en castellano...»

GALICISMOS. — La forma afrancesada es corriente en estos estratos de la sociedad Ramón de la Cruz la utiliza en *La Batida* (1761) al decir:

—Pues alons y sea diciendo
que suene de la tropa el marcial eco.

El *Hospital de la moda,* estrenada el año siguiente, constituye una sátira vivísima de los galicismos utilizados en la conversación:

CRÍTICO: *Y bien, madama,* esta noche
¿cómo sale usted del fuego?
CRÍTICA: *He venido a perder nueve*
pesetas que *hice de resto.*
CRÍTICO: Pues tuvo usted con don Pedro
una mano remarcable.
...Señora
este modo de bracero
es antiguo.
CRÍTICA: Vaya a la
francesa que es más moderno.

* * *

DENGOSA: ¡Ay, que me ahogo!
PETIMETRE: Ese es flato.
DENGOSA: No sea usted majadero,
que éste es término ordinario.

Lo que es el flato en los viejos
es histérico en las damas.

PETIMETRE: ¿Habréis hecho algún exceso?

DENGOSA: Cinco tazas de café,
porque aunque con él me quemo
¿qué dama hay que no lo tome?
y a la hora del refresco
unos diez vasos de helados.

SASTRE: ...Si ha de hacerse a la francesa
seis doblones, nada menos.
Si a la española, un doblón.

Expresiones muy manidas en el siglo XVIII, según Cadalso, eran: *Sanspareilles,* por *sans pareils,* sin parecido, sin igual. Unos polvos famosos tenían este nombre. También se empleaba *apartamento, mediodía* y *medio, deshabillé, bonete de noche, tour, toaleta, un poco de mundo, mediator* (de *mediateur,* juego de naipes) y *de piquete* (*piquet,* juego de los cientos), *él viene de arribar de París,* la *crapaudine, perdí mi todo.* En teatro se decía que los actores eran *pitoyables,* el autor *extremoso, proveniente, tomé de la limonada, mi primo ha dejado a la joven persona,* etcétera.

LA MUJER AFRANCESADA. — Como es natural, la petimetra siguió los pasos del varón con mayor entusiasmo si cabe porque en París encontraba las modas y vestidos que habían de darle primacía sobre las amigas. En *La visita de duelo,* de R. de la Cruz, la acotación dice:

«Sale doña Mariana de luto y sin hablar va dando las manos a todas con una cortesía a la francesa y se sienta en medio callando por un rato.»

Y el padre Isla comentaba el hecho en *Fray Gerundio* (libro IV, cap. X):

«El contagio francés ha inficionado con mucha especialidad a las mujeres inclinadas a libros... Teníase por vulgar la que no empedraba de griego las conversaciones... (igualmente ahora) están ciegamente apasionadas por cuanto ven, oyen, leen, con tal de que venga de la otra parte de los Pirineos.»

Y hace una parodia de la sátira 6.ª de Juvenal:

> Otros defectos tienen no crecidos,
> mas serán unas bestias sus maridos
> si los sufren y callan;
> pues cuando piensa se hallan
> con mujer andaluza o castellana,
> sin sentir de la noche a la mañana
> se les volvió francesa,
> por cuanto dicen que la moda es esa.
> Amaneció contenta con su doña,
> y acostóse Madame de Borgoña,
> pues aunque su apellido es de Velasco,
> comenzó a causarle asco
> cuando supo que en Francia las casadas
> están acostumbradas
> a dejar para siempre su apellido,
> por casarse aun así con el marido;
> y suelen ser más fieles con el nombre
> las que menos lo son con el buen hombre.
> La que nació en Castilla,
> aunque sea la nona maravilla,
> no se tiene por bella
> mientras no hable como hablan en Marsella.
> La extremeña, manchega y campesina,
> afecta ser de Orleans. La vizcaína
> entre su Jaincoa y Etcheco Andrea
> nos encaja un Monsieur de Goicochea.
> Muy preciados de hablar a lo extrangero
> y no saber su idioma verdadero.
> Yo conocí en Madrid a una condesa
> que aprendió a estornudar a la francesa;
> y porque otra llamó a un criado chulo,
> dijo que aquel epíteto era nulo
> por no usarse en París aquel vocablo;
> que otra vez le llamase «pobre diablo»,

y en haciendo un delito cualquier paje,
le reprendiese su «libertinaje».
Una mujer de manto
no ha de llamar al Papa el Padre Santo
porque, cuadre o no cuadre,
es más francés llamarle Santo Padre.
...Llamar a un pisaverde, pisaverde,
no hay mujer que de tal nombre se acuerde;
petimetre es mejor y más usado,
o por lo menos más afrancesado.
«Ya hice mis devociones»
por «ya cumplí con ellas», ¡qué expresiones
tan cultas y elegantes!
Y no decir, como decían antes,
«ya recé», frase baja, voz casera
sufrible sólo en una cocinera.

MAJOS, MAJAS Y MANOLOS. — El deseo de excepción produce en la alta sociedad del dieciocho dos orientaciones contrarias. Por la primera nacen los elegantes, los refinados que procuran alejarse de la realidad circundante, de lo normal, por la evasión hacia arriba. Son los petimetres, los currutacos. Se consideran incomprendidos y odian al pueblo.

Pero otro sector reacciona de forma completamente distinta y juega a apueblerarse, a vestirse y a proceder como las gentes de los barrios bajos, y ésta también puede ser imitación española de aquella moda francesa del hombre natural y de la vida sencilla, la moda que obligaba a María Antonieta en el «Petit Trianon» a vestir y a proceder como pastores, juegos bucólicos en los que la seguían las mejores familias de Francia.

Igualmente en España. Salcedo Ruiz señala que desde los últimos tiempos de Carlos III veníase notando «un achabacanamiento en las clases altas, una tendencia singular al trato de la gente ordinaria, a reírse y celebrar sus chistes, casi a vivir su vida en lo que es posible y cómodo.»

De imitar a alguien del pueblo que sea lo más curioso y característico de él. Y nace el culto a los majos. «La voz

— también Salcedo Ruiz — proviene de la palabra «maya» y maya era la niña o moza que en las fiestas de mayo se vestía con galas ricas de novia y se sentaba en un asiento o trono callejero, mientras otras muchachas pedían dinero a los transeúntes para celebrarlo luego, merendando todas en amor y compañía. La fiesta era general en España. Vargas dice:

> En prueba de que soy bella,
> sabe que he sido la maya,
> debajo del alamillo
> de la puente segoviana;
> que el rey Felipe III,
> que tiene de galán fama,
> prendado de mi hermosura
> arrojó el oro a mis plantas.
>
> (D.° de Autoridades.)

Y en su entremés «La Maya», Quiñones de Benavente hace explicar a la protagonista cuál es su cometido:

> ¿Cuál de vosotras quiere hacerse maya?
> ¿Calláis? ¡Qué linda cosa!
> Yo lo seré que no soy melindrosa.
> Poned mesa y tomad tohallas y plato,
> y a los que pasan dadles un mal rato;
> cercad al más amigo,
> decid que entre al portal a ser testigo,
> y en entrando, con grita, risa y vaya
> pedid para la maya;
> que viéndose de damas rodeado
> de vergüenza os dará si no de grado,
> que el achaque de maya aquestos días
> es cazar con hurón, amigas mías.

Así nació la palabra maya, que acabó en maja y que representaba, no sólo la mujer que se engalana rumbosamente para que todas la miren, sino también la que no se avergüenza de solicitar y tiene presencia de ánimo para contestar a las chuscadas de la gente requerida. Es decir, las atribuciones que luego pasaron al majo (3).

Majos y majas había en todas partes. No pasaba lo mismo con el *Manolo,* que sólo vivía en Madrid y se llamaban así los que se reunían en el campillo de Manuela, famoso sitio del Avapiés. En cuanto a las voces, algunas veces sinónimas, de Chisperos y Curtidores, etc., correspondían sencillamente a sus oficios.

«El Manolo — dice Mesonero Romanos en *El antiguo Madrid* — es el verdadero madrileño, arrogante y leal, temerario e indolente, sarcástico y medio revolucionario, desdeñando la suerte y riéndose de la desgracia, mezcla de fatalismo oriental, de vanidad, de pereza y de valor español.»

«Salía — añade Sepúlveda — de las calles «del Beso», del «Nardo florido», de la «de las Pulgas», de «Enhoramala vayas», de «Sal si puedes», acompañado de su amiga o novia. Caminaba vanidosa y lentamente, llevando el estrecho calzón, chupetín o chaleco pequeño, chupa o jubón con botones de filigrana. En la cabeza una red de seda y el sombrero redondo y alto. Una navaja en la cintura. A su lado la mujer iba con su falda corta y ancho volante, cuerpo escotado y de manga corta, medias blancas, chaqueta bordada, mantilla y su mata de cabellos negros sujetos por la alta peineta. Sentía el orgullo de su condición y de su amor, porque como dice Mariana en *Los baños inútiles* de Ramón de la Cruz:

> ¡Clarito! Yo sólo gusto
> de uno que es hombre de veras
> y sabe a cada suspiro
> apagar un par de velas.
> Los demás que andan por ahí
> con pasos a la francesa,
> suspiros a la italiana,
> embeleso a la flamenca
> y voz a lo portugués,
> no son hombres que me petan;
> porque a quien come alfeñique
> le duelen después las muelas.

Como se ve, esta actitud es la réplica nacional entrañada en el bajo pueblo al extranjerismo que hemos visto antes. También el hombre está contento de la diferencia y en *La maja majada,* del mismo autor, se expresa así:

> Una mujer idolatro,
> porque las majas
> corresponden con todas
> sus circunstancias,
> y en las Usías
> son las correspondencias
> falsas o tibias.

En *El majo de repente* (R. de la Cruz) hay un diálogo de majos:

CORONADO: ¡Debe
de ser el niño salado!
FABRICIO: ¿Habla usted de mí?
CORONADO: De usted.
FABRICIO: ¿Y en qué tono?
CORONADO: De canario.
FABRICIO: Usted es chusco, y con la gente
de ese humor yo no me hablo,
que soy serio.
CORONADO: Yo también.
FABRICIO: ¡Válgame Dios, y qué largo
es usted!
MART.: Yo soy más corto.
FABRICIO: Le entrará a usted menos paño
en una capa.
MART.: ¡Parece
que es usted algo alentado
y de bríos!
FABRICIO: No, señor.
MART.: Me lo habían informado.
FABRICIO: Sería en chanza, y si no,
para que vea que es falso,
vámonos hacia el canal
u otro sitio retirado,

con armas o puño a puño,
como usted esté acostumbrado,
y así en mí verá que no hay
aliento, fuerza ni manos.

En lo que el lector hallará los precedentes de las hoy tituladas «flamenquerías» y «chulerías» que a veces han sido también aceptadas y celebradas por la clase alta del país.

Las mujeres siguen la moda con entusiasmo. Recordemos a la duquesa de Alba, sea o no la retratada por Goya. Recordemos la epístola de Jovellanos a Ernesto:

¿y qué querrá decir que en algún verso,
encrespada la bilis, tire un rasgo,
que el vulgo crea que señala a Alcinda,
la que, olvidando su orgullosa suerte,
baja vestida al Prado cual pudiera
una maja con trueno y rascamoño,
alta la ropa, erguida la caramba,
cubierta de un cendal más transparente
que su intención, y ojeadas y meneos,
la turba de los tontos concitando?

Alcalá Galiano puntualiza, sin embargo, que las señoras aficionadas a maja no dejaban de llevar el sombrero propio de su alta clase.

Los majos son generosos a su manera. — En *Las majas vengativas,* de R. de la Cruz, uno explica sus regalos:

...yo la di
una sortija de plata
que valía sus dos reales;
unas hebillas doradas
a fuego, muy exquisitas,
sólo que no eran hermanas;
unas ligas verdes, y su
peine de concha ordinaria.

LA IMITACIÓN DEL MAJO. — A este espejuelo de hombradas y elegancia un tanto bárbara correspondieron los nobles antedichos con gran afición. La moda de vestir de majos y concurrir a sus fiestas hizo grandes estragos. *El Pensador Matritense,* azote de los petimetres, no perdona tampoco a estos nuevos *snobs:*

«...unos hombres... que mal hallados con su nacimiento distinguido solicitan oscurecerlo tomando el traje, el tono y las acciones de majos... hallan sus delicias en frecuentar e imitar a la escoria de pueblo.»

Y en lugar de ser rechazados por la sociedad tienen éxito:

«...en vez de mirar con desprecio a unos hombres cuyas palabras y acciones indecorosas son el escándalo y la vergüenza de los estrados no faltan algunas señoras que hagan profesión pública de majas... (no habla este párrafo de las señoras de Barcelona). Las cátedras de su instrucción están en la plaza de toros, en las casas de juego y en las miserables chozas de los arrabales.»

El apartado sobre la Ciudad Condal parece indicar que la costumbre de imitar a los majos no se daba corrientemente más que entre la sociedad madrileña y no en provincias, probablemente porque el bajo pueblo de éstas no tenía el carácter e interés del de la capital.

También se queja *El Pensador Matritense* de que en las reuniones de sociedad se empleen modismos propios de los majos como por ejemplo: «¡Y qué tenemos con eso!» «¡Cabalga si quieres!» «¡A qué hora!»

(1) La costumbre francesa de tomar café estaba en pugna con la nacional del chocolate. *(N. del A.)*

(2) Profesional del oficio de depilar.

(3) Precisamente en bando de 21-10-1769 se prohibió el abuso de las mayas o muchachas que en el mes de mayo solían manifestarse en las calles con otras pidiendo con inoportunidad y un platillo dinero para ellas, bajo la pena de diez ducados que se exigirán a los padres o personas a cuyo cargo estuvieren.

BIBLIOGRAFÍA

DESDEVISSES DU DÉZERT: *L'Espagne de l'ancien régime.* — SEPÚLVEDA, ob. cit. — PADRE ISLA, ob. cit. — CADALSO, C. M., *Eruditos.* — R. DE LA CRUZ: *El Petimetre, Hospital de la moda, La visita de duelo, Los baños inútiles, Los majos vengativos, El majo de repente.* — *El Pensador matritense.* — JOVELLANOS: *Epístola a Arnesto.* B. A. E. — ALCALÁ GALIANO, ob. cit.

Capítulo IX

EL TRANSPORTE

El coche como necesidad social. — Dos circunstancias fuerzan a los españoles pudientes a tener coche. Una práctica, el lastimoso estado de las calles españolas ya reseñado. El barro, los cantos de las piedras puestas boca arriba, los cerdos de San Antón hozando, los desperdicios tirados de una ventana al grito de ¡agua va!, todo junto deja al infeliz transeúnte en condiciones absolutamente reñidas con la postura y presentación natural en un baile o en una reunión cualquiera.

Pero hay otra circunstancia moral que pesa más en el ánimo del aristócrata. Y es la necesidad social de distinguirse del pueblo por pasar metido en su cárcel bamboleante, teniendo entre él y el mundo la pared divisoria de una ventanilla a través de la cual se puede saludar a los amigos. Y esto ocurre hasta el punto de que muchas familias con más rango que numerario — cosa muy habitual en la España del tiempo y de todos los tiempos — sacrifican antes la comida y el adorno que el coche.

Dice Ramón de la Cruz en *Las frioleras:*

Labrador 1.º: Pague, pague, y no ande a costa
de pobres en pies ajenos.
Alcalde: Calle, que yo en esto a nadie
le puedo dar mal ejemplo;
pues yo lo tomo de algunos
del mundo que andan muy tiesos

en coche y quizá no tienen
cochino para el puchero.
¿...un hombre como yo a pie?

Y en *La presumida burlada,* refiriéndose a Madrid:

COLÁS: Que no hay lugar de más probes;
y que él sabe más de cuatro
que andan por arrastrar coche,
toda su vida arrastrados.

Por otra parte el Estado agudizaba esta sensación de respetabilidad que daba el coche, impidiendo su uso a las personas de menor cuantía. Según dice Sempere Guarinos en su *Historia del luxo,* la Pragmática de 1723 prohibía «traer coche, carroza, estufa, calesa ni forlón a los alguaciles de Corte, Escribanos de provincia y Números y otros cualesquiera; a los Notarios, Procuradores, Agentes de pleitos y negocios y a los Arrendadores, sino es que por otro título honorífico lo pueden traer; a los Mercaderes con tienda abierta y a los de lonja; a los Plateros, Maestros de Obras, Receptores, Obligados de Abastos, Maestros y Oficiales de cualquier oficio» (1).

La mayoría de coches que circulan por España están tirados por mulas. Su lentitud es proverbial, «correr la posta con caballos de madera o, para hablar más naturalmente, con tortugas llamadas mulas», dice el cardenal Dubois en carta a Saint-Simon. Y Bourgoing: «Es raro encontrar trenes de caballos. Ante el peligro de que se perdiese la raza de los caballos, se prohibieron las mulas, dejándolas sólo para mujeres y eclesiásticos. Pero por su fuerza y frugalidad privan y son compradas en el extranjero a elevados precios».

Sin embargo, pronto comprendieron la superior belleza del caballo, y Cadalso, en sus *Cartas Marruecas,* puede preguntar:

«¿La suma y final bienaventuranza del hombre consiste

en tener un tiro de caballos frisones muy gordos o de potros cordobeses muy finos o de mulas manchegas muy altas?»

Existían coches pequeños para niños. El «Diario Curioso, Erudito y Comercial» ya citado trae en su número correspondiente al 7 de febrero de 1758 noticia de un carretón de niño para vender. «Tiene —dice el anuncio— respaldo de silla, aforrado de damasco y guarnecido con varios adornos de piedra y marfil; tan curioso y exquisito que es capaz de entretener el gusto más delicado; su pintura es de color de coral.»

El tráfico urbano. — La estrechez de las calles producía, como es natural, buen número de accidentes cuando el coche iba un poco de prisa. Estaban prohibidos los «tiros largos» ya reseñados. Los cocheros iban a caballo y los lacayos a pie y sólo subían a la trasera del carruaje cuando éste echaba a correr. «Nadie puede traer —dice la Pragmática del año 1723— en coches, berlinas y demás carruajes de rúa más de dos mulas o caballos dentro de los pueblos, en sus paseos interiores o en otros públicos y frecuentados. Si van de viaje, irán los cocheros con casaquillas cortas.»

En la «Novísima Recopilación» se prohibe taxativamente: «Ir con seis mulas; que los postillones llevasen casacas cortas; el galope por las calles y el trote demasiado rápido; llevar un cochero menor de diecisiete años; formar los coches en hilera; tener más de dos lacayos».

Los coches de las mejores familias rivalizaban en lujo. La Pragmática antedicha prohibía fabricar coches, carrozas, estufas, literas, calesas, forlones en labores ni sobrepuestos en nada dorado, plateado ni pintado.

Y a pesar de esto, los periódicos de la época nos describen a través de los anuncios para las ventas, lo bellamente adornado de los coches. El «Diario Curioso, Erudito, etc.» ofrece el día 8 de febrero de 1758 la venta de un «forlón con talla dorada y en el campo pintura menudo, aforrado en terciopelo carmesí y guarnecido con fleco azul y cartulina con siete vidrios. Está todavía en el primer calzo, que denota ser nueva esta alhaja».

El mismo periódico ,en su día 14 del mismo mes y año anuncia un «coche de cuatro asientos y tres vidrios... pintado de flores sueltas; su aforro es de terciopelo verde labrado, guarnecido de galón de oro con pespunte fino a la italiana, rendage de seda y oro», y una «silla volante muy ligera, aforrada de baqueta» y un «coche a la francesa, forrado en rizo de lana de color escarolado».

Otro, «forlón juego encarnado, caja verde con orlas de oro aforrado de media grana».

Otro, «vestido de media grana, cortinas de tafetán blanco, tres refortes para los vidrios, la caxa de moldura realzada, los colpes de talla dorada uno y otro... los tableros de la caxa pintados con su orla y su florón en medio».

Como se ve, las disposiciones contra el lujo se acataban, pero no se cumplían, según la costumbre.

Viaje por carretera. — Los caminos eran malos y producían muchos accidentes, como rotura de varas y de ejes, que obligaban a los viajeros a largas paradas. El francés revolucionario que visitó España alquiló una «silla volante» que describe como una especie de cabriolet tirado por una mula a la que reputa de excelente, como todas las de su especie en España.

El mismo viajero cita un coche catalán de viaje tirado por cuatro mulas muy rápidas con espoliques que parecen querer aventajarlas en velocidad, corriendo a su lado y animándolas con la voz que acompasan al sonido de las campanillas de las colleras.

En cambio se indigna al hablar de las posadas donde tiene que hacer alto. Las describe como un gran vestíbulo donde se deja el equipaje y se duerme acogidos a las mantas que las mulas han llevado durante el día. La cocina es la mejor habitación. Todo son sartenes, porque todo se guisa con aceite, que es el mismo de las lámparas. «Los españoles — dice — no saben recoger ni cuidar la mejor aceituna.»

«El dormitorio de invierno es la cocina. Un largo banco de piedra a lo largo de la chimenea sirve de cama. No lejos de allí están los boquetes oscuros o cámaras donde las sábanas tienen el tamaño de nuestras toallas. Vale un real de plata cada uno.»

«Las sillas son malas, las mesas cojas. Ningún espejo. Ni las puertas ni las ventanas cierran. Hay piojos. Para evitar tantas molestias los pasajeros pudientes llevan en un maletón detrás del coche una cama que se levanta en el vestíbulo o en la cocina.»

«Hay que ir a la tienda a comprar la comida porque en la fonda no hay de nada. Sin embargo, aunque el gasto no exista, se cobra al pasajero «por el ruido de la casa», es decir, por el que se calcula ha hecho.» Y Casanova se lamenta de la peseta que le sacaron por el mismo concepto.

Como todo es relativo en la vida, estas posadas, que tan molestas y desagradables le parecieron al refinado francés, fueron el asombro y la admiración del marroquí antes citado, que si bien apunta que los precios son elevados, celebra que «se puede dormir bajo techado y no hay que llevar provisiones ni alimentos».

El moro trata también de la organización del *Correo en España.* «En el mercado de Madrid — dice refiriéndose a la Plaza Mayor — hay un sitio destinado a la correspondencia... Cada día de la semana llegan cartas de algún pueblo. Quien espera la carta va a la tienda establecida y mira si le ha llegado algo. Si encuentra una carta la coge a cambio de una suma determinada. El que quiera enviar una carta a un país la escribe y la echa en este lugar sin abonar nada, porque ya pagará el que la reciba. Para países alejados como Italia, Roma, Nápoles, Flandes, Francia, Inglaterra, el porte de una carta se paga en su peso en plata. El correo sale sin detenerse, y si el caballo está fatigado lo cambia en una venta. A mitad del camino encuentra al correo contrario y cambian la correspondencia.»

Los relevos se organizan de la siguiente forma:

«En las hostelerías dispuestas para los viajeros se hallan caballos preparados para los agentes en misión y los correos del gobierno, que en una hora recorren una gran distancia... Apenas se acerca un correo al mencionado establecimiento o venta, se hace salir un caballo ensillado que se coloca en la puerta. El correo llega, se le da un vaso de vino y dos huevos de gallina, cambia su caballo por el ensillado y vuelve a ponerse en marcha. El dueño del establecimiento le hace acompañar por otro hombre igualmente a caballo; cuando se encuentra en las cercanías de la venta siguiente toca la trompeta que lleva consigo para avisar. Cambia de caballo, devuelve el primero al acompañante para que lo lleve al propietario y sale seguido por otro hombre. Así pueden recorrerse etapas considerables.»

«Los correos —dice la *Novísima Recopilación* —defenderán incluso con armas prohibidas cualquier intento de violar la correspondencia.»

Diligencias. — El aumento de viajeros en las carreteras del país hizo necesaria otra forma de locomoción para conducirles. En febrero de 1788 el rey Carlos III firma una orden concediendo permiso para un sistema de diligencias, según nos cuenta el *Memorial Literario* de aquel mes:

«...he venido a conceder a don Carlos Bertazzoni permiso para establecer una diligencia de coches de Madrid a Bayona bajo las condiciones siguientes:

»1.° Se harán coches de bastante capacidad para seis personas y se comprarán las mulas necesarias para llenar todas las paradas desde Madrid a Bayona, que serán de cinco a seis leguas, según se tenga por más conveniente.

»2.° Todos los lunes y jueves de cada semana saldrán dos coches con seis personas desde Madrid a Bayona el uno y otro desde Bayona a Madrid, los que harán esta carrera en seis días, a excepción de los tres meses de diciembre, enero y febrero, en cuyo tiempo son pocos los que se ponen en camino por la mala estación, y con esto se

"El cacharrero". Tras el coche de grandes ruedas van los lacayos. La dama es admirada por dos petimetres. *(Goya)*

Museo del Prado

Aranjuez.—Carrozas reales de Carlos III. Obsérvese los "tiros largos" que solo podían usar el monarca y contados nobles.

despachará un solo coche por semana, que será el lunes.

»5.º A las personas que transiten en estos coches no se les permitirá (llevar) consigo más que un pequeño talego con la sola ropa de noche y su peso no ha de exceder de doce libras, pues pasando alguna cosa más deberá ya comprenderse en la clase de maletas y cofres que todo viajante trae siempre consigo, y en este caso deberán pagar un real de vellón por cada libra de lo que pesasen las citadas maletas, cofres, cajones, fardos...

»El coste de Madrid a Bayona será de 600 reales.»

Y establece la necesidad de la diligencia en su capítulo noveno:

«Según estas disposiciones, estará bien servido el público tanto por la comodidad de los coches cuanto por el precio, que es casi tan equitativo como el que se paga en los de colleras, calesas y demás carruajes, advirtiendo que en los de la diligencia no tienen que sufrir los viajeros las impertinencias que padecen con aquéllos, ya por estar doce días o doce y medio en camino, como tan pronto quieren salir a la hora que se les antoja, como hacer las jornadas que les acomoda.»

NUEVAS POSADAS. — La existencia de las diligencias y el mayor tráfico subsiguiente hicieron necesario la creación de nuevas posadas. Para lograrlas Carlos IV, en 1794, promulgó una ley dando facilidades para instalar posadas en despoblado, no cobrándoles canon ni gravamen alguno e incluso regalándoles el terreno si era del Estado. A cambio de esto...

«El dueño de una posada está sujeto a las reglas de buen gobierno que se prescriben para que los viajeros se hallen bien servidos en las mismas posadas, puesto que se les cobran derechos por sus albergues y perciben sus ganancias con arreglo a arancel por los comestibles que les suministran a ellos y a sus bestias; y si no lo hiciesen deben ser privados del uso de tales posadas trasladándolas por justa tasación a quien cumpla como es justo con las obligaciones que les son consiguientes, como se hace con las tiendas de comestibles y boticas de medicamentos.»

BANDIDOS. — Los caminos de España, especialmente en las zonas montuosas, no se veían libres de alguna partida de forajidos, con gran daño para el comercio. Carlos III, en 1784, dictó contra ellos la disposición siguiente:

«A pesar de las activas y paternales providencias que he tomado para preservar a mis amados e inocentes vasallos de los insultos que experimentan en los caminos y aun en los pueblos, no he logrado sacar todo el fruto que debía esperarse.»

«...Una de las principales atenciones que deben tener los capitanes generales es la de mantener los caminos de sus distritos libres de ladrones y contrabandistas, a fin de que los viajeros no sufran robo ni molestia alguna.»

(1) El preámbulo de esta pragmática de Felipe V reza: «.. por el exceso grande que de algún tiempo a esta parte ha habido en el uso de los coches y gastos que ocasionan en los caudales de algunas personas que por sus ministerios no deben tenerlos, siendo justo hacer distinción de los que pueden usar de ellos por su decencia; ocurriendo al remedio de los daños e inconvenientes que trae consigo este abuso, ordeno...»

BIBLIOGRAFÍA

R. DE LA CRUZ: *Las frioleras, La presumida burlada.* — SEMPERE GUARINOS, ob. cit. *Pragmática de 1723.* Novísima Recopilación. — *Lettres...* — SAINT-SIMON, ob. cit. *Voyage en Espagne d'un marocain.* — *Memorial Literario,* 1788. — CASANOVA DE SEINGALT, *Memorias.* París, 1885.

Capítulo X

EL TRAJE

La moda del traje en los comienzos del siglo XVIII se simboliza en España por la rígida prenda llamada «golilla». Como en otras muchas manifestaciones de la vida nacional, se mantenía el impulso adquirido en el siglo anterior. En efecto, esta prenda había sido introducida por Felipe IV para desterrar el mucho lienzo y encajes que se gastaban en los cuellos.

«La moda de la golilla — decía el cardenal Alberoni, que conocía muy a fondo nuestra nación — tiene un influjo muy general en España. Símbolo de la gravedad, compensa hasta los menores movimientos del cuerpo. El carretero tiene tanto empeño como un Grande de primera clase en que no se le rompa el tieso cartón, y el paisano quiere más algunas cebollas que habrá cultivado y cogido con la golilla al cuello que millones de fanegas de trigo si, para recogerlas, se ha de despojar de tan majestuoso adorno, aunque no sea más que para medio año» (Sempere y Guarinos).

«Oigo hablar — decía Cadalso muchos años después en sus *Cartas Marruecas* —, oigo hablar con cariño y respeto de cierto traje muy incómodo que llaman a la española antigua... tal traje... fué traído por la Casa de Austria. El cuello está muy sujeto y casi en prensa, los muslos apretados, la cintura ceñida y cargada con una larga espada y otra más corta, el vientre descubierto por la hechura de la chupilla, los hombros sin resguardo, la cabeza sin abrigo... una comedia cuyos personajes se vistan de este modo tendrá, por mala que sea, más entradas que otra alguna que le falte este argumento.»

Para el desfavorable juicio de Cadalso había pasado mucho tiempo. La golilla fué abandonada por el rey Felipe V y todos los nobles siguieron su ejemplo, excepto el marqués de Manzera y el duque de Medinasidonia. El padre Labat, que todavía la vió en el cuello de los oficiales que predicaban la Santa Cruzada, la describe como un cartón rígido de cuatro pulgadas, con dos ángulos rectos bajo el cuello y que termina en las orejas. Cuando la abandonó el rey la siguieron llevando, además de algunos amantes de la tradición, los jurisconsultos, que la adoptaron y fueron llamados con este nombre por ello. Los «golillas» tuvieron gran influencia política en el siglo, y los reyes, especialmente Carlos III, los llamaron a menudo a cargos importantes.

La primera invasión de aristócratas franceses trajo, como era de esperar, un gran auge de la moda de aquel país. En 1707, Luis Francisco Calderón Altamirano publica sus «Opúsculos de oro, virtudes morales cristianas», en los que se subleva contra aquélla: «Mas, ¿quién puede dudar que está el mundo ridículo si se individua su adorno? Unas cabelleras postizas, pesados morriones que abollan la cabeza. ¿Qué mayor desorden? Desprecian el adorno que les dió el cielo para coronarse de rizos de difunto. Decir: ¿no es tener lesa imaginación ponerse un copete de tan gran magnitud?»

«Y unas casacas a la moda con pompa tan grande, ¿cómo pueden juzgarse por hábito decente? Hácense con ocho varas de tela pudiéndose hacer con cuatro, y así compendian la definición de lo superfluo... Pues ¿qué diremos de las que traen faldas por no faltar a la observación de las modas? Pues ¿qué de la casaca sobre la chupa? pleonasmo de telas o carga sobre carga; ¿qué de unos tacones que por enanos desprecian los chapines? Yo, por mis pecados, he experimentado este uso y confieso que son el mayor desdoro del sexo. Impiden al movimiento la agilidad sirviéndole de grillos al más veloz... Si hoy me lo dieran por penitencia, yo pidiera conmutación, porque es un trabajo que no se puede llevar... Unas capas de color de toro que vuelven los hombres amapolas del prado; lo peor es que su mismo color muestra la injusticia con que se suelen traer.»

La tendencia a lo francés aumenta con los años. Larramendi, en su *Corografía* (cit. Desdevisses), dice que en 1760 triunfa la moda francesa vestida por los nobles y se va extendiendo por provincias, donde la visten los empleados del Estado. El clero la combatió como combatía todo lo importado del vecino país, y para hacerla aborrecible al pueblo vestía de esa forma al Judas en las procesiones de Semana Santa.

En 1780 Desdevisses señala dos tendencias: 1.ª el traje puramente francés representado en la «Boda del pueblo» y el «Juego de la cuchara» de Goya; y 2.ª el traje español modificado sobre el anterior representado en las obras del mismo autor: «El paseo andaluz», «La sombrilla», «El balancín», «El caballero y la dama» y «La ramilletera».

Sin embargo, a la primera teoría se opone la de un viajero alemán-danés citado por Cigas, que asegura que en la época de Carlos III todavía «no era prudente vestir a la francesa por la calle».

Es posible que se puedan conciliar ambas opiniones, al parecer contradictorias, si vemos lo que nos dice el viajero anónimo francés que a fines de siglo estuvo en Barcelona, Valencia y Madrid. «En España — dice — se visten a la francesa de tiempos de Luis XV. Las gentes del pueblo llevan el traje nacional.» Las modas francesas llegaban, pues, con gran retraso y además adquirían carta de naturaleza aquí con ciertos toques que les daba el estilo nacional del vestir.

La capa y el sombrero ancho. — Las grandes prendas nacionales son la capa y el sombrero ancho. A primeros de siglo el padre Labat asegura que la capa es el símbolo nacional y que se pone incluso a los muertos. «Se puede ir descalzo — asegura —, pero no sin capa.»

A fines de siglo el revolucionario francés tantas veces citado afirma tras de describir el traje: «Todo esto cubierto de una capa en la que el español sabe envolverse tan bien que no se le ve a menudo más que los ojos. Sobre todo cuando llevaba el sombrero gacho podría engañar a cualquiera.» Altamira dice que, sobre su frac verde inglés y chaleco blanco bordado, el petimetre no dejaba jamás de llevar su capa escarlata.

La capa se corresponde con el sombrero ancho y bajo. Bourgoing desmiente al padre Labat:

«El P. Labat se engaña o han variado mucho los españoles. Dice que el español va destocado, y no sale jamás sin su sombrero ancho. Tampoco se rapa los cabellos, sino que se los sujeta con una red de seda (redecilla)... Los españoles (precisamente) están enamorados de sus sombreros».

El padre Labat se había equivocado, efectivamente, dando como costumbre nacional alguna apariencia local, vicio añejo de viajeros, porque cuando cayó la golilla, como una reacción ante la moda importada y aceptada, los españoles alargaron la capa y ensancharon los sombreros (Sempere Guarinos). Cadalso describió la historia de los sombreros:

«Cuando el ejército volvió de Italia se introdujo el sombrero «a la chamberga», con la punta del pico delantero tan aguda que podía servir para sangrar aunque fuera a un niño de corta edad. Algunos indianos forraban el sombrero así armado con alguna especie de lanilla del mismo castor. Con el de «a la prusiana» aminoró mucho lo agudo, lo ancho y lo largo de dicho pico.

»En la guerra de Portugal nacieron los sombreros armados «a la beauvan», y protestamos de que se llevase el sombrero bajo el brazo, pero perdieron los peluqueros y volvimos a florecer. Luego vino «a la suiza», y los ingleses quisieron introducir sus gorras de montar a caballo. Los franceses trajeron sus sombreros imperceptibles para quien no tenga buena vista o buen microscopio.»

Los bandos en contra. — El uso de la capa y el sombrero ancho preocupaba a las autoridades porque a su socaire no sólo podía esconderse un malhechor sino cualquier cosa robada, ya que el vuelo era amplio y daba para todo. Felipe V, en bandos de 1716, 1719, 1723, 1729, 1737, 1740 y 1745, vedó andar embozado por corte y coliseos, y llevar montera, gorro calado o sombrero. El 22 de enero de 1766 Carlos III prohibió el uso de sombrero ancho y capa a los empleados del servicio real: «Dentro y fuera de Madrid, paseos y en todas las concurrencias que tengan, vayan con el traje que les corresponde, llevando capa corta o redingot, peluquín o pelo propio y sombrero de tres picos en lugar del redondo, de modo que siempre vayan descubiertos, pues no debe permitirse que usen de un traje que les oculte cuando no debe presumirse que ninguno tenga justo motivo para ello».

Pero el pueblo en general no escarmentaba y seguía gustando de esa ropa. Por fin un ministro nuevo, Esquilache, quiso terminar con ese estado de cosas creyendo que con un solo bando y la energía suficiente para hacerlo cumplir cambiaría la fisonomía de los madrileños. El decreto fijado en las calles madrileñas el 10 de marzo de 1766 decía:

«Que ninguna persona de cualquier calidad, condición y estado que sea puede usar en ningún paraje, sitio ni arrabal de esta corte y reales sitios, ni en sus paseos o campos fuera de su cerca del traje de capa larga y sombrero redondo para el embozo, queriendo S. M. y mandando que toda la gente civil y de alguna clase en que se entienden todos los que viven de sus rentas y haciendas o de salarios de sus empleos o ejercicios honoríficos y otros semejantes y a sus domésticos y criados que no traigan librea de las que se usan; usará precisamente de capa corta (que a lo menos le faltase una cuarta para llegar al suelo) o de redingot o de peluquín o pelo propio y sombrero de tres picos, de forma que en ningún modo fueran embozados u ocultaran el rostro. Y por lo que toca a los menestrales y todos los demás de los pueblos (que no puedan vestirse de militar), aunque usasen de la capa fuera precisamente con sombrero de tres picos o montera de las permitidas al pueblo ínfimo y más pobre y mendigo bajo la pena, por la primera vez, de seis ducados o doce días de cárcel; por la segunda, doce ducados o veinticuatro días de cárcel, y por la tercera, cuatro años de destierro a doce leguas de la corte y sitios reales, aplicadas las penas pecuniarias por mitad a los pobres de la cárcel y ministros que hicieran la aprehensión. Y en cuanto a las personas de la primera distinción, por sus circunstancias y empleos, que la Sala dé cuenta a S. M. a la primera contravención con dictamen de la pena que estimare conveniente. Que estas dichas penas no debían entenderse con los arrieros, trajineros u otros que conducen víveres a la corte y que son transeúntes como anden en su propio traje y no embozados. Pero que si los tales se detuviesen en la Corte a algún negocio, aunque sea en posadas o mesones, por más tiempo de tres días, habían de usar el sombrero de tres picos (y no del redondo) o de las monteras permitidas, y descubierto el rostro bajo las mismas penas.»

El famoso bando de Esquilache dió motivo al no menos sabido motín que lleva su nombre. Los alguaciles, que, conforme a lo mandado y con harta incorrección según los enemigos del ministro, procedían a meter a los contraventores en un portal, a cortarles las capas y a apuntarles los sombreros con alfileres, se vieron acosados y desbordados por la multitud excitada, y la sangre corrió en la Plaza Mayor, según hemos apuntado páginas atrás. El rey se refugió en el Pardo y tuvo que parlamentar con los rebeldes y exonerar a Esquilache.

Es evidente, tras estudios de la época, que hubo tras el levantamiento otras razones políticas y sociales, pero éstas las sabían sólo los jefes que lo dirigían o los eternos pescadores de río revuelto, que se cansaron de pedir cuando triunfó. Pero la gente media participó en él porque creía defender una posición de prestigio que consideraba nacional frente a las imposiciones de un extraño al país. Bourgoing, que escribía años después de la rebelión (1783), decía: «Los españoles han conservado una gran predilección por el sombrero gacho, y cuando están en país libre de la prohibición dejan gustosamente el sombrero de tres picos o francés.»

Éste había sido propagado con medidas más políticas que las empleadas por Esquilache. Una de las que obtuvo más éxito fué vestir con aparatoso traje nacional antiguo al verdugo de la capital y pasearlo por las calles, con lo que la gente pudiente lo abandonó horrorizada. Al poco tiempo la capa larga y el sombrero de ala ancha habían desaparecido en las ciudades importantes.

TRAJES CARACTERÍSTICOS. — Todavía en el siglo XVIII era fácil distinguir el empleo y rango de una persona por su vestimenta y porte. El padre Isla (*Fray Gerundio,* capítulo 3.°, lib. 4.°) traza una imagen de la apariencia de un catedrático de Universidad. Llevaba «anteojos con cerquillo de plata, becoquín de seda (gorro de dos puntas), sombrero fino, cordón de seda y dos borlas de lo mismo, quitasol, bastón de cañas de Indias con puño de China; venía montado en una bizarra mula con gualdrapa de paño fino negro, grandes flecos y caireles». El espolique, a su lado, llevaba «zapatillas blancas, medias del mismo color, calzón de ante, una gran faja de seda encarnada a la cintura, armador de cotonia (tela blanca de algodón que forma cordoncillo), capotillo de paño fino de Segovia de color amusgo, redecilla verde con su borla de color de rosa que colgaba hasta más abajo de la nuca; la cinta que la ceñía y apretaba, de color de nácar; sombrero rodeado de una cinta de plata de color de fuego con su roleo o lazo en la parte posterior que remataba en la capa» (hay que advertir que se trata de un espolique majo o petimetre de oficio).

En la misma obra, lib. V, cap. 11, se describe el atuendo de un cazador rico: «Redecilla con borla a medio casquete, tupé asomando con dos caídas de vuelos, chambergo de cinta de plata y oro, con su roseta entre si trepa o no trepa a la copa del chambergo, capotillo de grana hasta la cintura, chupa verde bien cumplida de faldas, calzón de ante fino ajustado a la perfección asomando por la faldriquera hasta bien entrado el muslo, una cinta con sello y llavecita de reloj, botines de lienzo listonado en azul... zapatillas blancas, escopeta, bolsas, dos palomos y cuatro perdices que llevaba en red de hilo pendiente de cordón de seda.»

El vestido del rey Carlos. —Carlos III, tan ordenado en todo, llevaba siempre la misma ropa, según Fernán Núñez y Ferrer del Río. En invierno: casaca de paño de Segovia de color de corteza; chupa de ante galonada de oro y calzón negro de lo mismo de la fábrica de Aravaca; sombrero a lo Federico II, chorrera de encaje en la camisa, pañuelo de batista al cuello, guantes de ante, medias de lana y botines cuando salía al campo.

En verano llevaba medias de hilo, casaca de camelote (tela fuerte e impermeable que antes se hacía con pelo de camello y después con lana sola) y la chupa de seda azul prusia con galón de plata. En casos de ceremonia se ponía sobre la chupa, casaca muy rica con botones de diamantes.

El traje del hombre de la calle. — El color favorito del español es el negro para sus trajes, dice Bourgoing. Pero luego añade: «Cuando deja el traje español por el militar, que así llama al francés, escoge los colores más vivos; no es raro ver a un simple obrero, de cincuenta años de edad, vestido de un traje de tafetán rojo o azul cielo. Ahí no hay diferencia de rango. El español gusta de bien parecer y gasta sin medida todo lo que tiene y vive luego como puede.»

Esta es verdad inexcusable lo mismo en el siglo xviii que en el xvii o el xix. Para evitar esas igualdades que

Cumpliendo la orden de Esquilache, los alguaciles apuntan los sombreros y recortan las capas. Esta imposición dió origen al famoso motín.

Refresco. Elegantes caballeros se pasean con sus trajes afrancesados.
Cerámica popular catalana.

Museo de Arte Moderno.—Barcelona

jugaban mal con la sociedad jerárquica de la época, en la Pragmática de 1723 se prohibió que «los oficiales, menestrales, obreros, labradores, jornaleros, pudiesen ir vestidos de seda u otra cosa mezclada con ella sino solamente de paño, raxa, o bayeta o jasquilla o cualquier otro género de lana a excepción de las mangas de las casacas y las medias, en las cuales se permite el uso de la seda».

Pero, amable y galantemente, el Estado advirtió en la ampliación del bando publicada el año siguiente, que la prohibición no iba con las mujeres de los mencionados.

En casa los españoles usan gorro y bata. Moratín, en *El viejo y la niña,* hace decir al protagonista:

...Esta bata
y el gorro ponlos allá;
que yo sepa volviendo a casa
donde los he de hallar.

En la misma obra explica lo que para salir se pondrá:

...En el arca
verás una chupa verde,
que tiene botón de plata,
y una casaca blancuzca.
—...¿Traigo el capote?
—El redingot.
—Pues bien, eso preguntaba.

Redingotes, cabriolés, habían substituído a la capa en las personas distinguidas.

El zapato se lleva con hebillas, altas o bajas. Las últimas, que estuvieron en gran auge una temporada, se caían fácilmente y quedaron para cocheros y majos. Cadalso se queja del zapato alto, «que los hay que no parecen sino coturnos o calzado de San Miguel». El petimetre, como hemos dicho, lo llevaba pequeño con una gran hebilla.

En el *Diario de Barcelona* del 21 de octubre de 1792 aparece un curioso anuncio de botas de sociedad, que es lo que hoy llamaríamos de lluvia o chanclos; el texto tiene interés por la manera que respeta el orden social existente:

«Por cuyo medio (el de las botas) los que no tienen coche pueden hacer visitas de cumplimiento en días de lluvia y lodo. Estas botas se hacen de una piel fina o de barragán, forradas de tela blanca; se procura que sean ambas de modo que el pie calzado con el zapato regular entre en ellas sin dificultad (a este fin se toma la medida sobre el zapato); llevan su suela, a la cual va añadida otra de corcho; a su parte superior se coloca una cinta con uno o dos ojales que se pasan en los botones de las charreteras de los calzones para que las botas no se caigan. Estas botas son ligeras, y aunque no sean de resistencia para aquellos que han de correr todo el día en tiempos de lluvia, sirven muy bien por el objeto que indica el título. A fin de que el polvo que cogen los zapatos en los aposentos no manche el forro de la ropa, se pone sobre el zapato un pie de calceta, que se quita también con la bota en la antesala al entrar a la visita y se vuelve a poner al salir a la calle.»

Las chupas y chupetines tenían gran labor y espléndidos dibujos, sus colores eran fuertes. En los anuncios de los periódicos se leían ofertas como estas:

«Chupa nueva de grana fina, guarnecida con galón mosquetero y hecha a toda costa.»

«Una chupa de griseta (tela de seda con flores u otro dibujo de labor menuda), su color de oro y los delanteros matizados de oro, plata y seda.»

«Chupetín de tisú con campo verde y ojaleado de oro, chupa de granillo con fleco.»

«Chupa de terciopelo encarnado con ojales de oro» y «de terciopelo guarnecido de punta de España en oro» («Diario Curioso, Erudito, Comercial...», 10, 14, 15, 16 de febrero de 1758).

También se anuncian unos calzones sin costuras:

«El que no esté acostumbrado a bragas y quiera que las costuras no le hagan llagas, ande a la calle de la Montera, casas de la Virgen de la Soledad, frente del Mesón de la Herradura, que allí vive el que se ofrece a hacer esta especie de calzones sin costuras por entre piernas, de cualquier tela que sean, sin gastar por esto más ropa que la que se emplea de otro modo.»

Las corbatas eran grandes o pequeñas según la moda. «Las corbatas se usaron tan largas en tiempos de nuestros padres y abuelos — dice el *Diario de Barcelona* de 21 de diciembre de 1792 —, que dieron motivo a aquella famosa corbata con que Arlequín quiso ridiculizarlas. Mudáronse los tiempos, cercenáronse las corbatas, vinieron luego corbatas de varios tamaños y hechuras; llegaron éstas a cansar y hoy usan los petimetres de ley unas corbatas no muy grandes con ondas, guarnecidas éstas con festoncillos de diversos colores; esa es otra decencia. Mañana las usarán largas hasta la rodilla y será otra decencia mayor.»

Robo de una capa. Siendo una prenda volandera y fácil de abandonar en un momento dado, estaba más expuesta a la tentación de los amigos de lo ajeno. Un anuncio apareció en el *Diario Curioso* de enero de 1787; decía lo siguiente:

«En la tienda de chocolate que está en la casa núm. 16 de la calle de Relatores faltó el día 6 del corriente, a la una y cuarto, una capa de color de pulga con embozo de terciopelo rayado negro y en el cuello una trencilla del mismo color con las borlitas; si la persona que la tomó lo hizo por necesidad, puede acudir a restituirla en confesión al P. Fr. Manuel Sánchez, religioso de la Trinidad Calzada, quien dará alguna gratificación; el sujeto que tomó la dicha capa se dejó sobre el mostrador de la tienda una botella de aguardiente.»

El traje femenino. — El símbolo de la moda en España, si en el hombre es la capa y el sombrero, en la mujer lo constituye la basquiña y la mantilla. La basquiña de seda, tafetán o terciopelo se pone sobre una prenda más rica, y por eso se quita en casa y en las visitas (Bourgoing).

Hacia 1740 empiezan a cambiar las modas, de lo que se queja el padre Feijóo:

«Nunca se menudearon tanto las modas como ahora ni con mucho. Francia es el móvil de las modas. Las cotillas vinieron de Francia. Como con los polvos se hizo aparecer a las mujeres canas, los brazos puestos en mísera prisión hasta hacer las manos incomunicables con la cabeza, los hombros desquiciados de su propio sitio, los talles estrujados en una rigurosa tortura.»

Otra característica de la época es el tontillo, armazón con aros de ballena u otra materia que usaban las mujeres para ahuecar las faldas. El padre Isla lo satiriza así, como a los tacones y al peinado, en el *Fray Gerundio* (lib. V, capítulo IX):

...Pues ¿no ves que se empina en dos tacones
tan altos, tan iguales,
que salen con tacón los carcañales?
...Da con tu vista un salto,
y verás el tupé, el jardín, el rizo,
la mitad natural, la otra postizo,
con el petiboné medio al desgaire,
pues todo es ganar tierra por el aire.
Pero lo que más te pasma
...es verla tan anchota
que casi llena un juego de pelota.
...eres un monaguillo,
pues no ves que es milagro del tontillo
aquel que a las casadas
sirve entre otras mil cosas excusadas.
Pero en tal cual soltera no muy lista
es sin duda una alhaja muy precisa.
El tontillo a la flaca la hace gorda
y tal vez finge tórtola a la torda;
porque son los tontillos nobles piezas
para encubrir gorduras y flaquezas.
Una mujer, en fin, con guarda infante,
cátala convertida en elefante.

Casaca ricamente adornada, elegante vestimenta del petimetre en los salones de la época. Traje femenino de estrecho talle y ancha falda, bellamente recamado.

Abanico, escarcela, zapatos y medias, complementos obligados del atavío en la mujer del dieciocho

A pesar de la influencia francesa, es posible que el puro traje parisino no se pudiese llevar, igual como sucedía con el vestido del hombre. Porque el francés autor de las «Lettres écrites de Barcelonne» advierte: «Las mujeres en España están obligadas al traje nacional cuando van a pie. En coche y en su casa visten a la francesa».

La falda acostumbra a ser de seda o moaré. El velo o mantilla es blanco casi siempre. Sólo en casos especiales es negro. En las ceremonias religiosas lo cambian por el manto negro con mangas y que llega hasta el suelo. Todos los viajeros ensalzan el talle de las españolas — de «celeste» lo califica el francés antedicho — y la gracia en cubrirse con la mantilla o el manto.

El ideal en el vestuario de una mujer humilde, según la criada con dinero de «La Plaza Mayor», es este:

—¿En qué piensa
emplear ese dinerillo?
CRIADA: —En unos guantes de seda
blancos, y si encuentro al paso
algún retal de griseta
de color de oro, pues los
mauleros están tan cerca, (vendedores de retazos de telas)
haré zapatos de moda.
—Pues di, muchacha, ¿no fuera
mejor comprar tres camisas?
—En teniendo dos con buenas
mangas para quita y pon,
está de más la tercera.
Tenga la mujer buen guante,
buen zapato, buena media,
mantilla limpia y basquiña
bien plegada y algo hueca;
que en la calle sólo luce
lo que se ve por defuera.

Se usaban mucho las batas caseras. La actriz María Ladvenant tenía una de terciopelo de Holanda color cereza, guarnecida toda de martas finas y encaje de oro liso de

París, y otra de igual clase en color azul con martas y galón de plata. El ajuar de esta celebrada cómica nos puede servir de guía aunque se comentaba por lo lujoso. Tal es reseñado por su biógrafo Cotarelo:

«De vestidos de corte entero (esto es, compuesto de falda, brial, jubón y casaca) tenía de tisú, de colas, de oro y plata, forrado en tafetán blanco y guarnecidas la casaca y jubón con encajes de plata y oro.»

El escote era muchas veces excesivo. *El Pensador* de 1762 se queja:

«Si te hablara, por cierto, de la ridiculez de sufrir que nuestras mujeres lleven los pechos descubiertos y tener un cuidado muy escrupuloso de que no se les vean los tacones.»

De este pudor de los pies ya habló el padre Labat diciendo con evidente exageración que el cuidado era tan meticuloso a este respecto que, cuando una dama enseñaba a un caballero ese detalle de su físico, significaba que estaba dispuesta a concederle todos los demás. Bourgoing lo desmiente. También decía Labat que llevaban siempre un dobladillo en la falda por la parte baja o alforza para darla si se rozaba el borde, y su compatriota lo niega o al menos asegura que ya no se hace.

Lo religioso. — La mujer española muestra lo religioso de su carácter con la presencia del rosario que, con el abanico, lleva siempre consigo. El primero es algunas veces de oro, pero comúnmente recargado de medallas y de pequeños relicarios. Se le da vuelta alrededor del puño dejando ver la cruz y las medallas, «así se convierte en un objeto de lujo, y como nosotros llevamos dijes en el reloj, ellas llevan pequeños santos de oro en el rosario».

La Petimetra, de Moratín, dice al hablar de sus joyas:

> Este pañuelo he estrenado
> y también esas manillas (pulseras)
> con muy graciosas hebillas
> y este rosario estrellado.

Otras veces visten hábito. Una enfermedad, la devoción, el deseo de llevar los colores de su amor o cualquier otro motivo las impulsan al voto de llevar hábito de San Francisco o de la Merced.

Tocado. — En la cabeza las mujeres llevan un gorro de piel, a veces además de la mantilla, o bien la redecilla ya citada cuando quieren vestirse de majas. Los altos y cuidadosos peinados del tiempo no favorecían más que el sombrero pequeño a la francesa. Las cofias, al salir, produjeron la enemiga de los peluqueros. La relación la hace, con su gracia característica, don Ramón de la Cruz en *Las Escofieteras:*

Peluquero: Y acaso ignoran
las competencias tiranas
con que las escofieteras
y peluqueros estaban
opuestos; ellas querían
para lograr sus ganancias
persuadir a las señoras
que una cofia que costaba
dos duros por una vez
el dinero les ahorraba
y el martirio para muchas,
añadiendo la ventaja,
como las antiguas cofias
todo el cabello ocultaban,
de que en dos o tres minutos
se hallasen aderezadas
para cualquier concurrencia
que se ofreciese impensada.
¡Ah, ingenio perjudicial
de la mujer! Cuando trazas
perseguir al hombre, ¿qué
no intentas, qué no avasallas?
Los peluqueros decían
y con razón muy sobrada:
Estas mujeres nos pierden,

y si a tiempo no se trata
de remediar este daño,
nuestra ruina está cercana.
Empezaron lengua a lengua
por tiendas, calles y plazas
los dos bandos a embestirse;
cada uno buscó sus damas
auxiliares: las usías
de todo pelo, aduladas
de todos nosotros en
los ratos de confianza
del tocador, levantaron
el grito por nuestra causa;
las de medio pelo y todas
las viejas y las peladas,
hicieron por las gorreras
con fuerzas extraordinarias;
y finalmente, indecisos,
los dos gremios en campaña
hubieran llegado a ser
escándalo de la patria,
si una señorita, hija
de Madrid, asesorada
de un abate valenciano,
no hubiera con la más alta
ingeniosa novedad
metido su cucharada
en el caso, con asombro
de aire, tierra, fuego y agua.
El medio fué producir
un nuevo estilo en que ambas
clases pusiesen la mano;
de manera que se usaran
escofietas y peinados
a un mismo tiempo con gracia;
y aunque hubo sobre el modelo
muchas disputas, y varias
sobre el tamaño, porque unas
las querían como tazas,
las otras como dedales,

...por fin quedó decidido
que cada una la usara
chica, porque el peluquero
no perdiera su ganancia.

El lujo. — Contra el desmedido lujo de las mujeres más que ante el de los hombres, se lanzaron pragmáticas, como la de 1723, que prohibía que «hombre o mujer de cualquier grado, de calidad que sea, pueda vestir ni traer en ningún género de vestido, brocado, tela de oro, plata o seda con mezcla de estos metales, bordados, puntas, pasamanos, galones, cordones, pespuntes, botones, cintas ni ningún otro género de guarnición en que haya mezcla de ellos; ni tampoco de acero, vidrio, talcos, aljófar, perlas, ni otras piedras finas y falsas.»

«Se prohibe absolutamente todo género de puntas y encajes extranjeros en las guarniciones, permitiéndose únicamente los fabricados en el reino. Y todo género de piedras falsas que imiten diamantes, topacios, esmeraldas...»

En el «Diario Curioso, Erudito, etc.» encontramos el anuncio de una casaca para mujer de tela de plata, con galones de oro. Al mes siguiente, casaca de tisú de oro con encaje de la misma y otra de tela de Francia de plata matizadas con distintas flores, o bien «brial para tontillo, casaca, jubón y falda de corte sobreblanco bordado de oro».

Ya Jovellanos sabía lo que decía en su «Memoria sobre Educación Pública» refiriéndose al lujo:

«Lujo insensato, azote de las naciones cultas que devora la fortuna pública y privada. Él es quien, a falta de prendas y mérito real, busca la superioridad y la gloria en la vana ostentación de galas y trenes, ricas preseas y muebles exquisitos...»

En «El chichisveo impugnado», Madrid, 1728, el autor se queja del cambio de las modas. «Nación que diferenciándose de las demás vistió a sus mujeres con manto para que no fueran ordinariamente vistas... empero ya las vemos casi a cuerpo; porque con acortar los mantos y alargar las basquiñas, lo que los mantos por su cortedad no tapan, las basquiñas descubren por su demasía... Los hombres que por su traje español se hacían más respetuosos y venerables están hoy tan afeminados que temo que, alargando más las chupas un poco y las casacas, ahorren de calzón y anden con basquiña.»

Canga Argüelles hace constar lo obligados que quedábamos a Francia con estas importaciones de objetos de lujo. «Sólo de brocado — dice — entraron, en 1792, 3.000 varas de Francia, cuando en España se labra otras tantas. De gasa nos llegan en el mismo año 536.740 varas, porque aquí apenas se fabrica. Sarga de seda entró, en 1779, la cifra de 14.000 varas, amén de las 1.079 aquí hechas. Tafetán, 39.000 varas, y medias de seda entraron por la suma de 150.000 pares, más 100.000 varas de raso de seda.» No era raro que los economistas se indignasen contra los abusos del vestir.

La preocupación por el desmedido afán de adornarse dió lugar a la aparición de diversos modos de combatirlo. En el *Discurso sobre el luxo de las señoras y proyecto de un traje nacional* se propone:

«...destruir el pernicioso luxo de las Damas en vestir, señalarles los airosos trages que al mismo tiempo que evitasen la introducción de las modas extrangeras con que nos arruinamos caracterizasen la nación, distinguiesen la jerarquía de cada uno, nos libertasen de las ridiculeces con que casi siempre nos adornamos sólo por ser moda, según publican quatro estragos que nos llevan muchos millones...»

«...los empeños que se contraen, la infidelidad en las palabras y los disgustos caseros no son más que un anuncio de otros acaecimientos más notables.»

Y propone que las mujeres vistan con una especie de uniforme con divisas que las distingan por su jerarquía social. Según él, debe haber tres clases de vestidos:

«A la Española, Carolina y Borbonesa o Madrileña. En el de la Española deberá emplearse los géneros más exquisitos y del mejor gusto de nuestras fábricas, adornado este traje de tal suerte que puedan usarle con ciertas restricciones o amplitudes las Señoras principales en los días de mayor ostentación y lucimiento...»

«A la Carolina ha de ser menos costosa que a la Española para que no sea muy gravosa su compra a las que deban usarlo; pero se ha de procurar también que sea de mucha gracia y que admita más o menos adorno para los fines que después se dirán.»

«La Borbonesa o Madrileña ha de ser el trage menos costoso de los tres y de cierto corte tan sencillo que sin perjuicio de su buen aire deje libertad a las señoras para manejarse y puede admitir algunos otros adornos cuando se le deban poner.»

La fórmula proyectada era tan rígida y por ello tan opuesta al carácter español que no alcanzó ningún éxito y sólo se inserta aquí como ejemplo del recelo general ante el problema.

Cajas y relojes. — Los objetos de adorno más importantes ya hemos visto que son de dos clases: cajas y relojes. Las cajas son de muchas formas. Veamos los anuncios del *Diario Noticioso* de 1758:

«Caja de oro hecha en Indias, su peso como de cuatro onzas, su forma ovalada y chata por la parte del gozne, liso el asiento y sobre la tapa tiene grabados de relieve dos hombres y al pie de éstos un perrito.»

Otras tenían retratos:

«Caja de plata cuadrada con la tapa y suelo abiertos en medio relieve y encima de ella de óvalo con un retrato de medio cuerpo; su peso, más de cinco onzas.»

Llevándola sin sujetar es fácil sea robada.

«El domingo, día 29 de este año, hurtaron una caja de plata grabada de buril con una mujer y un unicornio en la tapa y un rótulo que dice: «casta placent», y en el suelo tiene figurado un Sansón en el acto de desquijarar a un león, y otro rótulo que dice: «Omnia vincens superatus». Mucho ha perdido en esta alhaja su dueño si usaba del recuerdo moral que le ofrecían a la vista los dos epígrafes, y más si a vista de la imagen de Sansón victorioso y vencido lograba abatir el orgullo de algún impuro deseo. Para la restitución se acudirá a...»

Obsérvese la ampulosidad y grave sentido literario que se da al anuncio. Este aspecto del periódico, que podríamos llamar pedagógico, era muy cuidado en aquel entonces. En el plan del «Diario Curioso, Erudito...» se dice, hablando de la sección de pérdidas:

«Se dará noticia en él de las alhajas perdidas y asimismo de papeles.»

«Reflexión: Con el socorro de papeles que se pone en las esquinas y puestos públicos acostumbrados se hacen saber las pérdidas de algunas alhajas, papeles y otras cosas; pero estos avisos sólo han sido para aquellas gentes desocupadas que tienen hecho domicilio de las esquinas, pues es muy cierto y evidente que los sujetos de alguna distinción y calidad saben muy poco de estas novedades engrudables.»

Los relojes son prenda indiscutible de elegancia. Ya hemos visto que a los petimetres no les bastaba uno y tenían que llevar por lo menos dos. También la moda extranjera contaba en ellos. En una *Gaceta de Madrid* de 1738 aparece un anuncio sólo, y es el de un relojero. Decía:

«Juan Langlois, cerrajero mayor de Madrid, hace saber al público que ha sacado a luz hacer relojes de sala y torre con su esfera señalando las horas tan bien regidos que no les aventajan los de Inglaterra y cuasi perpetuos en no descomponerse, con su despertador y tan pronto el disparo que con un soplo se dispara; y el coste que le tiene el todo es tres reales de plata, y lo enseña a todos los curiosos. También comunicará el secreto que tiene de que nadie pueda abrir cerraduras ajenas aunque coja las llaves, sí sólo su dueño. Vive en la cervecería de la calle de Jacometrezo, junto al figón.»

Los relojes finos llevaban todos gran cantidad de dijes, como ya hemos dicho. Cada uno...

«Apenas hay dije que no encierre un misterio, pero para entenderlo es preciso estar iniciado en ellos. A usted, que acaso no lo está, le parecerá que el ruido de una campanilla tan pequeña se pierde... pues está usted equivocado. Hay personas que distinguen mejor el sonido de esta campanilla que el de todas las campanas de su parroquia tocadas al vuelo... Otros tienen la vista más perspicaz, y una regadera, un sello, una llave, un gancho, una jaula, hacen ver a aquéllos un país muy dilatado y tal vez la historia de todos los sucesos memorables de un petimetre.» (Carta de la condesa de Reoticarts al diarista. *Diario de Barcelona,* 22-12-92.)

ANTEOJOS. — Propiamente parece que unos anteojos o lentes no constituyen un adorno, y sin embargo a veces la aparatosidad de un traje tiene su complemento en ellos. Labat, con su afán de generalizar lo que ve, sostiene que todos usan anteojos en España como muestra de cultura y educación. Añade que los oficiales franceses de unos barcos anclados en Cádiz bajaron a tierra con ellos puestos, y tomando a mal la burla, hubo una pendencia. Cadalso rectifica esta historia y dice que antes de la muerte de Carlos II se había dado por Luis XIV la orden a sus marinos de amoldarse en todo a las costumbres del país para conciliarse las simpatías de los españoles. Que un vigía vió a dos viejos con anteojos y que, creyéndolo costumbre general, bajaron todos los marinos con ellos, provocándose la pelea.»

Al parecer la frase de Labat tuvo éxito en Francia, porque Montesquieu, en sus *Cartas Persas,* afirma que la gravedad es una virtud característica de los españoles y su señal son los anteojos y los bigotes. Cadalso, al quite de nuevo, advierte: «En España nunca se han considerado los anteojos sino como señal de cortedad de vista.»

BIBLIOGRAFÍA

SEMPERE Y GUARINOS, ob. cit. — CADALSO, C. M., LABAT, ob. cit. — CALDERÓN ALTAMIRANO: *Opúsculos de oro: virtudes morales cristianas,* Madrid, 1707. — D. DU DÉZERT: ob. cit. — CIGES APARICIO, M.: *España bajo la dinastía de los Borbones.* — *Lettres...* — ALTAMIRA: *Historia de España,* t. IV. Pragmáticas 1716, 1719, 1723, 1729, 1737, 1740, 1745, 1766. Bando de Esquilache. Novísima Recopilación. — BOURGOING, obra cit. — P. ISLA, obra cit. — FERNÁN NÚÑEZ, obra cit. — FERRER DEL RÍO, obra citada. — MORATÍN: *El viejo y la niña, La Petimetra.* — *Diario de Barcelona,* 21-10 y 21-12-1792. — *Diario Curioso Erudito y Comercial,* 10, 11, 14, 15 marzo 1758 y 1787. — FEIJÓO: *Discurso sobre las modas.* Obras. B. A. E. — R. DE LA CRUZ: *La plaza Mayor, Las Escofieteras.* — COTARELO: *María Ladvenant.* — HARO Y SAN CLEMENTE, ob. cit. — CANGA ARGÜELLES, ob. cit. — *El Pensador,* 1762. — *Diario Noticioso,* 1758. — MONTESQUIEU: *Cartas Persas.* Madrid, 1925.

Capítulo XI

EL TEATRO

El mundillo del teatro resulta de una importancia extraordinaria en la vida de Madrid del siglo XVIII, por el favor que le dispensa el público y por el interés que las mismas vidas de los cómicos tenían para la masa. Como en otros muchos festejos y diversiones, el dominio del Estado es absoluto y su intervención ineludible en la formación de compañías y permisos para las comedias.

La historia de los teatros de la capital en este siglo tiene tres hitos fundamentales:

1.º 1708. Francisco Bartolí construye un teatro en el lugar conocido por los Caños del Peral. En 1713 lo adquiere el Ayuntamiento. En él se presenta ópera, baile de máscaras y comedia española. Reconstruído en 1758 bajo la dirección del marqués don Aníbal Scoti, mayordomo de la reina Isabel de Farnesio.

2.º 1743. Se edifica el teatro de la Cruz.

3.º 1745. Se levanta el teatro del Príncipe. Ambos en el lugar que ocupaban los corrales del mismo nombre edificados respectivamente en 1579 y 1582.

En el siglo XVIII nacen, pues, los grandes teatros nacionales, que luego se han de perfeccionar relativamente poco hasta llegar a los de hoy. Superado el «corral», con edificio propio y techo, irán ganando terreno y comodidades en esta centuria hasta que a fines de ella tengan ya escenografía y presentación comparables a los actuales.

La ópera italiana en Madrid. — Asenjo y Barbieri, en su prólogo al libro de Carmena Millán, nos explica la llegada a España de la ópera italiana, llamada por Felipe V. Ya hemos dicho cómo iniciaron sus actividades el 25 de agosto de 1703 en el Real Coliseo del Buen Retiro con «El pomo de oro para la más hermosa», en el día de la solemne fiesta de San Luis, por festejo de los nombres de Luisa, reina de España, nuestra señora, y del señor rey de Francia, Luis XIV el Grande. Personas que hablan en ella: Júpiter, Lemonis, Palas, Venus, Marte, Mercurio, Ganímedes, Discordia, Fortuna, Valor, Honor, Paris, Desdén, Eridano, Sena, Ebro, coro de dioses, Trufaldín (1), Estatuas que se transforman en soldados, Elena.

Otra pieza representada se llamaba: «La guerra y la paz entre los elementos», «alegoría cómica alusiva al glorioso día del feliz nacimiento de María Luisa Gabriela, reina de España, nuestra señora (Q. D. G.). Personas que hablan: la Tierra, el Agua, el Aire, el Fuego, Prometeo, Céfiro, Tritón, Proteo, Eolo, Genio de la España, un Español, un Francés, un Alemán, un Italiano, Atlante, Hércules, Trufaldín. Personas que no hablan: el Mochuelo de Palas, Pájaros con el aire, Peces con el agua, Brutos con la tierra, los cuatro vientos principales» (2).

El éxito obtenido por la compañía de ópera italiana movió a su primer autor y empresario, Francisco Bartolí, a levantar un nuevo teatro en los Caños del Peral, como ya se ha dicho. Sin embargo, el intento económicamente no cuajó, y tuvo que pasar al Ayuntamiento en la fecha mencionada. A pesar de esto, la influencia del nuevo espectáculo fué grande y los teatros nacionales del Príncipe y la Cruz traducían y aun cantaban obras italianas.

Distribución del teatro. — Había en el teatro de la época: *patio;* entre el patio y la escena unas hileras de *lunetas,* y arriba la *cazuela,* dedicada a las mujeres. Debajo de la cazuela los *aposentos* (que hoy llamaríamos palcos). Por encima de los aposentos un *anfiteatro* cubierto llamado la *tertulia,* donde se refugiaban los religiosos y los señores graves.

Sepúlveda explica que en el Corral de la Pacheca (luego Teatro del Príncipe) había ocho puertas. Una para los aposentos, otra para la «jaula», corredores y «degolladero», otra para el escenario, otra para hombres y otra para las mujeres (tenían que estar separados), otra para el alojero, otra para el cocherón y otra para la taberna.

Los aposentos se conocían por el nombre de sus dueños (ya hemos visto al petimetre pedir la lista de ellos) o por su colocación desde el patio. Se llamaron de la Señora Protectora, de Pastrana, de Aragón, Carpio, Rincón, Esquina, Compañero, Rejagrande o chica, Reja nueva o rejilla, Interesado, Coge-esto, Tablas, Don Rodrigo Calderón y Madrid (esto es, Villa o Ayuntamiento).

En las puertas del teatro y otros sitios desde que Cosme de Oviedo inventó poner carteles se colocaban unos postes con anuncios de papel y letras góticas, pintadas de almagre. Por ejemplo: «Andrea de la Vega y la gran sultana Amarilis hoy piensan representar la famosa comedia...»

Escenografía: No existió durante mucho tiempo. Hasta 1767 y excepto en las funciones llamadas «comedias de teatro», que no se daban más que seis o siete veces al año, y en la que se colocaban diversos bastidores pintados con perspectivas, limitaban lateralmente la escena dos bastidores sencillos y al fondo dos cortinas o paños por donde entraban y salían siempre los actores. La orquesta se situaba detrás de las cortinas. El conde de Aranda la colocó delante del escenario e hizo colocar bastidores de lienzo pintado con perspectivas, ya de bosque, ya de calle, plaza, interior de edificios, y así se representó a diario (Cotarelo).

El autor de las *Léttres écrites...* se indigna con el apuntador:

«Al cual no se le permite situarse como en el teatro nuestro y se pone detrás de las cortinas que forman el fondo del escenario. La luz que lleva en la mano y la transparencia de las telas le descubren al espectador que no pierde uno de los saltos que el pobre diablo está obligado a dar de un rincón de la escena, al otro o al medio para ir en ayuda del actor que raramente sabe su papel. Incluso a veces llega su voz y no la del intérprete. En el teatro de la Cruz oí treinta versos pronunciados muy claramente por el apuntador.»

Asimismo lo describe Ramón de la Cruz en *La comedia de las maravillas,* donde se dice en una acotación:

«Tira el bericú por encima de la cortina que habrá y se encienden las luces y todos acomodados, suena un violín dentro, y Manolillo con la guitarra en el tablado toca mal un minuet; luego arrima la guitarra y saca la cerilla, con muchos ademanes, y la comedia, y se pone a la cortina de modo que le vean apuntar.»

La luminotecnia también se colocaba sin subterfugios según *El Pensador Matritense.*

«Las luces con que se ha de iluminar la decoración andan con anticipación subiendo y bajando y tejiendo por detrás del paño que parecen penitentes de luz y cuando se figuran relámpagos, el muchacho que quema la pez y las estopas está las más de las veces a la vista, ciencia y paciencia de todos como si dijese: No tengan Vms. miedo, que todo es chanza.»

Jovellanos también se queja:

«...(los teatros) son pobres porque se hace de ellos un objeto de contribución para los hospitales de Madrid, los frailes de San Juan de Dios, los niños desamparados y la secretaría del corregimiento. La consecuencia es que los actores son mal pagados, la decoración ridícula y mal servida, el vestuario impropio e indecente, el alumbrado escaso, la música miserable y el baile pésimo o nada», y termina con una curiosa idea: «Conviene dificultar indirectamente la entrada a la gente pobre que vive de su trabajo, para la cual el tiempo es dinero y el teatro más casto y depurado una distracción perniciosa.»

Porque el teatro gozaba cada día de mayor favor del público. Lo que ocasionaba lo que podríamos llamar la «reventa» de la época y contra la cual se dictó la orden siguiente trancrita por el *Memorial Literario* (marzo 1788):

«El sr. D. José Antonio de Carmona... Juez Protector y Privativo de los Teatros de Comedias... dijo: Que por diferentes personas de honor y distinción se ha dado noticia a su Señoría del perjudicial abuso y despótico dominio en que están las acomodadoras de los dos coliseos de la Cruz y del Príncipe de esta villa y con especialidad Francisca Gallego, que lo es de la del primero, de guardar y reservar a su antojo los asientos de primera y segunda grada para darlos a aquellas personas que con más liberalidad las regalan y dejando sin ellas porque no hacen esta demostración a muchas que van a tiempo oportuno para poderse colocar. En la delantera de la cazuela del Coliseo de la Cruz caben veinte mujeres y en la del Príncipe, treinta. Las acomodadoras deberán tratar a todas las mujeres que concurran a las comedias y demás diversiones con la modestia, urbanidad y honestidad que corresponde... y no con la desenvoltura y acrimonía que se advierte en la del coliseo de la Cruz.»

A Antonio Ponz en su libro ya citado le parece que todo está en orden:

«Nada se debería alterar por lo que toca en las partes de que consta interiormente como son: balcones, gradas, barandillas, lunetas y patio; porque sobre ser una distribución peculiar nuestra, algo parecida a la de los teatros antiguos y a la que algunos escritores de Italia desearían tuviesen los suyos, es la más a propósito, por su variedad para que los concurrentes por si solos formen espectáculos; para que se acomoden muchos y para que todos tengan sitio conveniente a su cualidad o a su dinero; circunstancia que no se debe desatender en una nación tan aficionada a representaciones teatrales como la Española.»

Pero Jovellanos en su *Memoria sobre espectáculos públicos* insiste en su aversión:

«Ruin estrecha e incómoda figura de los coliseos, el gusto bárbaro y riberesco (3) de arquitectura y perspectivas, la impropiedad, pobreza y desaliño de los trajes, mala y mezquina forma de muebles y útiles, indecencia y miseria de todo el aparato escénico.»

A la música del teatro la considera: «conjunto de insípidas e incoherentes imitaciones; otras naciones traen a danzar en las tablas a dioses y ninfas; nosotros a los manolos y verduleras».

LAS OBRAS. — La temporada empezaba en Pascua y duraba hasta el primer día de Cuaresma.

Según el francés revolucionario, hay cuatro clases de piezas dramáticas:

1.ª, de *figurón* o farsas.

2.ª *Comedias heroicas.* Los personajes son príncipes o grandes señores, reyes, duques, emperadores. El gracioso tiene un papel muy importante parodiando las escenas serias. Hay moros muertos en escena.

3.ª *Comedias de capa y espada.* Las considera entre las de figurón y las heroicas y están en mayor número. El embrollo se conduce con arte ante el atento espectador. Duelos, incendios, raptos, celosos engañados y dueñas.

4.ª *El Entremés,* género particular. Consiste en un acto con poca intriga y casi siempre con dos o tres únicos actores. Ridiculiza las costumbres de la sociedad y aparecen el togado, financiero, médico, militar, noble. No se comprende cómo la censura lo deja pasar.

Las representaciones empezaban con una loa dedicada a ensalzar al público; luego venían las tres jornadas de la comedia cortadas por las tonadillas y el entremés y el sainete. En la *Visita de duelo,* de Ramón de la Cruz, un actor hace una divertida parodia de todo ello especificando, en la forma que va adoptando, las distintas particularidades de las obras puestas en escena:

Fiesta en un jardín. Representación teatral de aficionados en una casa elegante.

Museo del Prado

El actor en escena. Este grabado nos muestra un momento de la interpretación de un cómico del siglo, cuya labor tanto indignaba a Jovellanos.

Museo del Prado

Actrices españolas dispuestas a interpretar su papel con trajes de la época. Dibujos de *Paret* y de la *Cruz*.

Biblioteca Nacional

Loa

Famoso y noble auditorio,
aquí está a las plantas tuyas
la célebre compañía
de Miguelito el de Andújar,
que, multiplicando afectos,
es en una pieza muchas;
perdona sus graves faltas,
que algo es menester que suplas,
porque la función empiece
y la loa se concluya.

Jornada primera

(Dentro música que canta él sólo.)

Pastores de Manzanares,
mozas de Carabanchel,
dejadme todas que muera
por la hermosa doña Inés.
Muere a mis manos, traidor,
muerto soy... ataja, ataja.

(Sale.)

Ya el traidor murió a mis manos,
Inés queda desmayada,
la justicia me persigue,
la corte está alborotada,
Julia en el puente me espera
con la mula aparejada;
y así el huir me conviene.
Adiós, Inés adorada;
ya tuvieron fin mis celos,
y la primera jornada.

En el intervalo se daba un entremés:

(Sale de pillo.)

Beatriz de mi alma y de mi vida,
mira que traigo la cabeza hundida
por el rigor con que la vas cargando
de esta madera que se cría andando;
cesen tus iras, pues mi afecto ves,
que aquí cesa también el entremés.

Sigue la obra:

JORNADA SEGUNDA

Quiero ver lo que me dice
doña Inés en esta carta:
«Hipólito, con tu ausencia
fallece una desdichada:
ven luego. Tu esposa, Inés.»
A Hipólito el de Cazalla
¡Oh, mil veces venturoso
yo, pues «mi dueño» me llama!
De ti, Portugal, me ausento
a ver mi prenda adorada;
el cielo me dé fortuna
en la tercera jornada.

El tono es completamente distinto; de la Cruz se burla de sus mismas obras.

SAINETE

(Sale de majo.)

Las cuatro son de la tarde,
ya es hora de ir hacia el Prado

a ver si hay alguna moza
que me pegue algún petardo.
Mas ¿quién mete a Juan de Huete
si arremete o no arremete?
Mejor será dar fin a este sainete.

Otra tonadilla

Esta es lo tonadilla,
y este es el tono,
y estas son las chuladas
de Valdemoro.
¿Qué pides, Paco?
Que demos fin al cuento,
porque va largo.

Jornada tercera

Cielos, ya estoy a la vista
de mi prenda idolatrada;
sus padres son muy gustosos
de que se unan nuestras almas;
ya fué el coche por el cura;
ya me esperan, ya me llaman.
¡Oh, gustos! ¡Oh, regocijos!
¡Oh, alegrías no esperadas!
Y aquí, senado discreto,
la gran comedia se acaba
de la más constante Inés.
Y brevedad sin substancia.

Algunos títulos de comedias de la época dadas por los periódicos, *El Diario curioso,* por ejemplo, nos demuestra que la realidad no se diferenciaba mucho de la sátira: «En el coliseo del Príncipe sigue la comedia intitulada *El sitio de Pultava por Carlos XII;* en el de la Cruz prosigue la comedia intitulada *El mágico Brancanelo,* y en uno y otro se repiten los sainetes y tonadillas de ayer» (3-1-1787).

En el día 11 del mismo mes y año: «*El sol de España en su oriente* y *Toledano Moisés.* Sainete: *El almacén de los criados.* Cantan la primera tonadilla titulada *El hierro viejo* y la segunda titulada *La Grada.* En el de la Cruz: *La más ilustre fregona* de figurón. Sainete: *Los Usías contrahechos.* La primera tonadilla *La paya y la cazadora.*»

CRÍTICA INTELECTUAL. — La incomprensión tantas veces señalada a lo largo de este trabajo entre el pensamiento del pueblo, heredero fiel del siglo anterior con los mismos gusto y la generación clasicista y razonada de la clase intelectual, provoca en el teatro una absoluta divergencia entre las obras del gusto del público y la crítica que de ella hacen los franceses y los escritores más o menos afrancesados. Éstos se apoyan en las medidas de tiempo, lugar y acción preconizadas por Boileau y en España por Luzán; pero, principalmente, atacan los argumentos de nuestro teatro clásico, con los cuales hicieron sus magnas obras Lope y Calderón. Jovellanos, por ejemplo, no vacila en criticarlos violentamente:

«Debe acabarse — dice en su *Memoria* ya citada — con los dramas en que se glosen las solicitudes más inhonestas, los engaños, los artificios, las perfidias; fugas de doncellas, escalamientos de casas nobles, resistencia a la justicia, duelos y desafíos temerarios fundados en un falso pundonor, robos autorizados, violencias intentadas y cumplidas, bufones insolentes y criados que hacen gala y ganancia de sus infames tercerías. Para cortar las bajezas o plebeyeces deberán desaparecer los títeres, matachines, los pallazos (payasos), arlequines, graciosos del baile de cuerda, las linternas mágicas y totilimundis. Sobran los afeminados amoríos que hoy llenan tan fastidiosamente nuestros dramas.»

A su vez, Cotarelo y Mori, en su libro *La Tirana,* critica a esos críticos. «Para aquellos *eclairées* que no veían más formas dramáticas que las definitivamente (según pensaban) establecidas por Racine y Molière, Voltaire y Destouches, las producciones de Lope de Vega eran desordenadas hasta lo monstruoso, ingeniosos desatinos las de Calderón, groseras e indecentes las de Moreto, logogrifos gongóricos las de Rojas y absurdas todas.»

Las compañías.— Todas estas comedias estaban representadas por las compañías que se llamaban «de conformes» cuando tenían cierto carácter ambulante y «de la lengua» cuando estaban en una escala inferior. Designaban las obras a representar y dirigían los ensayos el Galán y la Dama. La Dama Graciosa con el primero de este mismo carácter elegían y ensayaban el entremés o sainete que se ponían en escena. La tonadilla era cosa de las demás mujeres según el turno que llevaban o la petición del público.

En los actores el segundo hacía el papel que seguía al primero en importancia, el tercero representaba normalmente a los traidores y a los tiranos y para él eran siempre los porrazos y los desgarrones de trajes; constantemente estaba pidiendo a la Junta de Teatros ayudas de costa para reponer tales desperfectos.

El sueldo era de dos clases: partida y ración. El primero se recibía todo el año; la ración sólo los días de trabajo. María Ladvenant, la mejor cómica del siglo con la Tirana, percibía de ocho a diez reales y más tarde subió a quince diarios. Tenían además gratificaciones por Corpus, Navidad y a fin de año.

Empezaban a las tres de la tarde en invierno y a las cuatro en primavera y verano. Desde 1768 se representó en las noches de estío. Fernando VI (1753) y Carlos III (1763) señalan la hora oficial a las dos y las cuatro, respectivamente, «cuidando los autores por su parte de no hacer inútil esta providencia con entremeses y sainetes molestos y dilatados; proporcionando el festejo y ciñéndole al término de tres horas, cuando más que es el suficiente a la diversión y a que se logre el fin de salir de día».

Los artistas, en general, son malos. «Los comediantes — dice Jovellanos — son elegidos al buen tuntuún, sin idea de la teoría de su arte. Tienen tono vago e insignificante, gritos y aullidos descompuestos, violentas contorsiones y desplantes, gestos y ademanes desacompasados, falta de estudio y memoria, distracción, descaro, miradas libres, meneos indecentes, falta del propio decoro y pudor que tanto alborota a gentes desmandadas y procaz y tanto tedio causa a las personas cuerdas y bien criadas.»

Igualmente, aunque en forma un tanto contradictoria, se lamenta el viajero francés de 1792:

«El teatro español en general está todavía en la barbarie. Recitan languideciendo, monótono, entrecortado y de un tono agrio. El trágico es una figura inmóvil e insignificante y o no tiene brazos o le sobran; ni un gesto ni una inflexión de voz. En 500 versos no mueven más que la lengua.»

En cambio señala la buena escuela del entremés:

«Pero en las farsas nacionales o entremeses son inimitables. El mismo que os ha hecho aburrir antes parece otro. Tiene tono, gesto y aire.»

La importancia del «Gracioso» en el teatro español:

«En todas las piezas serias, heroicas o farsas, aparece el gracioso que no sale ni abre la boca más que para decir chistes vengan o no a cuento. Casi siempre es uno de los primeros actores y el público se ríe sólo de verlo en escena.»

En 1768 hubo un intento de hacer un teatro digno. Fué creado el teatro de los Sitios (reales) y se dió su dirección al periodista José Clavijo Fajardo, instaurándose además una escuela de declamación.

La propiedad escénica. — Ya hemos dicho algo referente a la escenografía. La propiedad escénica con que se montaban las obras corría pareja con aquélla. Sobretodo era notable la incoherencia histórica de trajes y costumbres en que caían los actores. En *El Pensador,* se dice:

«En el Coliseo de la Cruz se representa *La fe de Abraham* y *El sacrificio de Isaac.* En el del Príncipe, *Los tres prodigios del mundo en tres edades distintas y origen car-*

melitano, fárrago el más desatinado que creo que se haya visto jamás sobre las tablas. La acción dura más de dos mil años... Impropiedades y delirios a montones. El que es Elías en la primera jornada se convierte en bailarín que, vestido a la hebrea, danza a la francesa, la bretaña y el minuet en la segunda; y este bailarín se transforma en San Simón Stock en la tercera.»

En los Autos Sacramentales todavía vigentes los errores eran asombrosos. Sepúlveda (ob. cit.) cuenta algunos de ellos:

«Una mujer con la custodia en las manos, acompañada de los coros, cantaba en procesión el «Tantum Ergo» y concluía diciendo: «Ite missa est.» En una fábula salía San Pablo con su montante (o espadón) enseñando a esgrimir a Magdalena. En otra se decía que la Samaritana vive en la calle del Pozo (de Madrid). En otra se aconsejaba a San Agustín que se fuese al hospital de San Juan de Dios; en otra, por fin, se afirmaba que Jesucristo murió en la calle de las Tres Cruces.» «No era raro (confirma *El Pensador,* tomo IV) ver a Jesucristo representado en un hombre vestido con una bata morada abierta, media blanca, zapato con hebillas de piedras, corbatín, vueltas en la camisola, polvos, corbata y lazos. En la *Primera edad del hombre* se ven trabucos, jaquetillas, sombrero chambergo, vestidos de oro y plata.»

El rey Carlos III prohibió la representación de autos sacramentales por orden del 11-6-1765, pero otras impropiedades siguieron. Cadalso en los *Eruditos...* dice:

«Me acuerdo haber visto una comedia famosa — así decía el cartel — en que el cardenal Cisneros con todas sus reverendas iba de Madrid a Orán y volvía de Orán a Madrid en un abrir y cerrar de ojos (4); allí había ángeles y diablos, cristianos y moros, mar y corte, Africa y Europa, etc., etc., y bajaba Santiago con su caballo blanco y daba cuchilladas al aire matando tanto perro moro que era un consuelo para mí y para todo buen soldado cristiano; por señas que se descolgó un angelón de madera de los de la comitiva del campeón celeste y por poco mata medio patio lleno de cristianos viejos que estábamos con la boca abierta no pareciéndonos bastantes los ojos para ver tanta cosaza como allí veíamos con estos ya dichos ojos que han de comer los gusanos de la tierra.»

«...siguen — acusa Moratín — tras los nuevos teatros edificados, el alcalde de corte presidiendo el espectáculo sentado en el proscenio, con un escribano y dos alguaciles detrás; siguió la miserable orquesta que se componía de cinco violines y un contrabajo; siguió la salida de un músico viejo tocando la guitarra cuando las partes de por medio debían cantar en escena algunas coplas llamadas «princesas» en lenguaje cómico. La propiedad de los trajes correspondía a lo demás; baste decir que Semiramis se presentaba al público peinada a la papillota, con arracadas, casaca de glasé, vuelos angelicales, paletina de nudos, escusalí (1), tontillo y zapatos de tacón. Julio César con su corona de laurel, peluca de sacatrapos, sombrero de plumaje debajo el brazo izquierdo, gran chupa de tisú, casaca de terciopelo, medias a la virulé, su espadín de concha y su corbata guarnecida de encajes. Aristóteles, como eclesiástico, sacaba su vestido de abate, peluca redonda, con solideo, casaca abotonada, alzacuello, medias moradas, hebillas de oro y bastón de muletilla.»

Otro caso citado por Cadalso en la representación de *Fedra* de Racine, es la muerte de Hipólito, en el que la burla es para el atuendo y para la interpretación.

«...figuraos que sale Nicolás de la calle con un vestido bordado por todas las costuras y un sombrero puntiagudo, que toma la punta del tablado, que cuelga el bastón del cuarto botón de la casaca, que se calza majestuosamente el un guante y luego el otro guante, que se estira la chorrera de la muy blanca y muy almidonada camisola y que (habiendo callado todo el patio, convocada la atención de la tertulia, suspenso el ruido de la cazuela, asestados al teatro los anteojos de la luneta, saliendo de sus puestos los cobradores y arrimados a los bastidores todos los compañeros) empieza a hablar, manotear y sobre todo cabecear a manera de azogado por quien dijo un crítico viviente:

Ni que tampoco existe el cabeceo
uno que accione mal y mal recite;
porque a él le tiene absorto el palmoteo
de los que sin saber le vitorean
haciendo retumbar el coliseo.

El público. — Este elemento citado por Cadalso «de los que sin saber le vitorean, haciendo retumbar el coliseo», tiene una importancia muy grande en el teatro español. Muchas veces se les oía más a ellos que a los actores y sus voces subían y hacían descender con la misma rapidez e incluso con la misma gratuidad la fama de los cómicos.

La parte del público de más personalidad la constituyen los «mosqueteros», que en el patio, detrás de las lunetas, están inquietos, se mueven, gritan y chillan. Jovellanos lo explica precisamente por su posición: «Estar en pie en el patio cerca de tres horas, de puntillas, pisoteado, empujado y llevado de acá a acullá mal de su agrado, les ponía de mal humor.»

Sabiéndolo los actores procuran ponerse a bien con ellos y los autores les elogian constantemente. En *La fingida Arcadia,* de Ramón de la Cruz, unas negras cantan una granadina y portuguesa y se dice en ellas imitando el lenguaje afrocubano:

Cantano y bailano
este zarimbeque
a entar en docena
las neglas se vienen.
¡Cuchichú, cuchichú, cuchichú,
tequeté, tequeté, tequetequé!
¡Ay Jesú! Mosquetero querido.
¡Ay Jesú! Que la negla se mueve
...Es mentí, es mentí, es mentira
es jugué, es jugué, es juguete
que si al mosquetero

alegra y divierte,
con cuatro palmadas
diremo cien vece:
a dioz, ziolo,
ziola, a más verte.

Y en la *Hostería de Ayala:*

¿Qué dirán los mosqueteros
si se hallan la novedad
de ver que por el festejo
de los autos no hay gracioso?

El título de «mosqueteros» se dice que proviene de su posición porque sus homónimos de los Tercios permanecían quietos por su pesado armamento — el mosquete — en el meollo de las dos alas, mientras los defendía la caballería y los demás soldados de infantería.

CHORIZOS, POLACOS Y PANDUROS. — El nacimiento y la rivalidad entre chorizos y polacos forman una de las características más interesantes del teatro de entonces. Se llamaban *chorizos* los que defendían las comedias que se ejecutaban en el teatro de la Cruz y criticaban los que se presentaban en el del Príncipe sin atender a su poco o mucho mérito literario. Su nombre, según Salcedo Ruiz, proviene de que en 1742 el actor Rubert tenía que comerse unos chorizos en escena y le faltaron por culpa del encargado de sacarlos; se incomodó el actor e hizo tales gestos y exclamaciones que el público llamó desde entonces a su compañía la de los chorizos y por represalias los partidarios de aquellos cómicos llamaron a la otra compañía — corriéndose el mote a sus amigos — la de los *polacos,* aludiendo a un fraile que se llamaba el padre Polaco.

Este padre Polaco, un trinitario descalzo, tuvo en su partido a Moratín, Forner y Menéndez Valdés. Al partido *chorizo* pertenecieron Huerta, Zabala y Comella. Moratín dice en su carta a Forner acompañándole *La comedia nueva* (22-11-92):

«La turbamulta de los *chorizos*, los pedantes, los críticos de esquina y los autorcillos famélicos y sus partidarios ocuparon una gran parte del patio y los extremos de las gradas.»

A los partidarios de los Caños del Peral les llamaron *Panduros*. Todos estos partidos se distinguían por una prenda determinada y tenían un jefe, muchas veces de baja extracción social, que era quien les daba la señal de gritar o aplaudir.

Los teatros, pues, presentaban un aspecto muy movido. Sepúlveda recuerda que Boileau acababa de escribir: «El público compra a la entrada el derecho de silbar», y así silbaba, y si los cómicos se revolvían iban a la cárcel. Además se vendía alojas y barquillos por los alojeros:

> Ya me parece ver los alojeros
> vender con gran requesta sus lexías
> y volver las obleas en dinero.

como dijo un poeta. Su puesto desde 1801 fué ocupado por los alcaldes de corte que antes se sentaban en el tablado; otros vendían avellanas, piñones mondados, peras, nueces, castañas, vinos y naranjas, turrón, agua de anís y dátiles.

El ruido desapareció en gran parte cuando a fines del siglo XVIII se obligó a sentarse a los mosqueteros acabando el «juego de codos» y la formación de grupos hostiles o elogiosos. Por otra parte, habiendo subido el precio, hubo mejor público y más correcto.

GOMOSOS Y SNOBS. — No faltaban en el teatro tampoco los gomosos que se timaban con las actrices. «Ah, sí — dice don Antonio en *La comedia nueva,* de Moratín —, es aquel bulle-bulle que hace gestos a las cómicas y les tira dulces a la silla cuando pasan.»

Tampoco falta el *snob* que Cadalso retrata esta vez como un oficial petimetre: «Siempre que concurra al teatro — aconseja el autor — se hará el de su lucimiento si supiese conducirse como hombre de espíritu; para lo cual procurará olvidar toda consideración con el respetable público, y desde el lugar que ocupa, luego que entre, recorrerá con su vista todo el coliseo, auxiliándose con un anteojillo o monóculo para informarse de la concurrencia y en particular de las damas, haciendo una profunda inclinación de cabeza y cuerpo a aquellas que más le gustan. Durante el espectáculo (si fuese ópera) acompañará con voz inteligible a los actores... y al fin de las arias dará grandes palmadas diciendo ¡Bravo!, ¡bravo!, ¡bonísimo!»

«A las comedias españolas asistirá sólo por ociosidad, pero afectando el distraído, y si alguno de los inmediatos se lo notase, responderá que ningún hombre que tiene el sentido común puede prestar atención a unas piezas monstruosas, llenas de irregularidades e inverosimilitudes incapaces de excitar las grandes pasiones como las excita el teatro francés y en comprobación repetirá en semitono algunas estrofas de Racine y Corneille... y al concluirse el espectáculo se saldrá diciendo: «Secatura», «Secatura» (6).

La moral en el teatro. — La aglomeración en los teatros y la heterogeneidad del público obligó más de una vez a la autoridad a tomar medidas para salvaguardar la moral. En la pragmática de Fernando VI (1753), refrendada por Carlos III diez años más tarde, se establece lo siguiente:

«...17: Al extremo del tablado y por su frente se ponga en toda su tirantez un listón o tabla de la altura de una tercia para embarazar por este medio que se registren (por «se vean») los pies de las cómicas al tiempo que representan.»

«...ni permitir que cualquiera cómica salga a las tablas con indecencia de su modo de vestir, sin permitir representar vestidas de hombre si no es de medio cuerpo arriba.»

La obsesión por las «tapadas», ya vista en anteriores disposiciones obliga a eliminarlas también del público teatral. Carlos III en 1766 y 1767 y Carlos IV en 1797 y 1803 acuerdan «que en ningún aposento podrá haber tapadas de manto ni mantilla y al entrar en ellos se la deberán poner al cuello».

El teatro casero. — La afición al teatro en nuestros antepasados era tan grande que, no contentándose con llenar los teatros de la corte, representaban en las casas señoriales las obras que habían tenido mayor éxito entre los profesionales. Ramón de la Cruz, en su *La comedia casera,* se refiere a una de estas fiestas. Dice un invitado:

> ...Si yo sirvo
> tomaré un papel cualquiera;
> y entre estos señores hay
> una compañía entera:
> hay galanes, hay gracioso,
> hay tramoyista, poeta,
> carpintero, guitarrista,
> sastre y apuntador.

Francisco Curet explica que en Barcelona también fué muy aficionada la gente a representar obras con carácter de aficionados, pudiéndose dividir los teatros donde se representaban en tres clases: de aristócratas, caballeros y burgueses ricos; teatro de menestrales y representaciones de conventos y colegios religiosos. Además se dieron obras en el cuartel de Atarazanas, prefiriéndose para este aspecto, como es natural, las que tenían carácter heroico militar.

En las casas particulares de rango se representaba con decoraciones confeccionadas exprofeso y los damascos y tapices enriquecían el ambiente selecto donde se reunía lo mejor de la ciudad. Un tal Guerrero escribió y publicó en el *Diario de Barcelona* del 5 de agosto de 1793 unas octavas en recuerdo de la representación presenciada en el palacio del duque de Híjar. Una de ellas dice así:

> ¿Y a quién no admirará el aparato,
> los vestidos, lictores y soldados,

la gala de los héroes y el ornato?
Todos lo ponderaban admirados,
el estruendo de música tan grato,
que los sentidos tuvo arrebatados.
¡Oh, majestad! ¡Oh, gran magnificencia!
Sólo digna, Señor, de Vuecelencia.

(1) De *trufaldín* vino *compañía de trufaldines* y por ampliación se dijo de todos los farsantes o saltimbanquis.

(2) El rey más aficionado al teatro y música fué Fernando VI. Los gastos de las óperas y diversiones en los Sitios de Aranjuez y el Retiro alcanzan, según Canga Argüelles, las cifras siguientes: 1755, 1.372.565 reales; 1756, 3.902.188 r.; 1757, 3.274.288 r., y 1758, 4.277.758 r.

(3) Pedro de Ribera, continuador de Churriguera, autor de la fachada del Hospicio de Madrid, del cuartel de Guardias de Corps, Puerta de Toledo, etc. Jovellanos le llama frenético y delirante.

(4) Flagrante falta a la regla de tiempo, tan respetada por la generación de Cadalso.

(5) Por excusalí, delantal pequeño.

(6) En italiano: Inoportunidad.

BIBLIOGRAFÍA

Carmena y Millán, ob. cit. — Sepúlveda: *El Corral de la Pacheca.* — Canga Argüelles, ob. cit. — Cotarelo: *María Ladvenant,* «La Tirana». — *Lettres....* — R. de la Cruz: *La comedia de las maravillas, La fingida Arcadia, La hostería de Ayala, Visita de duelo, La comedia casera.* — Jovellanos: *Memoria sobre espectáculos públicos. Memorial Literario...* marzo 1787. — *Diario Curioso...,* 1787. — *El Pensador,* tomos II y IV. — Cadalso: *Eruditos....* — Salcedo Ruiz, ob. cit. — Ochoa: *Epistolario español,* B. A. E.—Moratín: *Obras,* Madrid, 1830; *La comedia nueva.—Orden de Carlos III:* 1763, 1766, 1767, 1797, 1803. — Curet, Francisco: *Teatres particulars a la Barcelona del segle XVIII.* Barcelona, 1935.—*Diario de Barcelona,* 5 agosto 1793. — *El Belianis literario.* Madrid, 1765.

Capítulo XII

DIVERSIONES VARIAS

Juegos. — «El pueblo — dice Jovellanos en su *Memoria sobre Espectáculos* — puede divertirse jugando, corriendo, tirando a la barra, jugando a la pelota, al tejuelo, a los bolos, merendar, bailar. Pero no lo hacen; un triste silencio reina en las calles de nuestros pueblos. Los que salen van al ejido, humilladero, plaza o pórtico de la iglesia, donde divagan hablando. Causa de ello: la mala policía de los pueblos. El celo indiscreto de unos pocos jueces se persuade que la mayor perfección del gobierno se cifra en la sujeción del pueblo... Todo es asonada o alboroto, todo pesquisas y procesos.»

Esta vez se hace necesario rectificar al buen escritor asturiano. Porque su empeño liberal de encontrarle faltas al régimen absolutista de los Borbones le impulsa a esa inexactitud de considerar segada en flor la alegría popular española. Porque si bien menudearon las prohibiciones gubernamentales sobre los bailes y los juegos de todas clases, es cierto también que los españoles siguieron haciendo caso omiso de ellas y no se pudo cortar su ancho caudal de diversión. Las romerías, las carreras, los disfraces y mojigangas, los juegos de naipes, ajedrez, damas, chaquete, de bolos, bochas, las corridas de caballos, gansos y gallos, las comparsas de moros y cristianos y las soldadescas (o juego en que se imitaba a los soldados en armas, insignias y ejercicios) siguieron más o menos encubiertamente y antes hubieran renunciado los españoles del tiempo a vivir que a divertirse cuando creían llegada la hora.

El naipe es el gran medio de distracción del país. Incluso en las vísperas de difuntos en Vizcaya las mujeres jugaban a cartas y la que perdía recitaba un «pater» y un «ave maría» por los parientes difuntos de la vencedora. Los hombres jugaban al revesino (ya hemos visto que Carlos III le dedicaba un rato diario), a la malilla, al mus y a los cientos. En 1716, 1720, 1724, 1764 y 1771 aparecen bandos contra el juego de interés, especialmente los de faraón, lance, azar, baceta (1).

El juego de los trucos o billar tenía también muchos adeptos. En el *Diario Curioso* del 1787 encontramos un anuncio de venta de ellos: «Quien quisiere comprar una mesa de trucos con 24 tacos de madera común, ocho de maderas finas, dos largos, un par de gafas, candilones, cielo raso, entarimado, bolas y sus utensilios correspondientes, acudirá a...»

Baile. — Pero la gran pasión española es el baile. Fernández, en *La hacienda de nuestros abuelos* (cit. Desdevisses), dice: «Había locura por el baile. Muchos profesores de guitarra acompañaban a los aprendices. Se bailaba en plazas y calles, en bailes públicos, verbenas y en los teatros.»

El marroquí viajero dice que en Linares tienen costumbre de bailar hombre y mujer juntos. Así el hombre que desea bailar se levanta y escoge su bailarina, joven o vieja. La saluda quitándose el sombrero que lleva en la cabeza y le da la mano en signo de acuerdo; ella no puede rehusar en modo alguno.

Ocurrió en el baile lo de siempre. Una corriente extranjera impuso una moda y el acervo nacional luchó contra ella en inferioridad de circunstancias. Estébanez Calderón en *Escenas andaluzas* dice:

«El diluvio francés que casi ahogó nuestra nacionalidad a principios del siglo xviii, puso en olvido al menos en las clases elevadas nuestras tradicionales costumbres y usos... El insulso «minuet», el cansado «pasapié», el «amable» de la Bretaña y otros pasos franceses desterraron de nuestros salones los bailes y danzas de antigua alcurnia española. Pero el genio del país tomó muy pronto ruidosa venganza. Fué el caso que las seguidillas y el fandango alcanzaron lugar y plaza en todas las funciones públicas.» Y cita entre los bailes extranjeros importados entonces o más tarde: el minué, la contradanza, el rigodón, la gavota, el vals, baile inglés, escocesa, alemanda, galop, polca, redova.

La contradanza era muy importante. Tomaban parte en él ocho, dieciséis y hasta treinta y dos parejas, enlazándose y desenlazándose con variedad de actitudes, grotescas o ceremoniosas. Su llegada destronó al minueto. Había varias clases de contradanza. La cuadrada, la de dos parejas, la francesa o Cuadrilla, y la larga en la que se ponían hombres en un lado y mujeres en el otro.

El Bastonero. — La dificultad en los pasos de los bailes exigía un director que supiese su oficio. Éste era llamado bastonero por el que llevaba en la mano para distinguirse y señalar las parejas. Por lo bajo muchos le advertían con quien deseaban bailar. Pero mejor nos explicará su oficio él mismo cuando aparece en el sainete de Ramón de la Cruz, *El Sarao:*

> Tan, lará, la.
> Cadena con los costados:
> se retiran a sus puestos,
> y después la diferencia.
> ¡Dudo yo que se haya puesto
> contradanza más bonita
> jamás!
> ...Bien sé
> que debe un buen bastonero
> tener perfecta noticia
> de personas y deseos,
> tener cara de baqueta,
> tener cabeza de hierro,
> más paciencia que un casado
> y los pies algo ligeros,

memoria para guardar
abanicos y pañuelos;
sé que es de su obligación
prestar guantes y sombrero,
saber las genealogías
para evitar parentescos *(es decir, para no com-*
[binar en parejas a los
[familiares),
ser autor de contradanzas,
aprovechador del tiempo,
atrasar mucho el reloj,
dar de beber a los ciegos *(en general, los mú-*
[sicos de las fiestas caseras
[eran invidentes),
despabilar las bujías,
procurar que estén contentos
los maridos y las madres;
y además de todo esto,
no ser nada escrupuloso
y ser hombre de secreto.

El fandango. — La moda española tomó su desquite por medio del fandango. Iba mejor al carácter nacional y su popularidad era extraordinaria. Los extranjeros se extasían ante su garbo y alegría. El mismo francés revolucionario que comparó la naturalidad y gracia del entremés con el trabajo sin ganas de los actores en las comedias corrientes, destaca la diferencia entre el minueto y el fandango:

«Primero hubo los minuets. Todo el mundo estaba triste y afectado. Un personaje grave, el bastonero, hacía bailar los minuets, los hombres a un lado, las mujeres al otro.»

«Pero empieza el fandango, guitarra y violín. Los hombres se juntan a las mujeres, la pareja salta en el medio, jóvenes y viejos, tíos y sobrinas, toda la asamblea repite el tono del fandango. La medida está marcada con precisión maravillosa por las dos personas que debían usar castañuelas, pero (al no tenerlas) lo hacían con los dedos. A esta armonía no se puede resistir. De todas partes seguían la cadencia. Los bailarines se unen y se alejan. La mujer tiene un gran papel en esta especie de lucha, sobre todo la andaluza, que destaca en el «meneo» (2) o movimiento elástico que dan a sus cuerpos.»

Dice «Pedro» en *El deseo de seguidillas,* de Ramón de la Cruz:

> ...Pues qué, ¿es acaso defecto
> de honor ni de religión
> el decir que los festejos
> de mi tierra me divierten?
> Amigo, lo que yo veo,
> y a un ladito adulaciones,
> que los mismos extranjeros
> y paisanos que las culpan
> y hacen ascos, en oyendo
> unas buenas seguidillas,
> se levantan del asiento,
> y al ver bailar el fandango
> les da convulsión de nervios.

Pasa Casanova en el fandango se encuentra «la expresión del amor desde su nacimiento hasta el fin, desde el suspiro que desea hasta el éxtasis del goce».

El auge adquirido por este baile hizo que se hiciese oír en todas las casas. En el sainete de Ramón de la Cruz *El fandango del candil* se dice:

> Es que son bailes de fama
> los de casa de mi prima:
> lo menos tiene guitarra,
> violín de bandurria, y todo
> lleno de asientos de sala.

Los petimetres no dejaban de acercarse a los barrios bajos a observar en su salsa al baile popular acompañado de sus amigas o novias. Aun respetándolas, el pueblo, especialmente las mujeres, no dejaban de soltarles pullas. Dice una maja:

Que salgan estas madamas
de agüecador y veremos
respingar a las campanas.

JORGE: ¿Y esto he de aguantarme?

JUANA: ¡Toma,
y qué de poco se espanta el amigo!

En *La cena a escote* (Ramón de la Cruz) se advierte la diferencia entre el baile extranjero propio para damas y el nacional para gente baja:

PANTORRILLAS: ...Tocad, muchachos, y bailen
los camorristas primero,
para alegrar los humores.

ALFONSO: Esto está muy mal dispuesto,
que habiendo aquí una señora
peinada, es justo empecemos
con un minué a la francesa
los dos.

MATEO: No hay, y yo apelo
que habiendo otra sin peinar
en la sala, con un trueno
de arroba y cuarenta varas
de cinta, empezar debemos
con fandango a la española;
tóquenlo ustedes...

Al final de la representación en los teatros era natural, y si no se hacía el público lo reclamaba a voz en grito, que se terminase la fiesta con un fandango, acogido con grandes aplausos.

EL BAILE DE CARNAVAL. — Un festejo muy apreciado por los españoles eran los bailes de Carnaval, donde, al socaire de la máscara, se podía dar rienda suelta al ingenio atrevido y a la frase chistosa. Además en las mujeres existía la tradición de las «tapadas» que en el siglo anterior habían dado motivo a tantas poesías líricas y dramáticas del mejor ingenio español.

Acto público del sorteo de los cinco números de la
R.l LOTERIA DE ESPAÑA

Organizada en 1763 la lotería española obtuvo desde el primer momento gran éxito público y económico. El grabado representa el momento en que un niño – mano inocente – saca y vocea los números premiados.

Biblioteca Nacional

"La merienda". Damas y caballeros en un día de campo. La afición al aire libre de los españoles de la época se muestra en esta tela de ***Bayeu.***

Museo del Prado

Pero el hecho del anonimato precisamente influyó en varias ocasiones para que fuesen prohibidos por la autoridad competente, con gran disgusto del pueblo. Una de las veces que fueron restablecidos hubo un cantar popular que decía:

> Sólo tres clases de gente
> no van al baile:
> los hipócritas, celosos
> y miserables.

Sin embargo, aun cuando los autorizase, el Estado, celoso de dirigir aún las más livianas ocupaciones de sus súbditos, tomaba sus prudentes medidas para evitar incidentes. Hemos encontrado una «Instrucción para la concurrencia de bayles en el carnaval de Madrid en el año 1767, de orden del gobierno», que nos ilustra, no sólo sobre lo prohibido, sino sobre lo aceptado y las costumbres típicas en tales fiestas. Empieza así:

«La más principal (instrucción) para que esta diversión no incurra por su mal éxito en desmerecer aceptación para los sucesivos, es la tranquilidad, decoro y prudencia con que deben concurrirla los que la gocen.»

«Para este año se franqueará solamente el teatro del Príncipe y se dará entrada a las máscaras desde las 10 en punto de la noche en adelante; cuando se vaya por la calle al baile o se vuelva de él nadie podrá traer puesta la mascarilla, pues las Patrullas y Rondas arrestarán a quien la llevase en cara.»

«Próximo a los primeros centinelas se podrán poner las carátulas en el rostro y desde ellas para el teatro a nadie se dirá palabra.»

Libertad absoluta en el baile:

«El entrar, salir o permanecer en el baile con mascarilla en la cara será voluntario en cada uno quitándosela y volviéndosela a poner conforme le acomodase. Igualmente será libre el andar con ella y sin ella por todos los pasajes del teatro que se franqueen al público; sentarse donde hubiere hueco, levantarse cuando agradase, mudar de lugares, pasear y bailar en aquella disposición que se presente oportuna.»

Respeto en el disfraz:

«No se permiten por trajes de máscara los que son de Magistrados ni de eclesiásticos, ni de Ordenes religiosas ni de colegios ni de ermitaños; tampoco capas pardas, sombreros redondos ni monteras a menos que sean pequeñas o en trajes de valenciano u otro que los use.»

«Los mantos y mantillas se prohiben por máscara pudiendo servir únicamente por el abrigo de la calle. No se dará ingreso a máscara con tontillo por lo que embarazan en tales ocasiones.»

Sobre el lujo:

«No se podrán hacer los trajes de máscara de telas de oro, plata, finas o falsas, ni guarniciones... encajes, blondas, galas, flores, canutillos.»

«Igualmente se niega el que las mujeres en su tocado ni los hombres en sus sombreros y gorras con que cubran sus cabezas, puedan traer pedrería fina ni falsa, ni perlas respecto a que si cayese alguna de dichas alhajas o piedra de su engaste sería muy sensible a la persona que la hubiese perdido, causando tal vez para buscarla disturbios que no convienen cuando, en semejantes funciones, no se trata sino de divertirse sin cuidados, honestamente y sin resultas que ocasionen después los disgustos domésticos.»

No cabe mayor celo para velar por la felicidad de los súbditos. Luego se hace una definición curiosa del carnaval como fiesta de la igualdad:

«Por igual razón de romperse o mancharse los trajes ricos se ha dicho no tolerarse el uso de las telas ni guarniciones delicadas que a la verdad no corresponden; pues igualándose todos con las Máscaras no hacen al caso distinciones demasiado sobresalientes... a más que consistiendo lo principal de la diversión de la Máscara en su mucha concurrencia, en la variedad de trajes, en la conveniente decencia de ellos, en hablar, bailar y entretenerse con el género de objetos que se presentan, resultaría el efecto contrario no evitando las causas y accidentes que suelen sobrevenir.»

Por la boca muere el pez. Y para impedirlo está la disposición número XV:

«Respecto a los discursos de las máscaras se encarga que sean indiferentes, reflexivos y moderados de modo que ninguna se resienta de las palabras de otra: no sólo en la impopularidad de ellas, sino tampoco en el concepto, ni indirectas ni demasiado directas voces o cláusulas que disgusten a quien se apliquen o puedan interpretarse por los oyentes inmediatos...»

«...se previene que será el punto menos tolerable el insulto de unos a otros de palabras ni de hecho o poca compostura al tropezarse; de tal forma que acudiendo la persona provocada a la Justicia, Directores y tropa que asistirán a la quietud del baile y descubriéndole sus circunstancias, se procederá inmediatamente a la captura de la que hubiese dado motivo por ser el origen de la desazón, para separarlo de la sociedad humana como gangrena de la misma.»

Para evitar se refugien las parejas en los palcos...

«Se previene que no se alquilan aposentos ni se permitirá que determinadas máscaras lo ocupen por sí solas, pues expresamente se quitan las puertas de ellos para que cualquiera, aunque haya gentes dentro, pueda igualmente introducirse y sentarse a ver o descansar habiendo hueco para ello como también quedarse a pie, entrando y saliendo a su voluntad sin que se le pueda reconvenir por otros aunque estuviesen con la mascarilla levantada del rostro; pues siendo igual la paga de la entrada, a nadie debe causar esta sujección si reflexiona que una publicidad *(es decir, un sitio público)* no es lugar para discursos reservados ni para acciones corregibles.»

Medidas en la calle para evitar la aglomeración:

«En la puerta de entrada no se consentirá criados detenidos ni otros mirones, que no pueden causar a los que van a entrar sino disgusto con sus desmedidos dichos; de que la práctica en otros concursos tiene bien convencido lo necesario de esta precaución.»

Lo que hoy llamaríamos el *buffet* está también prevenido:

«Tendráse para agasajo de los concurrentes, aparadores con helados, licores, chocolate, café, té, bizcochos, dulces secos y de almíbar a precios moderados con cartel que los exprese; a más del cuidado con que celarán la justicia y directores de la función para que no se alteren y se sirvan con el aseo que es debido.»

«También habrá la comodidad del servicio de cocina a saber: Sopa, caldo, frito, asado, huevos, pastas y fiambres, pero no por otra cosa porque el sitio no da proporciones suficientes para más; la hora en que se entra es adecuada a la cena de cada uno en su casa antes de ir al baile y para el que gustase hacerlo ligeramente en aquel paraje o la diversión y ejercicio le hubiesen suscitado el apetito, es suficiente socorro el expresado.»

La vigilancia del espectáculo:

«En ejercicio de la policía... habrá cuatro directores y para que sean reconocidos como tales llevarán un bastón muy alto con unas cintas encima, rojas, azules, blancas y negras de un solo color cada una, para que se les distinga en la confusión.»

Los bailes y sus invitaciones:

«Se empieza a bailar por minuets y después se alternarán con contradanzas. Para regir las contradanzas hasta que instruídas todas las parejas puedan continuarlas, habrá dos maestros de danzar, los cuales usarán también de un bastón más bajo que los directores con un manojo de cintas de todos colores.»

«Para convidarse a bailar las máscaras deberán hacerlo muy sencillamente; sin insistir en ello desde luego que la otra solicitada de voz o por señas manifestase que no.»

Y por fin...

«Se prohibe estrechamente que nadie pueda vestir el

traje que no es de su sexo porque a descubrirse no podrán menos de proceder pronta y vigorosamente... e igualmente se dice del porte de armas de fuego o blancas, aunque sea navajas, pues allí no se necesitan.»

También se vigilan las expansiones en las calles y las precauciones tomadas nos indican las costumbres carnava-

BAILE DE CARNAVAL
Dibujo de A. Casanovas

lescas con toda claridad. En una orden del 1 de febrero de 1799 se dice:

«Ninguna persona será osada de tirar en las calles, sitios públicos de plazas, paseos de la corte ni otro sitio, huevos con agua, harina, lodo, ni otras cosas con que se pueda incomodar a las gentes y manchar los vestidos y las ropas, ni echar agua clara ni sucia de los balcones y ventanas con jarros, xeringas ni otro instrumento; ni se dé con pellejos, vejigas ni otras cosas.»

Como se trasluce del texto prohibitivo, las calles madrileñas en tiempo de Carnaval debían causar difícilmente el aburrimiento.

Los toros. — El espectáculo de mayor importancia para nuestros abuelos del siglo XVIII son las corridas de toros. Como otras fiestas y diversiones ya reseñadas, no nace en este tiempo, sino que llega ya al 1700 con una tradición de interés y devoción del público; pero en el caso de los toros su importancia es mayor en este siglo que ha de ver la total transformación de las corridas efectuadas hasta la fecha, hasta dejarlas aproximadamente en la forma que ha llegado hasta nosotros.

La más importante y esencial de las transformaciones habidas en el arte de torear en el siglo XVIII es ésta: los hombres que toreaban a caballo y que pertenecían a la más alta nobleza, abandonan la profesión y en su lugar los mozos a pie, llamados *chulos* y cuya misión era simplemente la de acabar al toro que rejoneaba el caballero o acercárselo, cobran importancia y empiezan a atraer el interés de la gente, que hace de ellos sus ídolos. Los lacayos, que se limitaban a esperar las órdenes del jinete, se toman libertades antes incomprensibles, como dar lances de capa, saltar sobre las reses, poner banderillas o arpones, en fin, matar con espadas y estoques. Para ayudarles en la faena nacen los caballistas a sueldo que ya no tienen más que un papel de protección y de cansar a la res.

La nobleza se alejó de los toros por dos razones fundamentales. Primera: porque los Borbones no gustaban del espectáculo y la nobleza, como cortesana, seguía los gustos de los reyes; segunda, porque el cambio de montar desde «a la jineta», como se hacía antes, a «la brida», como se empezó a hacer en esta época, favorecía poco el poner rejones y mucho el lanzazo o puyazo de los picadores que los substituyeron (según José María de Cossío).

Moratín explica la transformación en su *Noticia histórica de la fiesta de los toros:*

«Así prosiguieron las fiestas por todo el reinado de Carlos II, los cuales cesaron a la venida del señor Felipe V y la más solemne que hubo fué el día 30 de julio del año 1725, a la que asistieron los Reyes en la Plaza Mayor de Madrid y aunque en Andalucía vieron algunas y otra en S. Ildefonso, siempre fué por ceremonia y con poco gusto por no ser inclinados a estas corridas y esto produjo una nueva habilidad y forma una cierta y nueva época de la historia de los Toros.»

(Antes era fiesta.) «... sólo de caballeros que alanceaban o rejoneaban a los toros siempre a caballo siendo este empleo de la primera nobleza y sólo se apeaban al empeño de a pie cuando el toro le hería algún chulo o al caballo o el jinete perdía el rejón, la lanza, el estribo, el guante, el sombrero...»

«D. Nicolás Rodrigo Noveli imprimió el año de 1726 su *Cartilla de torear*... el 25 se puede decir que se acabó la raza de los caballeros... porque como el señor Felipe V no gustó de estas funciones lo fué olvidando la nobleza; pero no faltando la afición de los españoles sucedió la plebe a ejercitar su valor matando los toros a pie, cuerpo a cuerpo, con la espada, lo cual no es menor atrevimiento y sin disputa es hazaña de este siglo.»

«El 1726 no se ponían las banderillas a pares sino cada vez una que la llamaba arpón. Por este tiempo, empezó a sobresalir a pie Francisco Romero, el de Ronda que, usando de la muletilla, esperaba al toro cara a cara y a pie firme y matándole cuerpo a cuerpo... llevaba calzón y coleto de ante, correón ceñido y mangas atacadas de terciopelo negro para resistir a las cornadas.»

Poco a poco se fué perfilando la forma de torear tal y como ha llegado hasta nosotros.

«Algunos años ha, con tal que un hombre matase a un toro no se reparaba en que fuese de cuatro o seis estocadas ni en que éstas fuesen altas o bajas, ni en que se le despaldillara o le degollase, pues aun los marrajos y cimarrones los encojaban (3) con la media luna... Pero hoy ha llegado a tanto la delicadeza que parece que se va a hacer una sangría a una Dama y no a matar de una estocada una fiera tan espantosa.»

«Antes... sólo se hacía lugar a los caballeros y después

tocaban a desjarrete, a cuyo son los de a pie (esclavos moros, negros o mulatos) sacaban las espadas y acometían al toro acompañados de perros, unos le desjarretaban y otros lo mataban con chuzos y a pinchazos con el estoque corriendo y de prisa sin esperarse y sin habilidad.»

La popularización de las corridas, el que fuesen vecinos de la ciudad y gente modesta los lidiadores contribuyó en gran escala a la propagación de la fiesta. Empezaron a surgir las plazas de madera construídas expresamente en lugar de aprovechar las ciudadanas y así nacieron la de junto al palacio de Lerma, la plazuela de Antón Martín, la de Lisón, etc. La «Plaza vieja» cerca de la puerta de Alcalá fué costeada por Fernando VI y se suprimió en 1874, a los ciento veintiséis años de vida.

El traje de los lidiadores varió del coleto y el calzón de ante estudiado. El «Fraile de Puiño» y el «Fraile del Rastro», motes de dos toreros de entonces, sacaron ya trajes de seda de malla, manteniendo sólo el cinto de cuero. Costillares substituyó éste por la faja de seda, haciendo más airosa la cofia o redecilla y adornó la chaquetilla, creando así un traje especial para la plaza que con poca diferencia es el que usan ahora los toreros.

Las suertes eran variadas. Había el «parcheo», que consistía en pegarle al toro parches con pez; la «lanzada a pie», para lo cual se esperaba al toro rodilla en tierra y lanza en ristre a la salida del chiquero, el «salto de la garrocha» por encima del toro embistiendo, etc.

En el *Memorial Literario* de 1784, se cita otra suerte:

«En la corrida del día 27 a fin de aumentar la diversión del público con alguna variedad digna de su obsequio salió sesgado (4) el noveno toro y estando pendiente lo unieron a dos palos que se fijaron en la plaza... lo amarraron los carpinteros para que lo ensillase y montase un negro de edad de 22 años... que quebró rejones desde el mismo toro al siguiente y matando luego con el puñal a el (aquél) en que iba montado banderilleó y estoqueó al otro.»

A veces el lidiador montaba a caballo.

Baile de Máscaras en el Teatro del Príncipe. Un numeroso público para el cual han sido dictadas minuciosas disposiciones asiste al espectáculo (***Paret***).

Museo del Prado

Campanelas, embolados, atabalillos y un pasar de las seguidillas boleras. Estampas grabadas por *Marcos Telles*.

Biblioteca Nacional

«Fernando Garcés, torero a pie... picó de vara larga al undécimo toro.»

Otras veces se dividía la plaza (*Memorial Literario,* junio 1784):

«Después de haber corrido los seis primeros toros se dividió la plaza con la mayor puntualidad en dos iguales partes picando de vara larga, banderilleando y matando a un mismo tiempo a los cuatro siguientes toros en los mismos términos que se había ejecutado anteriormente. Esta división de plaza fué muy grata y plausible para el pueblo, no sólo por la brevedad y exactitud con que ejecutaron las maniobras de la división, sino también por el divertido espectáculo de estar viendo a un mismo tiempo dos corridas. En estas cuatro fiestas murieron 50 caballos.»

Enemigos de los toros. — Los hubo y en abundancia, especialmente en la clase ilustrada. Censuraban a la fiesta su resabio medieval y la crueldad de sus suertes imposible de comprender para los lectores de Rousseau y Bernardin de Saint-Pierre. Clavijo desde *El Pensador,* en 1765, ya decía:

«En sólo Madrid se consumen anualmente 288 toros, que hacen suma falta para el cultivo de la tierra y transporte.»

En nombre de la ética señala la dureza de corazón que la fiesta provoca necesariamente en los espectadores y tratando de las corridas de los pueblos dice:

«En alguna parte de nuestra península sucede que si un torero acosado del toro corre a tomar asilo en la barrera, lo despiden y arrojan los que la ocupan, anteponiendo el gusto de que no pierda el bruto su fuerza, a la justa consideración que debía inspirar el torero, el cual suele ser la víctima de esta barbarie.»

«El deseo de que el toro salte a los tendidos, es general en el mayor número de gentes sino en todas las que asisten a estas fiestas y no lo es menos el ansia de que cojan a los alguaciles que salen a la plaza.»

El autor se refiere a la costumbre que en aquel entonces obligaba a soltar el toro antes de que el alguacil saliese de la plaza. Esta costumbre fué suprimida, pero se ha mantenido que el alguacil salga galopando en recuerdo del apresuramiento con que tenía que hacerlo cuando era perseguido por el cornúpeta.

«En las gradas — sigue *El Pensador* — los hombres suben y piropean a las mujeres. Éstas deben ir cogidas para no caerse al subir a su puesto y esto se presta a muchas indecencias.»

Además hay otro problema social demostrativo de la enorme afición reinante:

«Apenas hay obras que no paren aquellas tardes porque los jornaleros quieren asistir a la fiesta. Dejan de ganar el de la tarde y gastan entero por la noche el jornal de dos días.»

En 1788 el *Memorial Literario* insistía en el mismo tema:

«Todo se mete a bulla. Que vamos a los toros, ande la gresca. De la burla y chanzas se pasa a lo serio. Se originan riñas y a veces muertes. Se mantienen entre los dos sexos conversaciones muy tiradas. Se arrojan las primeras chispas del amor. Se abren los ojos a las doncellitas. Se pervierten las costumbres. Se arruinan de un golpe los fundamentos que a costa de mucho tiempo consiguió consolidar una buena educación; a cualquier hombre reflexivo a primera vista se le ponen delante de su entendimiento estas consecuencias inevitables mientras subsistan las fiestas de toros, estos espectáculos más que gentílicos, indignos a la verdad de las luces de nuestro siglo.»

Cadalso en las *Cartas Marruecas* dice de los espectadores:

«...hombres que pagan dinero por ver derramar sangre, teniendo esto por diversión dignísima de los primeros nobles.»

Pero fué siempre una pequeña minoría. Y el clamor de la plaza en fiestas ahogaba sus cerebrales voces.

(1) Naipes que quedan sin repartir después de haber dado a cada jugador los que le correspondan.
(2) En español en el original.
(3) Es decir, los dejaban cojos cortándoles los jarretes.
(4) Sosegado, tranquilo, pacífico, manso.

BIBLIOGRAFÍA

JOVELLANOS: *Memoria sobre espectáculos públicos*. B. A. E.—*Diario Curioso*, 1788.—D. DU D., ob. cit. *Voyage en Espagne d'un ambassadeur marocain*.—R. DE LA CRUZ: *La cena a escote, El sarao, El fandango del candil, El deseo de seguidillas*.—*Instrucción para la concurrencia de bayles en el carnaval de Madrid en el año 1767, de orden del gobierno*. Madrid, 1767. — *Novísima Recopilación*, 1799. — *Folklore español*. — COSSÍO, JOSÉ MARÍA: *Los Toros*. — *Memorial Literario*, 1784 y 1788. — *El Pensador*, 1765. — CADALSO: *Cartas Marruecas*.

Salón de los tapices en el Palacio Real de Madrid.

Interior de casa noble de la época (Reconstrucción).

Biblioteca señorial de la casa marquesal de Vivot (Mallorca).

Dormitorio bien alhajado del tiempo (Olot).

Capítulo XIII

EL HOGAR

La casa. — La casa española del XVIII es, en general, bastante modesta. En el capítulo de Madrid ya nos hemos referido a sus escasas proporciones. Los muros están encalados. Las ventanas pequeñas y con mezquinos vidrios azules que dejan pasar poca luz.

La decoración es simple. Las paredes son blancas hasta fines de siglo, en que empiezan a aparecer los papeles pintados, naturalmente de importación francesa. En las paredes hay grabados piadosos, bulas, cornucopias, estatuíllas. No falta casi nunca la Virgen en un altarcillo, rodeada de flores de papel y jarros de porcelana. Los sillones son rígidos e incómodos hasta que llegan los canapés. Se llaman sillas «de Moscovia» y «de fraile» hechas de madera y cuero. Labat señala sillones de tafilete rojo, de damasco y bandas de seda.

La cama es en general baja. La que vió Labat tiene diez o doce colchones, pero tan delgados que equivalen a uno o dos de pluma que no usan por considerarlo antihigiénico. Sábanas y cubrecamas cortas y almohadas bajas. En invierno se ponen gruesas colgaduras; en verano estas colgaduras son de algodón claro o gasa contra los mosquitos.

Lo más importante y característico de las salas españolas de principios de siglo son los estrados de unos trece centímetros de alto, con tapices de Turquía y almohadas de terciopelo. Era el lugar exclusivo de las damas y a él no podían subir los caballeros. Más tarde desapareció esta diferencia, pero el nombre de estrado quedó como lugar donde había damas que saludar y a las que ofrecerse.

En las casas andaluzas — según Labat — las cocinas estaban en el segundo o tercer piso de la casa, pero nunca abajo. La medida era para evitar que los criados pudiesen

LECHO DE LA ÉPOCA
Dibujo satírico de A. Casanovas

salir sin pasar por los salones, ni vender porque los extraños no entran hasta arriba. El hogar está en el centro de la cocina y se utiliza más a menudo carbón que leña, porque ésta es más cara. La vajilla acostumbra a ser rica. «En las casas grandes — señala Mesonero Romanos — los muebles son de encina tallada, el despacho de ébano incrustado de marfil o concha, las cónsolas de madera dorada. Se alumbran con el velón.»

El cambio en el mueblaje, como en casi todo, se realiza

Carlos III, el rey ordenancista y europeo que aseguró con sus normas el gran cambio de la vida española en el siglo XVIII. *(Mengs).*

R. A. S. Fernando

Trajes fastuosos, adornos, rutilantes, la familia de Carlos IV, es el símbolo de toda una vida palaciega que los Borbones trajeron a España en este siglo. *(Goya).*

Museo del Prado

de 1750 a 1780. Sempere y Guarinos dice: «Si los muebles eran (antes) más costosos, también eran de mayor duración y después de haber servido muchos años se podía todavía aprovechar la materia de que se fabricaban, lo que no sucede con los papeles pintados, con las mesas, taburetes, canapés y otros muebles que se estilan en el día.»

Los anuncios del *Diario Curioso* del 1758 nos dan idea de los muebles más solicitados. Se venden: «Gabinete con China, Cornucopias, Repisas, Pinturas, taburetes de charol y mesas, arañas de cristal y otros cuadros aparte de los del gabinete; urnas con distintos santos y una fuente de concha, guarnecida de bronce dorado de oro molido, con diferentes figuras de los mismos: una cama con su colgadura de tela de oro...»

«Dos puertas de alcobas con 15 cristales de media vara de alto y poco más de ancho y tres medios, cada una con sus barillas doradas y maderas charoladas hechas a toda costa.»

«Se venden seis mesas de pórfido del largo cuatro cuartas y media y dos tercias y un dedo de ancho y dos dedos de grueso.»

También el tapizado se mantenía:

«Guardapiés de brocado, campo azul, flores verdes y encarnadas... Alfombra turca de once varas y media de largo y seis y media de ancho.»

La casa aldeana. — Tal es según el padre Isla en *Fray Gerundio* (lib. 1.º):

«Entrábase por un gran corralón flanqueado de cobertizos... el zaguán o portal interior estaba barnizado con jalbeque a excepción de las ráfagas... y todos los sábados se tenía cuidado de lavarle la cara con un baño de aguacal. En la pared del portal que hacía frente a la puerta había una especie de aparador o estante que se llamaba vasar: doce platos; otras tantas escudillas, tres fuentes grandes todas de Talavera de la Reina y en medio dos jarras de vidrio con sus cenefas azules hacia el brocal y sus asas o picos a dentellones como crestas de gallo. A los dos lados del vasar se levantaban del suelo con proporcionada elevación dos poyos de tierra, almagrados por el pie y calzados por el plano sobre cada uno de los cuales se habían abierto otros cuatro a manera de hornillos para asentar otros tantos cántaros de barro, cuatro de agua zarca para beber y los otros cuatro de agua de río para los demás menesteres de la casa.»

«Hacia la mano derecha del zaguán estaba la sala principal, que tendría cuatro varas en cuadro con su alcoba de dos y media. Eran los muebles de la sala seis cuadros (San Jorge, Santa Bárbara, Santiago a caballo, San Roque, Nuestra Señora del Carmen, San Antonio Abad con su cochinillo al canto). Había un bufete con su sobremesa de jerga listoneada a flecos, un banco de álamo, dos sillas de tijera a la usanza antigua como las de ceremonia del Colegio Viejo de Salamanca, una arca grande, un cofre sin pelo ni cerradura. A la entrada de la alcoba cortina de gasa con sus listas de encajes... cuya cenefa estaba toda cuajada de escapularios con cintas coloradas y Stas. Teresas de barro en sus urnicas de cartón cubiertas de seda floja... (el propietario) era hermano de muchas hermandades cuyas cartas de hermandad tenía pegadas en la pared con hostia y otras con pan mascado.»

La comida. — No era excesiva. La típica sobriedad española tenía ocasión de manifestarse a sus anchas. El padre Labat dice que la cocina era buena, pero poco complicada. «Se toman — dice — más frutas, hierbajos, confituras y chocolate que carne y guisado.»

Es posible que fuera así. En una sátira que *El Pensador* hace de los gastos de una casa rica en 1767, señala 500 reales mensuales para el coche, 300 para la casa, 200 para el peluquero, 400 para refrescos, 200 para aposentos de la Comedia y sólo 1.000 para comida, criados y criadas.

En la comida, como en el peinado, la influencia francesa era notoria; el autor de las *Lettres écrites de Barce-*

lonne, dice que, en general, las pastas son a la italiana y los asados a la española. Tienen la manía de sazonar con ajos y pimientos. En las casas grandes todo se hace a la francesa y los cocineros de este país están en mayoría. El choque con el mayordomo encargado de vigilar sus gastos es inevitable, porque están acostumbrados, según dicen, a operar por su cuenta en París.

Del abuso del ajo también se queja cuando come en un albergue del campo catalán, donde dice le pusieron ajo en todo, «desde una especie de sopa hasta un plato de almendras mohosas que la hostelera llamaba postres».

Casi cien años antes el padre Labat se quejaba también de las especias en el otro lado de la Península, en Cádiz. «Comimos — dice — un pescado estofado coloreado de azafrán que me pareció muy fuerte y otro pequeño plato de merluza». Elogia el vino y el pan. Este último es apreciado por todos los viajeros, que se asombran de su blancura y buen sabor.

El padre Isla nos describe una comida aldeana: «machorra (1), cecina y pan mediado los días ordinarios con cebolla o puerro por postre; vaca y chorizo los días de fiesta, su torrezno corriente para almuerzo y cena, aunque ésta tal vez era un salpicón de vaca; despensa o aguapié (2) su bebida usual».

La comida en la ciudad había ido mejorando con el tiempo. «De algunos treinta o cuarenta años a esta parte —dice Sempere — no se conocía en la mesa la infinita variedad de platos con que ahora se tienta el apetito en las fondas y convites.»

Un curioso Arancel de 1742 dado a luz por el señor González Palma nos dará idea de los manjares favoritos en aquella época y su precio:

«Arancel de los precios y posturas que los señores alcaldes de la Casa y Corte de Su Majestad mandan a los Figoneros y Hosteleros vendan por ahora en sus figones y hosterías los mantenimientos que en ello aderezan guisan y mechan y es en la forma siguiente:

»Un capón aderezado......8 reales y medio.

»Un conejo íd. ......4 reales y medio.

»Un plato de cabrito guisado, un real; entendiéndose que de un cuarto de cabrito se han de hacer cuatro platos regulares.

»Un besugo que pese 24 onzas, diez reales y a proporción según el más o menos peso que tenga.

»Un manojo de espárragos de jardín, cuatro reales.

»Y todos los referidos precios y posturas no excedan los mencionados figones y hosteleros, pena de 50 ducados para los pobres de la cárcel real de esta corte y bajo de la misma pena los unos y los otros tengan puesto este arancel en parte donde se pueda ver y leer por las personas que entrasen en sus figones y hosterías. Y para que así conste...»

Después de la comida en las casas particulares, las mujeres se levantaban de la mesa. Clavijo en su tomo III de *El Pensador* se queja de ello:

«...me ha movido muchas veces a compasión el ver precisada la dueña de la casa a levantarse de la mesa inmediatamente que se dió fin a la comida o a la cena y hacer gremio separado como si las mujeres, por razón de su sexo, dejasen de ser racionales o como si fuese máxima establecida que las mujeres hayan de ser incapaces de asistir a todas las conversaciones.»

Canga Argüelles dice que en España puede hacer su sustento o consumo una persona por tres reales diarios. Dos quintos de lo que el hombre gana en su trabajo lo gasta para comer. Calcula que en Castilla cada vecino come ocho onzas diarias de carne, tres cuartas partes de carnero y las restantes de vaca; tocino, una onza diaria; vino, dos cuartillos diarios; aceite, medio cuartillo.

Los extraordinarios se realizaban, como es natural, en los días feriados. El día de Nochebuena el petimetre de *La Plaza Mayor,* de R. de la Cruz, hace comprar al marido, además del pavo, una docena de coliflores, diez frascos de rosolí, botellas de Fontiñán, anises, almendras garrapiñadas, anchoas, alcaparrón, aceitunas.

Los dulces eran muy del agrado de la época. El *Diario de Barcelona* anuncia dulce de piña a diez reales la libra, el de limón a nueve y medio, el de coco, a nueve y el de guayaba a peso duro la caja, aunque advierte que se vende a onzas, libras y medias libras.

Los majos comían algo más fuerte. En los *Bandos del Avapiés* uno explica su *menú:*

> Fué el caso que cierto día
> vi que entró en casa de Pedro
> el tabernero, y con ella
> Perdulario el zapatero;
> detrás de ellos entré yo;
> piden de beber, bebieron;
> piden pan, piden sardinas,
> y para postres pimientos.
> ...Ya morcillas rellenando
> ya taránganas (3) friendo.

El servicio. — La organización de las casas, el ceremonial y la vida social que hacía transmitir toda clase de recados por vía personal, obligaba a mantener un numeroso servicio en las mansiones españolas, servicio que, en ocasiones, llegaba a ser excesivo sobre todo en los herederos de casas nobles, que, como hemos dicho, recibían a los criados de sus padres a pesar de haber puesto casa por su cuenta al llegar a una edad determinada. Todo ello originaba un exceso de personas dependientes de otras y sin trabajo grande, aunque tampoco con gran sueldo. Esta gente, casi siempre joven, pululaba por la ciudad, aprovechando a veces el tiempo en otros menesteres más lucrativos y añadiendo curiosos y ganapanes a los que ya circulaban por calles y plazas. Los viajeros extranjeros dan testimonio de su presencia abandonada; mal vestidos y mal peinados hacían mangas y capirotes para vivir. El paje de *La Pradera de San Isidro* explica su ganancia:

> ...El estado
> en que tengo la mesada

de los tristes veinticinco
reales; si los gastara
con juicio, ¿estamos a quince
hoy?, doce y medio quedaban.
¡Hola, hola, no estamos mal,
que hay siete reales de plata
y mucho vellón! Lo que es
para refresco y naranja
para dejarte servida.

Lo que impulsaba a muchos a vestirse con la ropa de sus señores cuando querían presumir, trastueque o muda de gran eficacia en el teatro de enredo.

A pesar de esta miseria no había señora que dejase de tener servicio a sus órdenes porque el prestigio social en peligro si faltaba el coche se hundía definitivamente si no había en las casas quien acudiera a retirar las capas o a traer los refrescos.

Cuando el *Diario Curioso, Erudito,* etc., empezó a salir, el año 1758, promulgó un plan en el que se hacía constar las ventajas de su lectura para todos. Respecto al servicio, hace unas observaciones que nos dan mucha luz sobre la emigración que a las ciudades hacían las pueblerinas para entrar a servir. Las razones que arguye el periódico van desde las prácticas de la comodidad hasta las más altas de orden moral para evitar que las muchachas se pierdan:

«Las señoras y señores, amos o amas de cualquier condición que sean y necesitan criadas o criados para cualquiera suerte de servicio doméstico, pueden encontrar prontamente y a satisfacción suya quien les sirva... y esto sin más molestia ni engorro que el ningún trabajo de hacer una esquelita en la que se remitan a la imprenta del *Diario* las señas y contraseñas de sus casas. *Reflexión:* los amos y amas con el expresado socorro adquirirán sin la enfadosa diligencia de importunar a sus conocimientos, los criados y criadas que necesiten...

Otra *reflexion* se refiere al interés de los servidores.

«Las personas de uno u otro sexo a quienes Dios o la

constitución de su estado ha reducido a servir, padecen un sensible desconsuelo por no saber tan pronto como lo pide su desacomodo casas que busquen criadas o criados.»

«...Las criadas que se desacomodan van a casa de alguien que llaman amiga, conocida o compañera... La miserable constitución de la casa en que se hospedan algunas infelices criadas ocasiona una muchedumbre de males que se conocen cuando no hay remedio; el menor de todos éstos es ir poco a poco gastando el dinerillo que ahorraron de su salario; tras de éste (si dura el desacomodo) venden los vestidos y se reducen a un estado que las inspira (éste es el mayor dolor) vergüenza a causa de su desnudez para ponerse a servir y ningún miedo para abandonarse a pecar. La causa original de estos deplorables efectos es la pobreza o malicia de la casa en que se hospeda, pero si hubiera habido un *Diario*...»

Para demostrar el buen deseo que tiene el *Diario* para evitar tanta calamidad sobrevenida antes de su aparición, se prodiga en anuncios de servicio que casi siempre se ofrece en lugar de ser solicitado. A menudo son casados los anunciantes:

«Dos matrimonios solicitan acomodarse con algún señor eclesiástico o caballero particular soltero: del primero darán razón en la Plazuela de Antón Martín... tienen quien los abone y el marido sabe peinar y afeitar y la mujer planchar y coser de todas maneras.»

«También hay otro mozo que sabe cocinar, algo de peinar, lavar medias y cuidar un caballo.»

A veces el Diarista ayuda a redactar la nota al oferente, subrayando cualidades cuando abundan los defectos expuestos con una sinceridad extraordinaria:

«Otra *(criada)* desea acomodarse; hace poco que ha venido a Madrid (que es ventaja conocida), sabe aplanchar poco; coser delicado, menos; pero lo que es guisar, mucho; reside y darán razón de ella en la calle de Rubio...»

(1) Oveja que se sacrifica para una fiesta.
(2) Agua corriente.
(3) Especie de morcilla muy ordinaria.

BIBLIOGRAFÍA

MESONERO ROMANOS: *Labat,* ob. cit. — SEMPERE GUARINOS, ob. cit. — *Diario Curioso...,* 1758 y 1787. — *El Pensador,* 1767. — *Lettres...* — CANGA ARGÜELLES, ob. cit. —*Diario de Barcelona,* 1795. — R. DE LA CRUZ: *Los bandos del Avapiés, La Pradera de San Isidro.*

BIBLIOGRAFÍA GENERAL

1. LIBROS Y ARTÍCULOS

ALCALÁ GALIANO, A.: *Recuerdos de un anciano.* Madrid, 1878.

ALCÁZAR, CAYETANO: *La colonización alemana en Sierra Morena.* Madrid, 1878.

— — *El espíritu corporativo de la la Posta española. Madrid,* 1926.

ALTAMIRA, A.: *Historia de España y de la civilización española,* t. IV. Barcelona, 1900-1911.

ARIBAU, B. CARLOS: *Prólogo a las obras de Moratín.* B. A. E.

AULNOY, CONDESA DE: *Un viaje por España en 1679.* Madrid, 1943. Trad. Contreras.

BALLESTEROS BERETTA, ANTONIO: *Historia de España,* t. V. Barcelona, 1918-1941.

BARADO: *Museo Militar.* Historia del ejército español, armas, indumentaria, etc.

BELLUGA, CARDENAL: *Contra los trages, y adornos profanos en que la doctrina de la Sagrada Escritura, padres de la Iglesia y todo género de escritos y razones theológica se convence (de) su grave malicia... lo mandó dar a luz el eminentísimo y reverendísimo...* Murcia, 1722. (B. C. B.)

BLAINVILLE: *Madrid ridicule.* Révue Hispanique. París, 1919.

BOEHN, MAX VON: *Historia de la moda.* Barcelona, 1927, t. IV.

BOURGOING: *Voyage nouveau en Espagne.* 1777-1778. Londres, 1783. (B. M. M.)

CADALSO, J.: *Cartas Marruecas.* Madrid, 1944.

— — *Los Eruditos a la Violeta.* Madrid, 1944.

CAMPOMANES, RODRÍGUEZ DE: *Cartas político-económicas.*

CANGA ARGÜELLES, J.: *Diccionario de Hacienda.* Londres, 1813.

CÁNOVAS DEL CASTILLO, A.: *Historia de España.* Real Academia de la Historia. Madrid, 1891-94.

CÁRMENA Y MILLÁN, LUIS: *Crónica de la ópera italiana en Madrid desde 1738 hasta nuestros días,* por... con un prólogo histórico de Asenjo Barbieri. Madrid, 1878.

CARRERAS CANDI: *Folklore y costumbres de España.* Barcelona, 1928.

CARRERES, F.: *Encuadernación y regalo de libros.* Correo Erudito, t. II.

CASANOVA DE SEINGALT: *Memoires de J. Casanova de Seingalt écrits par lui même.* París, 1885.

CIGES APARICIO: *España bajo la dinastía de los Borbones.* Madrid, 1932.

CLONARD, CONDE DE: *Historia orgánica de las armas de infantería y caballería españolas.* 16 vols. B. A. M.

COSSÍO, JOSÉ MARÍA: *Los Toros.* 3 vols. Madrid, 1943.

COSTE, BLAISE, HENRI: *Les rues de Madrid. 1719.* Révue Hispanique. París, 1919.

COTARELO Y MORI, E.: *María Ladvenant.* Madrid, 1896. (B. A. M.)

— — *María del Rosario Fernández (La Tirana).* Madrid, 1893. (B. A. M.)

COXE, GUILLERMO: *España bajo el reinado de la casa de Borbón, desde 1700 hasta la muerte de Carlos III.* Trad. Salas Quiroga. Madrid, 1846-47. 4 vols. (B. M. M.).

CRUZ, RAMÓN DE LA: *Sainetes.* Prólogo y notas de E. Cotarelo. N. B. A. E. Núm. 23.

CURET, FRANCESC: *Teatres particulars a Barcelona al segle XVIII.* Barcelona, 1935.

DANVILA Y COLLADO: *El poder civil en España.* Madrid, 1885.

— — *Trajes y armas de los españoles.*

DESDEVISSES DU DÉZERT: *L'Inquisition au siècle XVIII.* Révue Hispanique. 1899.

— — *La justice en Espagne au XVIII siecle.* (B. A. B.)

— — *L'Espagne de l'ancien regime. La société, les institutions, richesse et civilisation.* París, 1897-1904.

— — *Les «colegios mayores» et leur reforme en 1771.* (B. A. B.).

— — *La société espagnole au XVIII siècle.* Révue Hispanique. París, 1925.

— — *Un cónsul general de France en Madrid sous Ferdinand VI. 1748-1756.*

Discurso sobre el luxo de las señoras y proyecto de un trage nacional. Madrid, 1788. (B. C. B.)

DURIEU, S.: *Les rues de Madrid.* Révue Hispanique, 1919.

État politique et moral du royaume de l'Espagne l'an MDCCLXV. Révue Hispanique, 1914.

FEIJÓO, PADRE: *Obras.* Biblioteca de Autores Españoles, t. 56. 1863.

FELIPE V: *Copia de la carta que manda al rey Luis su padre en San Ildefonso.* (B. A. B.)

FERNÁN NÚÑEZ, CONDE DE: *Vida de Carlos III,* Madrid, 1898.

FERRER DEL RÍO, ANTONIO: *Historia del reinado de Carlos III.* Madrid, 1856. 4 vols.

GALLACH, INSTITUTO: *Historia de España.*

GARCÍA CORTÉS: *Artículo sobre las reformas en Madrid.* Revista de la Biblioteca, Archivo y Museo Municipal. Junio 1943.

GIGAS: *Un voyageur danois sous Charles III.* Révue Hispanique, 1927.

GÓMEZ ARIAS: *Recetas morales, políticas y precisas para vivir en la corte.* Madrid, 1734. Cit. Sánchez Alonso. Rev. Biblioteca, Archivo y Museo Municipal.

GONZÁLEZ PALENCIA: *La fonda de San Sebastián.* Revista de la Biblioteca, Archivo y Museo Municipal.

GUILLAUME, CORONEL: *Histoire des gardes valonnes au service de l'Espagne.* Bruxelles, 1865. (B. C. B.)

HARO DE SAN CLEMENTE, JOSEPH: *El chichisveo impugnado... reimpreso con las licencias necesarias en la imprenta del dr. D. Geronimo de Castilla en la muy noble y muy leal ciudad de Sevilla.* (B. M. M.)

HARTZEMBUSCH, J. E.: *Periódicos madrileños desde 1661 a 1870.* Madrid, 1876.

HERRERA, ADOLFO: *El duro*. Madrid, 1914. (B. A. M.).
HERRERO GARCÍA: *Mesones de Madrid*. Revista Biblioteca, Archivo y Museo Municipal de Madrid.
Instrucción para la concurrencia de bayles en el carnaval de Madrid el año 1767, de orden del gobierno. (A. H. C. B.).
IRIARTE, TOMÁS DE: *Obras*. B. A. E.
ISLA, PADRE: *Fray Gerundio de Campasas, alias Zotes*. B. A. E.
JOVELLANOS, MELCHOR: *Memoria para el arreglo de la policía de los espectáculos y diversiones públicas y sobre su origen en España*. Madrid, 1790. B. A. E.
— — *Memoria sobre Educación Pública*. B. A. E.
KALTOFFEN: *Por trescientos reales...* Madrid, 1944.
LABAT, PADRE: *Voyage du P. Labat de l'ordre des P. F. Prêcheurs en Espagne et l'Italie. 1706*. París, 1907. (B. A. B.)
LABORDE, ALEXANDRE: *Itinerario descriptivo de las provincias de España y de sus islas y posesiones en el Mediterráneo*. Valencia, 1816. B. M. N.
— — *Voyage pittoresque et historique de l'Espagne*. Révue Hispanique, 1925.
LA FUENTE: *Historia eclesiástica de España*. Barcelona, 1885.
LEGENDRE, M.: *Nouvelle histoire de l'Espagne*.
Léttres écrites de Barcelonne a un zelateur de la liberté qui voyage en Allemagne. Ch... (¿Chautreau?) París, 1792.
Libro del Agrado, impreso por la virtud en la Imprenta del gusto, a la moda y al ayre del presente siglo. Obra para toda clase de personas, particularmente para los Señoritos de ambos sexos, Petimetras y Petimetres. Dedicado a la más augusta, excelsa y majestuosa diosa Cibeles. Con licencia. Barcelona, 1782. (B. M.M.)
LOZOYA, MARQUÉS DE: *Prólogo al t. IV de la «Historia de la Moda»*, vid. Boehu.
MARAÑÓN, G.: *Las ideas biológicas del P. Feijóo*. Madrid, 1934.
MARTÍNEZ ALCUBILLA, A.: *Códigos antiguos de España, 2* t. Madrid, 1885.
MARTÍNEZ RUIZ, A.: *El alma castellana*. Madrid. (B. A. M.).
MELO GIRÓN: *Zelo cathólico y español por la religión y la patria*. Valencia, 1708.
MENÉNDEZ PELAYO, M.: *Antología de poetas líricos castellanos*.
— — *Historia de los heterodoxos españoles,* t. III.
MESONERO ROMANOS: *El viejo Madrid*. Madrid, 1861.
Mesones y posadas en 1733. Revista de la Biblioteca, Archivo y Museo de Madrid. 1928.
MORATÍN, LEANDRO FERNÁNDEZ DE: *Carta histórica sobre el origen y progreso de las fiestas de toros en España*. Madrid, 1777. B. R. A. H.
Novísima Recopilación vid. Martínez Alcubilla.
NUÑEZ DE CASTRO, ALONSO: *Sólo Madrid es corte y el cortesano en Madrid*. Madrid, 1698. B. A. B.
OCHOA, EUGENIO DE: *Epistolario español*. B. A. E., t. 62.
Poetas líricos del siglo XVIII. Madrid, 1869. B. A. E.
PONZ, ANTONIO: *Viaje de España en que se da cuenta de las cosas apreciables y dignas de saberse que hay en ella*. Madrid, 1782. 18 vols., el 5.º sobre Madrid.

PUIGGARÍ, JOSÉ: *Monografía histórica e iconografía del traje*. Barcelona, 1866. B. C. B.
— — *Album de indumentaria española.*
RÁVAGO, F. DE: *Correspondencia reservada e inédita*. Madrid.
Respuesta a las objeciones que se ha hecho contra el proyecto de un traje nacional para las damas. Madrid, 1788. B. C. B.
ROUSSEAU, F.: *Règne de Charles III d'Espagne. 1759-1788*. París, 1907. 2 vols. B. S. H. U. de B.
ROUSSET, J.: *Histoire publique et secrète de la cour de Madrid*. Cologne, 1719.
R^YOCRISA, F.: *Papel seriojocoso para el presente tiempo. Arancel económico para mantener una casa en Madrid. Dalo casi de valde...* Madrid, 1768.
RUIZ, MANUEL: *Memorial de las Damas arrepentidas de ser locas al tribunal de las Justas y Discretas*. Barcelona, 1755. Ar. H. C. B.
SAINT-SIMON: *Lettres et depèches sur l'ambassade d'Espagne*. París, 1880. B. A. B.
SALAS, XAVIER DE: *Chocolate*. Correo Erudito. Madrid, 1941, t. I.
SALCEDO RUIZ, A.: *La época de Goya*. Madrid.
SEMPERE Y GUARINOS: *Historia del luxo y las leyes suntuarias en España*. Madrid, 1788.
SCHUBERT: *Lettres d'un diplomatique en Espagne (1798-1800)*. Révue Hispanique. 1902.
SEPÚLVEDA, R.: *El corral de la Pacheca*. Madrid, 1888.
— — *Madrid viejo*. Madrid, 1887.
SERRANO SANZ: *El consejo de Castilla y la censura de libros en el siglo XVIII*. Rev. Biblioteca, Archivo y Museo Municipal. 1906-1907.
TAXONERA, LUCIANO DE: *Felipe V, dos veces rey de España*. Barcelona 1942.
TAMAYO, JUAN ANTONIO: *Prólogo a las obras de Cadalso*. «La Lectura». Madrid.
Tonadillas en 1780. Revista de la Biblioteca Archivo y Museo Municipal. Madrid, 1925.
TORRES VILLARROEL: *Obras*. Poetas líricos del siglo XVIII. Prólogo de L. Augusto de Cueto. *Vida* (Memorias). Madrid, 1920. B. A. E.
TRATCHEWSKY: *L'Espagne à l'époque de la Revolution*. Révue Historique. 1886.
UBILLA Y MEDINA: *Succesion del rey don Felipe, nuestro señor en la corona de España. Diario de sus viajes desde Versalles a Madrid, el que ejecutó para su feliz casamiento, jornada a Nápoles, a Milán y a su ejército; sucesos de la campaña y su vuelta a Madrid*. Madrid, 1704. (B. C. B.)
VERA, F.: *Historia de la ciencia*, Barcelona, 1937.
Voyage en Espagne d'un ambassadeur marocain, 1690-91. Trad. du arab par H. Sauvaire. París, 1884. B. A. M.
Un voyage en Espagne du debut du XVIII siècle. Revue Hispanique 1908.
ZABALA, PÍO: *España bajo los Borbones*. Barcelona, 1936.

2. PERIÓDICOS

Aduana Crítica, donde se han de registrar todas las piezas literarias cuyo despacho se solicita de esta corte. Hebdomario de los sabios de España. Su autor, don Miguel de la Barrera. Madrid, 1763-64.

Apologista Universal (El), obra periódica, se manifiesta no sólo la instrucción, exactitud y belleza de las obras de autores cuitados que se dejan zurrar y de los semicríticos modernos, sino también el interés y utilidad de algunas costumbres y establecimientos de modas. Madrid, 1786.

Belianis Literario (El). Discurso andante (dividido en varios papeles periódicos) en defensa de algunos puntos de nuestra bella literatura contra todos los críticos partidarios del Buen Gusto y la reformación. Su autor, don Patricio Bueno de Castilla. Madrid, 1765.

Biblioteca periódica anual para utilidad de los libreros y literatos. Contiene un índice general de los libros y papeles que se imprimen y publican en Madrid y las provincias de España; se anotan las librerías donde se venden; están colocados por orden alfabético de apellidos de los autores y traductores y se da razón de los impresores, ciudades y años en que se han hecho las ediciones. Madrid, 1785.

Caxón de sastres o montón de cosas buenas, mejores, medianas, útiles, graciosas y modestas, para ahuyentar el ocio, sin las rigideces del trabajo, antes bien, a caricias del gusto. Madrid, 1760. 7 tomos.

Correo de los ciegos de Madrid. Madrid, 1786-1791. Luego se titula (1787) «Correo de Madrid».

Correo general de España y noticias importantes de agricultura, artes, manufacturas, comercio, industrias, ciencias, que con generosa protección de la Real Junta de Comercio da al público don Francisco Mariano Nipho. Madrid, 1769.

Diario de Barcelona: Barcelona, 1792.

Diario de los literatos de España, en que se reducen a compendiar los escritos de los autores españoles y se hace juicio de sus obras desde el año MDCCXXXVII. Madrid, 1737-1742. 7 vols.

Diario extranjero. Noticias importantes y gustosas para los verdaderos apasionados de las artes y ciencias, etc., por don Fco. Mariano Nipho. Con superior licencia. Madrid, 1763. Se publica los martes. Nº suelto, ocho cuartos.

Diario histórico, político, canónico y moral. Madrid, 1732. 12 números y uno de Indias.

Diario Noticioso, Curioso, erudito y comercial, público y económico. Madrid, 1758-1918 (el 2 de noviembre de 1843 adopta el título definitivo de «Diario oficial de avisos de Madrid», llamado también «Diario Noticioso».

Duende de Madrid (El) (semanal).. 1735.

Duende de Madrid (El). Discursos periódicos que se reparten al público por manos de Don Benito. Madrid, 1787.

Escritor sin título (El). Quincenal. 32 números. 1763.

Espigadera (La), obra periódica. Madrid, 1790-91.

Filósofo a la moda o el Maestro Universal (El). Obra útil y divertida que se dará periódicamente al público todos los jueves, dividida en lecciones instructivas para toda clase de personas. Sacada de los ocios que César Frasponi compuso en idioma italiano sobre la obra francesa titulada «Le Spectateur ou Socrate moderne». Madrid, 1788. 2 números.

Hurón político e instructivo (El) para todas las semanas, compuesto por don Manuel Martínez. Madrid, 1763.

Juzgado Casero. Madrid, 1786. 32 números.

Memorial literario, instructivo y curioso de la corte de Madrid. Madrid, 1784-1790, 1793-1797 y 1801-1808. Mensual.

Mercurio literario o memorias sobre todo género de ciencias y artes. Colección de piezas eruditas y curiosas, fragmentos de literatura para la utilidad de los estudiosos. Madrid, 1739-1740.

Miscelánea instructiva, curiosa y agradable o anales de literatura, ciencias y artes sacados de los mejores escritos que se publican en Europa en diversos idiomas. Alcalá de Henares, 1796. Madrid, 1797-1800.

Murmurador imparcial (El) y observador desapasionado de las locuras y despropósitos de los hombres. Obra periódica que ofrece en obsequio de las personas de buen gusto don Francisco Mariano Nipho. Madrid, 1761.

Novedad de Novedades y primera verdad de Madrid. Segundo diario de los sucesos acaecidos en el tiempo que ha ocupado la corte las tropas enemigas. La remite un sujeto a los ciegos de Madrid. 8 págs. 1706.

Pensador (El), por don Joseph Clavijo y Fajardo. Semanal y después bisemanal. 86 números o pensamientos.

Pensadora Gaditana (La), por doña Beatriz Cienfuegos. Madrid, 1763. Cádiz, 1764. 52 pensamientos o discursos.

Semanario erudito que comprende varias obras inéditas, críticas, morales, instructivas, políticas, históricas, satíricas y jocosas de nuestros mejores autores antiguos y modernos. Dalas a luz don Antonio Valladares de Sotomayor. Madrid, 1787-1791. 34 números.

Tertulia de la aldea y miscelánea curiosa de sucesos morales, aventuras divertidas y chistes graciosos para entretenerse en las noches del invierno. Madrid, 1775-1782.

Triunfo del Apologista Universal (El). Don Eugenio Habela Patiño, cliente y comisionado especial suyo. Madrid, 1788.

Zumbas, con que el famoso Juan de Espera en Dios (1), hijo de Millán y sobrino de Juan de Buen Alma, acude a dar vayas, bregas y chascos, con los alegres gracejos y salados períodos de la divertida serie de su graciosa vida, a la melancolía, etc. Madrid, 1788.

(1) Nombre español del Judío Errante, según Menéndez y Pelayo.

INDICE ONOMÁSTICO

Academia del Buen Gusto, 113.
Afrancesamiento, 5.
Aguado, Simón, 11.
Aguilar, conde de, 20, 58.
Alabarderos, 24.
Alba, duque de, 59.
Alba, duquesa de, 175.
Alberoni, Cardenal, 185, 189.
Alcalá Galiano, Antonio, 104, 126, 175, 176.
Aliaga y Castellot, conde-duque de, 59.
Altamira, Antonio, 188, 206.
Aranda, conde de, 93, 209.
Aranjuez, 34.
Arcos, duque de, 58, 61.
Aribau, Buenaventura Carlos, 101, 102.
Aristóteles, 86.
Asenjo Barbieri, 32, 208.
Aulnoy, condesa de, 32, 38, 60, 66.
Auto Sacramental, 219.
Azorín, 10.

Barado, 76.
Bartolí, Francisco, 207, 208.
Basquiña, 195, 202.
Bayer, A., 90, 91.
Bayle de Carnaval, 11.
Bayona, 182.
Béjar, duque de, 58, 101.
Benavente, conde de, 58.
Bertazzoni, Carlos, 182.
Besamanos, 29.
Blainville, M. de, 64, 106.
Boileau, 216, 223.
Borgia, Cardenal de, 28.
Botillerías, 114.
Bourgoing, 20, 37, 45, 52, 88, 102, 103, 126, 134, 148, 178, 188, 191, 192, 195, 206.
Buffon, 11.

Caballerizo Mayor, 25.
Cabarrús, conde de, 12.
Cabriolé, 193.
Cadalso, José, 6, 63, 66, 73, 76, 79, 94, 101, 102, 114, 131, 132, 133, 148, 150, 156, 162, 165, 166, 178, 205, 206, 219, 220, 221, 223, 226, 242, 243.
Cafés, 114.
Calderón Altamirano, Luis Francisco, 186, 206.
Calderón de la Barca, Pedro, 10, 216.
Campomanes, 19, 37, 65, 66, 90.
Campovillar, 90.
Canga Argüelles, José, 55, 69, 76, 125, 127, 202, 226, 250, 254, 266.
Carlos II, 7, 23, 108, 205, 238.
Carlos III, 7, 9, 13, 26, 34, 35, 36, 46, 61, 62, 65, 67, 69, 73, 80, 86, 87, 90, 91, 92, 103, 110, 123, 126, 135, 182, 184, 189, 192, 217, 219, 224, 225.
Carlos IV, 92, 107, 114, 123, 183, 225.
Carmena y Millán, Luis, 38, 208, 226.
Carmona, José Antonio, 211.
Carvajal, José de, 92.
Carreres, Francisco, 102.
Casanova de Seingalt, J. Jacobo, 181, 184, 188, 231.
Cazuela, 208, 211.

Ceballos y Mier, Fernando de, 94.
Celador, 108.
«Censo ejecutado por orden del rey», 103.
Cerdá y Rico, José, 114.
Cigas, 187.
Ciges Aparicio, M., 206.
Cisneros, J. de, 219.
Clavijo y Fajardo, José, 129, 218, 250.
Clero, 39.
Clonard, conde de, 69, 76.
Cofia, 198.
Cofradías, 42, 49.
«Colegio de Cirujía para la Armada», 87.
Colegios mayores, 88.
Comella, 222.
«Confesionario», 146.
Contreras, Luis de, 9, 10.
Cortejo, 144, 145.
«Corral de la Pacheca», 209.
Cossío, José María de, 238, 243.
Coste, Blaise, Henri de, 105, 126.
Cotarelo y Mori, 198, 206, 216, 226.
Coxe, Guillermo, 42, 53, 98.
Cruz, Ramón de la, 48, 55, 81, 82, 101, 110, 117, 121, 123, 124, 126, 131, 145, 148, 152, 155, 156, 165, 167, 168, 172, 173, 176, 177, 184, 199, 206, 210, 212, 221, 225, 226, 229, 231, 232, 243, 254.
Curet, Francisco, 225, 226.
Cueto, L. Augusto de, 146, 148.
Currutaco, 163, 164.

Chocolate, 135.
Chorizo, 222.
Chichisveo, 146, 147, 201.
Chulos, 238.
Chupa, 193, 194.

D'Alembert, 11.
De Coste. Vid. Coste.
Desolladero, 209.
Desafíos, 131.
Descartes, Renato, 86.
Desdevisses du Dézert, 14, 34, 38, 55, 66, 67, 72, 76, 85, 124, 163, 176, 187, 206, 228, 243.
Destouches, 216.
Diligencias, 182.
Disciplinantes, 49.
Duro, 149.

Ensenada, marqués de la, 75, 86.
Escalona, duque de, 58.
Escofieteras, 206.
Escoiquiz, Juan de, 83.
Escorial, 35, 37.
Espolique, 191.
Esquilache, 20, 189, 191.
Esteban, Francisco, 96.
Estébanez Calderón, F., 228.
Explanada, 122.

Farinelli, 33.
Federico II, 192.
Feijóo, Padre, 85, 96, 148, 159, 196, 206.
Felipe II, 104.
Felipe V, 20, 26, 61, 62, 67, 68, 107, 123, 131, 184, 189, 208, 238.
Fernán-Núñez, conde de, 35, 38, 61, 66, 192, 206.
Fernández, José, 228.
Fernández de Moratín, Nicolás. Vid. Moratín.
Fernández de Velasco, 136.
Fernando VI, 26, 33, 34, 61, 67, 86, 87, 92, 93, 106, 107, 123, 131, 217, 224, 240.
Ferrer del Río, Antonio, 10, 192, 206.
Floridablanca, conde de, 90, 112.
Fonda de San Sebastián, 113.
Forner, Juan Pablo, 222.
Foy, general, 67.
Frías, duque de, 58, 136.
Fuero Militar, 73.

Garcés, Fernando, 241.
Garramendi, 86.
Gimbernat, Antonio, 87.
Gippini, hermanos, 113.

Godoy, Manuel, 93.
Golilla, 185.
Gómez Arias, 127.
Gómez Ortega, 114.
Grandes de España, 58.
Gremio de Hosteleros, 113.
Gremios, 125.
Grillo de Mari, Francisco, 21.
Guardia de Corps, 24.
Guardias Valonas, 25, 123.
Guerra Villegas, José, 22.
Guerrero, 225.
«Guía de Solicitantes», 109.
«Gusanos de luz», Serenos, 108.

Haro y San Clemente, José, 147, 148, 206.
Hazard, Paúl, 83, 101.
Híjar, duque de, 115, 225.
Hospital de San Carlos, 87.
Huerta, García de la, 222.

Iglesia de San Cayetano, 107.
Iglesia de Sto. Tomás, 107.
Iluminados, 44.
Infantado, duque del, 58.
Inquisición, 13, 43.
Iriarte, Tomás de, 83, 101, 114, 143, 148.
Isla, Padre, 40, 49, 55, 168, 176, 191, 196, 247, 249.

Jesuítas, 13.
José I (Bonaparte), 12.
Jovellanos, 65, 81, 83, 84, 86, 101, 112, 126, 169, 175, 176, 201, 210, 211, 216, 217, 226, 227, 243.
Jubara, Abate, 31.

Labat, Padre, 47, 51, 67, 76, 135, 186, 187, 188, 198, 205, 245, 246, 248, 249.
Laborde, Alejandro, 45, 55.
Ladvenant, María, 197, 217.
La Fuente, 40, 46, 55, 135.
La Granja, 34.
Langle, 67.
Langlois, Juan, 204.
Larra, Mariano José de, 103, 126.
Lavoisier, 93.
Legendre, Mauricio, 94, 102.
Lemos, conde de, 58.
Lemus, marquesa de, 100, 113.
Limosnero Mayor, 24.
Linneo, 92, 93.
Lobo, E. Gerardo, 147.
Löfling, 92.
Louville, marqués de, 108.
Lope de Vega, 10, 216.
López de Ayala, Ignacio, 113.
Losada, duque de, 35.
Lozoya, marqués de, 9, 10.
Luis XIV, 13, 205.
Luisa Isabel de Orleáns, 28.
Luzán, Ignacio, 101, 206.

Macanaz, Melchor, 43, 90.
Magistrados, 110.
Majas, 125, 170, 231.
Majos, 170, 251.
Manolos, 170.
Mantilla, 195, 197.
Manzera, marqués de, 186.
Marañón, Gregorio, 85, 102.
María de Portugal, 61.
María Luisa Gabriela, 208.
Martínez Alcubilla, 66.
Martínez Ruiz, José, 148. Vid. Azorín.
Maulevrier, 28.
Mayordomo Mayor, 24, 26, 28.
Medina de Ríoseco, duque de, 58.
Medinaceli, duque de, 59.
Medinasidonia, duque de, 58, 186.
Memorial Literario, 111.
Menéndez Valdés, J., 222.
Mesonero Romanos, A., 105, 106, 126, 172, 246, 254.
Mesones, 111.
Molière, 159, 216.
Monarquía, 19.
Montesquieu, 11, 205, 206.
Montijo, conde de, 33.
Moratín, Nicolás Fernández de, 12, 101, 113, 137, 147, 148, 193, 198, 206, 220, 222, 223, 226, 238.

Moreto, Agustín, 217.
Mosqueteros, 221.
Mueble, 120, 146.
Muñoz, Juan Bautista, 114.
Museo del Prado, 107.

Nájera, duque de, 58.
Napoleón, 12.
Nasarre, 101.
Newton, 86.
Novelli, Nicolás Rodrigo, 239.

Observatorio Astronómico, 107.
Ochoa, 226.
Olivares, conde-duque de, 31.
Orellana, Marcos Antonio, 135, 148.

Palacio de Liria, 108.
Palacio de Buena Vista, 108.
Palafox, Juan de, 136.
Panduros, 222.
Pardo, 34.
Pascual, Antonio, 30.
Patiño, José, 61, 75.
Pedantes, 95.
Peña Florida, conde de, 98.
Peregrinaciones, 44.
Pérez Bayer. Vid. Bayer.
Petimetra, 147, 157, 198.
Petimetre, 77, 82, 132, 149, 151, 152, 154, 155, 193, 231, 250.
Pizzi, 114.
Plaza Mayor, 123.
Plaza Vieja, 240.
Palacios, 222.
Ponz, Antonio, 104, 126, 211.
Porcel, 101.
Posadas, 111, 183.
Prado, 118.
Procesiones, 48.
Proust, José Luis, 93.
Puente de Toledo, 107.

Quiñones de Benavente, 171.

Racine, 216, 220, 224.
Real Academia, 72.
«Recetas Morales»..., 109, 116.
Reclutamiento, 68.
Redingot, 193.
Reoticarts, condesa de, 205.
Revolución Francesa, 19.
Roda, 90.
Rodríguez Villa, 61, 66.
Rojas, 217.
Romero, Francisco, 239.
Ronquillo Briceño, Francisco, 21.
Rousseau, Juan Jacobo, 11, 241.
Rousset, J., 66.
Rubert, 222.
Ruiz, A. Manuel, 148.

Sachetti, 31.
Saint-Pierre, Bernardin de, 241.
Saint-Simón, duque de, 27, 38, 178, 184.
Salcedo Ruiz, A., 127, 144, 148, 170, 222, 226.
Salesas Reales, 107.
Salvá, Francisco, 93.
San Antonio Abad, 105.
Sánchez, Manuel, 195.
Sánchez Alonso, 127.
Sanquineto, Rafael, 22.
Santo Oficio. Vid. Inquisición.
Sarriá, marquesa de, 113.
Sauvaire, H., 38.
Seoti, Aníbal, 207.
Seminario de Nobles, 62, 107.
Sempere Guarinos, 178, 184, 185, 188, 206, 247, 249, 254.
Sepúlveda, 66, 112, 126, 163, 172, 176, 209, 219, 223, 226.
Serrano Sanz, 93, 102.
Sezanne, conde de, 34.
Signorelli, 101.
Silva y Palafox, Agustín de, 58.
Sociedad Económica de Amigos del País, 97.
Sorel, 67.
Sumiller de Corps, 25.
Sumilleres de cortina, 23.

Tabernas, 114.
Tamayo, Juan Antonio, 101.
Taránganas, 251.

Torrepalma, conde de, 101.
Torres Villarroel, Diego de, 60, 66, 81, 86, 101, 102, 109, 126.
Trelles, Benito, 136.
Twiss, 34.

Ubilla y Medina, 20, 37.

Valdecorzana, duque de, 59.
Vargas, Ponce, 144.
Velación, 29.
Vera, Francisco, 102.
Verbenas, 116.
Villarroel. Vid. Torres Villarroel,
Villaviciosa, 34, 35.
Virgen, Devoción a la, 45, 46.
Voltaire, 11, 216.

Waleft, barón de, 105.
Wall, Ricardo, 92.

Zabala, Pío, 222.

INDICE DE GRABADOS INTERCALADOS

Págs.

Nobles conversando 62
Descanso junto al río 120
El refresco en la tertulia 134
Tomando chocolate en la intimidad 137
Riña conyugal 144
En la barbería 151
Baile de carnaval 237
Lecho de la época (sátira) 246

INDICE DE LAMINAS

La familia de Felipe V 20
Fernando VI y Bárbara de Braganza 21
El Buen Retiro 24
Perspectiva del Alcázar 25
Entrada de Carlos III en Barcelona 32
Carlos III comiendo ante su corte 33
Catafalco para las honras fúnebres de Felipe V 36
Jura de Fernando VII como príncipe de Asturias 37
Real Convento de la Visitación 40
Iglesia de San Martín 41
Procesión de Semana Santa en Barcelona 48
Gozos del glorioso San Honorato 49
Las Parejas reales 60
El Paseo de las Delicias en Madrid 61
Concierto familiar 64
Nacimiento de una princesa 65
Sitio de Barcelona en 1714 68
Embarque de Felipe V en Barcelona 69
La plaza de toros y la Puerta de Alcalá 104
El Prado y Recoletos a fines del XVIII 105
Proclamación de Carlos III en la Plaza Mayor 116
Vista de las ruinas de la Plaza Mayor 117
Riña de majos y la Gallina Ciega 152
La navaja en ristre... 153
El cacharrero 182

Págs.

Carrozas reales de Carlos III 183
Cumpliendo la orden de Esquilache 192
Refresco. Elegantes caballeros... 193
Casaca de petimetre y traje femenino 196
Abanico, escarcela, zapatos y medias 197
Fiesta en un jardín. El actor en escena 212
Actrices españolas... 213
La lotería española 232
La merienda 233
Baile de máscaras 240
Campanelas, embolados... 241
Salón de los tapices del Palacio Real e interior de casa noble . . 244
Biblioteca señorial y dormitorio 245
Carlos III, el rey ordenancista... 247
La familia de Carlos IV 248

INDICE GENERAL

Págs.

Prólogo 15

Clave de la bibliografía 15

I. El Rey. El Rey pone casa. Casa de la Reina. Fiestas en Palacio. Gala y besamanos. El juramento del príncipe heredero. Residencias reales. El palacio del Retiro. El teatro. Real Sitio de Aranjuez. El Pardo. Jornada del Rey. Muerte del Rey. Bibliografía 19

II. La Iglesia. Una sola religión. El clero. Los predicadores pedantes. Las cofradías. La Inquisición. Las cárceles de la Inquisición. Causas de detención. Peregrinaciones. El culto a la Virgen. La devoción. Las procesiones. Los disciplinantes. La Semana Santa en la calle. Los votos. Otras prácticas religiosas. La muerte. La familiaridad en la Iglesia. Las festividades religiosas. Bibliografía . . 39

III. La nobleza. Grandes de España. Un Grande se cubre. Educación. Nobleza provinciana. Bibliografía 57

IV. El Ejército y la Marina. Reclutamiento. Vida militar. Alojamiento. El traje. Ejercicios tácticos. La caballería. El Fuero militar. El oficial a la violeta. La Marina. Religión en la Marina. Bibliografía 67

V. La educación y la cultura. La crianza. La educación infantil. Disciplinas. Educación religiosa y civil. La Filosofía. Universidades. Médicos. Los Colegios Mayores. La protección real a la cultura. La cultura como moda. Pedantes. Sociedades Económicas de Amigos del País. Academias. Bibliografía 77

VI. Madrid. La capital de España. Las grandes reformas de los Borbones. La población. Las posadas. La Fonda de San Sebastián. Cafés. Tabernas. La ciudad se divierte. El Prado. Los Baños. Abastecimientos en Madrid. La Plaza Mayor. La Puerta del Sol. La Pradera de San Isidro. Los Gremios Mayores. Hospitales. Hospicios. Bibliografía 103

Págs.

VII. El trato social. La cortesía y el ceremonial. Desafíos. La tertulia. El chocolate. Tertulias literarias. El matrimonio y la sociedad. El Cortejo. El chichisveo. Bibliografía. 129

VIII. La huída de lo natural. El Petimetre. Su vestido. Su tocador. Día social. La irreligión. Barbas y tradición. La Petimetra. La jornada de la Petimetra. La Petimetra en las letras. El currutaco. El exceso verbal. El amor a lo extranjero. Galicismos. La mujer afrancesada. Majos, majas y manolos. Los majos son generosos a su manera. La imitación del majo. Bibliografía 149

IX. El transporte. El coche como necesidad social. El tráfico urbano. Viaje por carretera. Diligencias. Nuevas posadas. Bandidos. Bibliografía 177

X. El traje. La capa y el sombrero ancho. Los bandos en contra. Trajes característicos. El vestido del rey Carlos. El traje del hombre de la calle. El traje femenino. Lo religioso. Tocado. El lujo. Cajas y relojes. Anteojos. Bibliografía 185

XI. El teatro. La ópera italiana en Madrid. Distribución del teatro. Las obras. Crítica intelectual. Las compañías. La propiedad escénica. El público. Chorizos, polacos y panduros. Gomosos y snobs. La moral en el teatro. El teatro casero. Bibliografía 207

XII. Diversiones varias. Juegos. Baile. El Bastonero. El Fandango. El baile de Carnaval. Los toros. Enemigos de los toros. Bibliografía 227

XIII. El hogar. La casa. La casa aldeana. La comida. El servicio. Bibliografía 245

Bibliografía general 255

Índice onomástico 261

Índice de grabados intercalados 267

Índice de láminas 267